UMA BREVE HISTÓRIA *dos* ESTADOS UNIDOS

James West Davidson

UMA BREVE HISTÓRIA *dos* ESTADOS UNIDOS

Tradução de Janaína Marcoantonio

4ª EDIÇÃO

Texto de acordo com a nova ortografia.
Título original: *A Little History of the United States*

1ª edição: junho de 2016
4ª edição: junho de 2023

Tradução: Janaína Marcoantonio
Ilustrações da capa e miolo: Gordon Allen
Mapas: Bill Nelson.
Revisão: Marianne Scholze e L&PM Editores

CIP Brasil. Catalogação na publicação
Sindicato Nacional dos Editores de Livros, RJ.

D283u

Davidson, James West
　　Uma breve história dos Estados Unidos / James West Davidson; tradução Janaína Marcoantonio. – 4. ed. – Porto Alegre, RS: L&PM, 2023.
　　344 p. : il. ; 21 cm.

　　Tradução de: *A Little History of the United States*
　　Inclui índice
　　ISBN 978-85-254-3421-0

　　1. Estados Unidos - História. I. Título.

16-33022　　　　　　　　　　CDD: 973
　　　　　　　　　　　　　　CDU: 94(738)

© 2015 by James West Davidson. Illustrations by Gordon Allen. Maps by Bill Nelson.
Originally published by Yale University Press

Todos os direitos desta edição reservados a L&PM Editores
Rua Comendador Coruja, 314, loja 9 – Floresta – 90.220-180
Porto Alegre – RS – Brasil / Fone: 51.3225.5777

Pedidos & Depto. Comercial: vendas@lpm.com.br
Fale conosco: info@lpm.com.br
www.lpm.com.br

Impresso no Brasil
Inverno de 2023

Para W.E.G., M.H.L., M.B.S., C.L.H. e B.DeL.,
que partilharam a caminhada pelos campos elísios.

Sumário

Mapas IX
Introdução – Fazendo história XI

1. Para onde iam os pássaros 1
2. Um continente no espaço e no tempo 5
3. De um, muitos 10
4. Uma era dourada e a era do ouro 16
5. Quando dois mundos colidem 23
6. Como posso ser salvo? 30
7. Santos e forasteiros 38
8. Polo econômico 45
9. Iguais e desiguais 52
10. Iluminados e despertos 60
11. Cuidado com o que você deseja 66
12. Mais do que uma disputa 75
13. Iguais e independentes 83
14. União mais perfeita 92
15. O temor de Washington 99
16. Império da liberdade 106
17. Homem do povo 115
18. Reinos de algodão 123
19. Consumidos pelo fogo 131
20. Fronteiras 138
21. Cruzando a fronteira 148
22. O que estava por vir 157
23. Como reconstruir? 168
24. A próxima febre 176
25. A cor do seu colarinho 183

26. Um conto de duas cidades 190
27. O novo Oeste 198
28. Sorte ou coragem? 205
29. Os progressistas 213
30. Caos 222
31. As massas 230
32. Um novo acordo 237
33. Guerra global 245
34. Superpotência 254
35. O fim do mundo 263
36. Você ou você ou você 270
37. A avalanche 278
38. Uma guinada conservadora 286
39. Conectados 294
40. O passado pede mais 302

AGRADECIMENTOS 310
ÍNDICE REMISSIVO 311

Mapas

O formato da América do Norte 7
A era do ouro 36
Colônias da Grã-Bretanha 55
A América do Norte na época da Guerra dos Sete Anos 68-69
Retirada e avanço de Washington 88
Lewis e Clark chegam ao oceano Pacífico, 1804-1805 112-113
Fronteiras em movimento 144-145
A Guerra Civil 162-163
O mundo das superpotências 257

Introdução
Fazendo história

Como você faz história? A maioria de nós pensa em termos de alguém mudando o curso dos acontecimentos ao realizar feitos que perdurarão na memória humana. Isso é fazer história vivendo-a.

Eu sou alguém que faz história de outra maneira: eu a escrevo. Como historiador, é meu trabalho descobrir os detalhes do passado e decifrá-los.

Fazer história vivendo-a parece empolgante, vital, perigoso, até. Dos que a fazem, os mais importantes geralmente são honrados, às vezes denunciados, sempre lembrados. As pessoas que *escrevem* história, por outro lado, são praticamente invisíveis. Habitam um mundo de bibliotecas abarrotadas de livros velhos, fotografias desbotadas e registros cheios de orelhas. De fato, escrever história e vivê-la parecem pertencer a dois mundos diferentes. Mas esses mundos estão mais interligados do que pode parecer.

Considere dois homens que cresceram no começo do século XX. Michael King nasceu em 1929 em Atlanta, na Geórgia, durante os tempos difíceis da Grande Depressão. Seu pai, um pastor, o apelidou de Pequeno Mike (sendo o pai, é claro, o Grande Mike). Mike foi um garoto emotivo. Quando sua avó morreu de um ataque cardíaco, ele foi tomado por uma tristeza tão grande que se jogou da janela do segundo andar de sua casa. (Felizmente, não sofreu nenhum ferimento grave.) Mas também cresceu alegre e bem-humorado. Ao entrar na universidade, ficou conhecido por gostar de festas, casacos esportivos chamativos e sapatos bicolores. Talvez seja correto afirmar que história não foi seu primeiro amor.

Mas ele tinha outro lado. Apesar de todas as festas, ele lia sobre o passado. Um livro da biblioteca que o fez pensar foi *A desobediência civil*, de Henry David Thoreau, escrito em 1849. Thoreau ponderou sobre se em alguma situação seria justificável que um cidadão norte-americano desobedecesse as leis de seu país. E mesmo quando Michael King tinha apenas cinco anos de idade, seu pai o expôs à história de uma maneira muito pessoal. O Grande Mike decidiu que rebatizaria a si mesmo e ao filho em homenagem a um de seus heróis, o reformador religioso alemão Martinho Lutero (em inglês, Martin Luther). Desse momento em diante, Michael King Jr. se tornou Martin Luther King Jr. – e seguiu em frente para fazer história como o líder mais famoso do movimento pelos direitos civis. De fato, ele se tornou uma das pessoas mais famosas da história norte-americana.

Do outro lado do mundo, Valentine Untalan cresceu nas Filipinas. Durante a Segunda Guerra Mundial ele entrou para o exército para defender seu país de uma invasão japonesa, lutando lado a lado com forças norte-americanas. Na península de Bataan, Untalan foi capturado e então aprisionado com milhares de outros filipinos e norte-americanos em um grande campo. Lá, guardas japoneses anunciaram que os prisioneiros marchariam até a cidade de Manila, onde seriam temporariamente abrigados em hotéis.

A última coisa em que Val Untalan pensava era se estava fazendo história. Ele só queria continuar vivo e sabia que precisava fugir. A jornada exaustiva dos prisioneiros ficou mais tarde conhecida como a Marcha para a Morte de Bataan; milhares de soldados morreram. Depois de quatro tentativas, Untalan finalmente conseguiu fugir dos japoneses, regressando a seu povoado e voltando ao combate. Depois da guerra, ele se mudou para os Estados Unidos, tornou-se cidadão norte-americano, fez carreira no exército e formou uma família. Conheço essa história porque, anos depois, me casei com uma de suas filhas.

De Martin Luther King Jr. você ouviu falar; de Valentine Untalan, provavelmente não. Mas ambos os homens fizeram história vivendo-a, de maneiras grandes e pequenas. Nenhum dos dois poderia ter imaginado, em sua juventude, de que modo ler história mudaria sua vida. Mas mudou. Quando os captores japoneses anunciaram a marcha para Manila, Val Untalan se lembrou: "Eu tinha lido sobre a Primeira Guerra Mundial, com todas as suas cenas horríveis e atos de crueldade; e falei para mim mesmo, eles não estão nos levando para hotel algum!". Quando Martin Luther King pensou em acabar com a injustiça da segregação, ele estava impressionado com o modo como Thoreau escolhera a prisão "em vez de apoiar uma guerra que disseminaria a escravidão em território mexicano".

É possível afirmar que, porque leu história, Valentine Untalan salvou a própria vida? Isso seria simplista demais. Também foi preciso engenhosidade, determinação e persistência obstinada. É possível afirmar que, porque leu história, Martin Luther King perdeu a vida para a bala de um assassino, embora tenha trazido mais liberdade a milhões de norte-americanos? Isso também é simplificador demais. King não decidiu arriscar a vida por uma causa nobre simplesmente porque leu um livro.

Mas ambos os homens usaram seu conhecimento de história para fazer história. E, se pararmos para pensar, veremos que a história molda nossa vida de mil maneiras diferentes. Nossa própria identidade – quem nós dizemos que somos – é, na verdade, nada mais que uma história de nós mesmos. Essa história pessoal é composta daquilo que fizemos e de onde estivemos e do que lemos. Nós a construímos – fazemos nossa própria história – a partir de memórias pessoais vívidas e de histórias contadas por nossos pais e outros familiares. Nós fazemos história a partir das tradições dos times esportivos dos quais participamos, das páginas na internet que visitamos – e, sim, também a obtemos dos livros de história que descrevem a vida de uma nação.

Este livro é uma história de como os Estados Unidos surgiram. A narrativa é notável, abrangendo mais de quinhentos anos. Descreve como uma nação se estendeu por um continente ocupado por uma enorme variedade de povos. E explica como eles vieram a se unir sob uma bandeira de liberdade e igualdade. O lema dos Estados Unidos é a frase latina *E pluribus unum*: De muitos, um. Os Fundadores que declararam a independência do país insistiam que seus cidadãos – de fato, toda a humanidade – eram *criados iguais* e tinham o direito *à vida, à liberdade e à busca da felicidade*.

À primeira vista, esses ideais de liberdade, igualdade e unidade quase parecem contos de fadas, muito distantes do mundo real. Como uma nação podia proclamar liberdade quando centenas de milhares de seus habitantes foram sequestrados e trazidos à América como escravos? Como os Fundadores podiam louvar a igualdade quando metade das pessoas vivendo nos Estados Unidos – as mulheres – não tinham os mesmos direitos que os homens? Como uma nação verdadeiramente unida podia ser composta de tantos povos diferentes? Alguns eram devotos que faziam suas orações em casas de culto simples, outros, em catedrais imponentes; outros não eram membros de igreja alguma. Alguns eram recém-chegados procurando ficar ricos com o cultivo de tabaco ou de algodão; outros eram trabalhadores transpirando ao lado de fornos fumegantes que produziam aço para arranha-céus e ferrovias. Houve agitadores que jogaram chá no porto em vez de pagar tributos que lhes eram cobrados sem seu consentimento, trabalhadores rurais que fundaram um sindicato para obter um salário justo e condições de vida decentes, inventores que trabalharam para criar uma lâmpada elétrica, uma lata de óleo melhor, uma máquina para projetar imagens em movimento em uma tela. Pensadores que exploraram ideias, como o que fazer para vender um jornal para milhões de pessoas ou para tornar uma grande cidade habitável.

Tantas pessoas diferentes. Tão diferentes que certamente não têm nada a ver com você! Será? Quer você perceba, quer não, todas essas pessoas são parte da sua história. Não é fácil saber de quais histórias você pode precisar um dia.

Todos queremos fazer história vivendo-a. Mas nunca se esqueça de que, quanto mais você lê, escreve e relembra história, maiores são as suas chances de vivê-la de maneira que seus feitos também sejam lembrados.

1
Para onde iam os pássaros

No convés do navio, o capitão, alto e de rosto avermelhado, olhou para o céu, os olhos tão celestes quanto o firmamento. Um grande bando de pássaros passava sobre sua cabeça. Não eram as gaivotas habituais que seguiam os marinheiros por toda parte pelos oceanos, nem os pequenos petréis que procuram abrigo no leme de um navio quando uma tempestade se aproxima. Esses eram pássaros terrestres. Como vinham do norte, pensou o homem, talvez estivessem migrando – "fugindo do inverno" que chegava a alguma terra distante. Os pássaros eram um sinal – um que ele necessitava muitíssimo –, pois certamente eles também se dirigiam à terra.

Os outros marinheiros contemplaram o céu, mas também lançaram olhares para o capitão. "Almirante dos Mares", ele se autoproclamava, mas eles não lhe tinham muita confiança. Embora as embarcações e as tripulações fossem espanholas, o almirante Cristoforo Colombo vinha do porto italiano de Gênova. Durante cinco semanas no fim do verão e início do outono de 1492, as caravelas *Niña*, *Pinta* e *Santa Maria* navegaram pelo oceano Atlântico rumo ao oeste. Ninguém a bordo jamais estivera sem avistar terra por tantos dias. E eles não tinham visto nada das terras desconhecidas e das grandes riquezas que o forasteiro prometera. Talvez fosse hora de se rebelar e jogar o almirante ao mar em vez de permitir que conduzisse todos eles para a morte.

Colombo também estava apreensivo, embora se recusasse a demonstrá-lo. Ordenou que o navio mudasse de rumo. Se os pássaros estavam indo para o sudoeste, ele os seguiria.

Havia sido uma longa jornada para Cristoforo Colombo, ou Cristóvão Colombo, como os falantes de português traduzem seu nome. Filho de um tecelão, Colombo escolhera a vida do mar em vez de seguir o negócio do pai. Durante anos, Gênova fora um porto próspero cujas embarcações navegaram o vasto Mediterrâneo que a Europa conhecia tão bem, obtendo sedas, especiarias e outros artigos de luxo em portos da costa oriental. Esses produtos vinham de reinos distantes na Ásia, transportados por uma série de trilhas e estradas com milhares de quilômetros, conhecidas como a Rota da Seda. Colombo devorou histórias de um comerciante italiano chamado Marco Polo, que percorrera esses caminhos duzentos anos antes, chegando até Catai (hoje chamada China), onde Polo conheceu seu líder, o Grande Khan, e escreveu sobre maravilhas fabulosas e incontáveis riquezas.

Colombo viajara para o sul margeando a costa da África, onde os portugueses estavam encontrando ouro, marfim e escravos para comprar e vender. Ele viajara para o norte no Atlântico, quase chegando ao Ártico. Ao visitar a Irlanda, viu um barco rudimentar sendo levado pela correnteza, das vastas águas ocidentais até um porto. No barco jaziam duas pessoas mortas – "um homem e uma mulher de aparência extraordinária". Alguns opinavam que essas pessoas tinham aparência tão estranha porque foram trazidas pelo vento desde Catai, o que certamente não era o caso. Mas, ainda assim, histórias sobre o Atlântico alimentaram a imaginação de Colombo.

A maioria dos estudiosos da época entendia que o mundo era redondo. Durante séculos, livros antigos narraram histórias de ilhas distantes a oeste, onde viviam povos desconhecidos. Outros escritores acreditavam que ali poderia existir também um grande continente, e outros ainda insistiam que o Atlântico se estendia até a Ásia, uma distância grande demais para ser navegada. Colombo estava convencido de que o mundo era menor do que a maioria dos geógrafos pensava. Para ele, parecia perfeitamente possível que alguém da Europa navegasse rumo a oeste até Catai.

Colombo pediu ao rei João, de Portugal, que financiasse uma expedição. Portugal ficava de frente para o Atlântico, e seus capitães se aventuravam pela costa africana regularmente. Em 1488, Bartolomeu Dias havia contornado a extremidade sul da África e chegado ao oceano Índico. Seu caminho se tornou uma rota marítima por onde os europeus navegavam para alcançar os tesouros da Índia e de Catai. Mas, surpreendentemente, a ideia de Colombo de uma rota ocidental não impressionou o rei João. "Um grande falador e prepotente (...) cheio de fantasia e imaginação", o rei reclamou. E talvez João estivesse certo. Colombo era teimoso, um pouco vaidoso e excessivamente seguro de si. Na verdade, o mundo era maior do que ele acreditava. A distância de Portugal à China, a oeste, está mais próxima de 20 mil quilômetros do que dos 4 mil que Colombo imaginou.

Mas mesmo homens equivocados podem ir longe quando são teimosos. Colombo levou suas ideias à Espanha, governada pelo rei Fernando e pela rainha Isabela. No início, eles lhe deram pouca atenção, pois estavam envolvidos em uma guerra contra líderes árabes da África que durante séculos haviam controlado grande parte da Espanha. Só depois de expulsar os últimos exércitos árabes, Fernando e Isabel concordaram em financiar a viagem de Colombo.

Em agosto de 1492, a *Niña*, a *Pinta* e a *Santa Maria* partiram com Colombo no comando. Primeiro ele navegou para o sul, para as ilhas Canárias, na costa da África. Os ventos naquela parte do mundo tornavam mais fácil navegar para o oeste. À noite, os marinheiros dormiam de roupa onde quer que pudessem encontrar um lugar no convés. Quando amanhecia, um garoto cantava uma prece: "Bendita seja a luz / e a Santa Veracruz". Assim que o sol se levantava, o orvalho no convés secava, e os homens começavam suas tarefas. Peixes-voadores pulavam pelas águas e até "tombavam no convés". Em mares calmos, os marinheiros nadavam ao lado do navio.

Mas tais prazeres não eram capazes de eliminar preocupações mais profundas. Onde era o fim desse vasto oceano? À noite, ainda se viam, contra uma lua quase cheia, as silhuetas dos pássaros terrestres migrando. Finalmente, por volta das duas horas da manhã, em 12 de outubro, o vigia na *Pinta* gritou: "*Tierra! Tierra!*" – Terra! Terra! Quando o sol nasceu, as areias brancas de uma ilha assomaram.

Mas onde é que eles estavam? Na costa de Catai? Colombo tinha a cabeça cheia de perguntas enquanto um dos barcos do navio o levava até a praia. Marco Polo havia falado de uma ilha próspera chamada Cipangu (nós a chamamos Japão). Esse pequeno pedaço de terra certamente não poderia ser tal ilha. Mas Cipangu estaria perto? Ou esta seria alguma terra que nenhum europeu havia visitado antes?

Ele observou um movimento na costa – depois outro. Ao que parecia, várias pessoas haviam corrido para a floresta que havia além da praia.

Quem eram essas pessoas? Onde ele estava? As ondas empurraram o barco para a praia, e Colombo desceu.

2
Um continente no espaço e no tempo

Colombo não foi o primeiro europeu a encontrar a América do Norte. Cinco séculos antes, por volta de 1000 d.C., Leif Erikson liderou um bando de homens e mulheres nórdicos à extremidade norte do que é hoje a Terra Nova, no Canadá. Dali, esses vikings exploraram uma região que batizaram de Vinlândia. Mas os assentamentos nórdicos desapareceram, e os europeus se esqueceram deles. Portanto, a viagem de Colombo foi um acontecimento verdadeiramente marcante. Depois de 1492, a metade oriental do mundo nunca mais estaria isolada da metade ocidental.

Se a ilha que Colombo avistou era a que hoje chamamos de São Salvador, como muitos acreditam, tratava-se de um pedaço minúsculo do continente: apenas cerca de 163 quilômetros quadrados. Os outros 24.708.324 quilômetros quadrados restantes da América do Norte ainda eram desconhecidos por Colombo.

Hoje, os Estados Unidos vão do Atlântico ao Pacífico. Para entender como se tornaram uma nação tão extensa, precisamos compreender de que modo o continente moldou a história desde o início. Precisamos entender o espaço da América do Norte, bem como seu lugar no tempo.

Primeiro, consideremos o espaço. Começando no topo de uma folha de papel em branco, desenhe dois grandes traços verticais, cada um deles fazendo uma curva discreta para dentro até quase se encontrarem ao pé da página. O formato é de um funil, terminando em um gancho; e este é o contorno básico da América do Norte. Com o oceano Atlântico margeando a costa leste e o Pacífico a oeste, o território se afunila até o istmo do Panamá. A estreita ponte terrestre do Panamá conecta a América do Norte e a do Sul.

Agora, desenhe um segundo conjunto de linhas dentro das primeiras, correndo mais ou menos paralelas. Estas são as principais cadeias montanhosas do continente. A linha oriental representa os montes Apalaches, que vão do Maine à Geórgia. A oeste, a procissão de picos elevados se divide e volta a se unir, com as cordilheiras das Cascatas e de Sierra Nevada correndo mais perto do Pacífico e as Rochosas mais a leste. Entre essas cadeias de montanhas ocidentais estão as terras áridas da Grande Bacia e do Grande Lago Salgado.

Montanhas atuam como barreiras. Os Apalaches tornam difícil viajar dos montes e planícies da costa atlântica para as pradarias abertas a oeste. Do lado do Pacífico, as montanhas das Cascatas e da Sierra Nevada desencorajam as pessoas de viajarem para o leste.

As montanhas também agem como barreiras para o clima. Nuvens carregadas vindas do Pacífico se elevam ao atravessar as montanhas. O ar quente se condensa ao passar pelos cumes montanhosos, mais frios, e se precipita como chuva, geralmente a oeste das montanhas. A Grande Bacia e as Grandes Planícies, a leste, se mantêm muito mais secas. Porém, nenhuma cadeia montanhosa se estende pelas terras mais ao norte que constituem o Canadá de nossos dias. Durante o inverno, o ar gélido do Ártico pode fluir para o sul, adentrando o continente. As cadeias montanhosas ajudam a canalizar esse ar frio. Muitas das cadeias montanhosas da Europa e da Ásia, ao contrário, correm de leste a oeste, como os Alpes, o Cáucaso e o Himalaia, e, desse modo, essas montanhas bloqueiam o ar do Ártico. O clima ao sul se mantém temperado.

Durante o verão, o funil da América do Norte atua em sentido contrário. Ondas de calor atravessam as Planícies rumo ao norte e

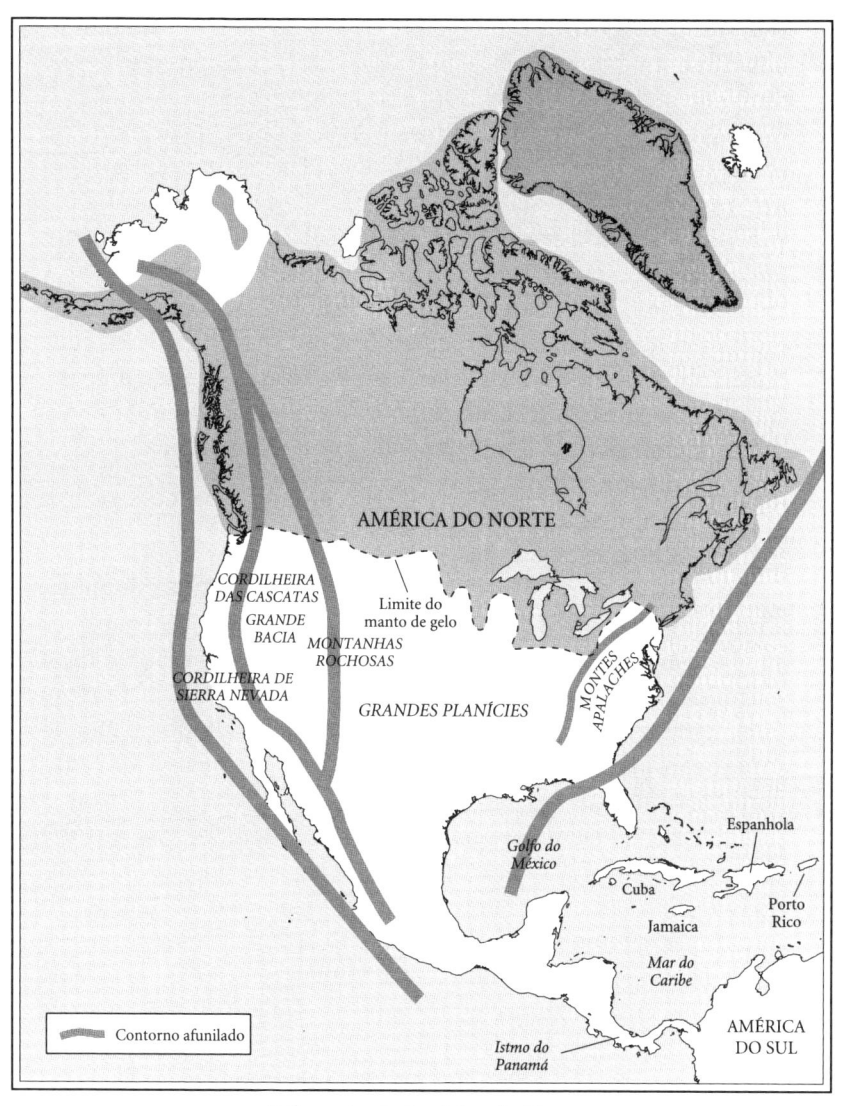

O formato da América do Norte

adentram o Canadá, fazendo as temperaturas subirem para mais de 32ºC ou causando tempestades e tornados. Esses climas extremos dividem a América do Norte. Os recém-chegados da Europa encontrarão temperaturas mais frias no inverno e mais quentes no verão do que muitos conheciam em sua terra natal.

O clima da América do Norte afetará a história de inúmeras maneiras. Os desertos áridos das Grandes Planícies levarão os índios a domar o cavalo a fim de caçar búfalos. Com pouca madeira nas pradarias para construir cercas, os agricultores norte-americanos abraçarão com entusiasmo a invenção do arame farpado, o que mudará a vida nas Planícies para sempre. A barreira dos montes Apalaches tornará mais fácil para os franceses chegar ao interior da América a partir do Canadá, seguindo o funil e os rios que o drenam. Nevascas obstruirão caravanas tentando atravessar as montanhas da Sierra Nevada. O clima quente do sul tornará possível a disseminação da escravidão – mas só em parte do país.

Mais um espaço no mapa é digno de atenção: o mar do Caribe e suas ilhas. A região é grande. Cuba, Espanhola, Porto Rico e Jamaica são as ilhas maiores, conhecidas como Grandes Antilhas. Cuba sozinha tem 1,2 mil quilômetros de uma ponta à outra. Se você a colocasse sobre os Estados Unidos, com uma ponta sobre a cidade de Nova York, ela se estenderia até perto de Chicago. Embora essas terras não venham a fazer parte dos Estados Unidos, o mar do Caribe será a principal porta de entrada para europeus e africanos rumo às Américas.

Basta de falar do espaço. Quanto ao tempo, esta história abarcará aproximadamente quinhentos anos. Para um único indivíduo, esse período é imenso. Os historiadores usam o conceito de geração, o tempo desde o nascimento de uma pessoa até ela ser capaz de trazer um filho ao mundo. Se uma geração dura cerca de vinte anos, então 25 gerações de famílias vêm e vão no decurso de nossa história.

Por outro lado, quinhentos anos é um piscar de olhos em comparação com todo o período de ocupação humana na América do Norte. Os primeiros humanos chegaram ao continente há cerca de 14 mil anos. Naquela época, uma camada de gelo cobria grande parte do que é hoje o Canadá. Em muitos lugares, o gelo tinha mais de três quilômetros de espessura. (A linha pontilhada no mapa mostra quão ao sul a camada de gelo chegava.) Com tanta água congelada, os níveis dos oceanos diminuíram, abrindo uma larga faixa de terra no noroeste, onde hoje está situado o Estreito de Bering. Essa ponte terrestre permitiu que os primeiros humanos chegassem a um continente totalmente novo para eles.

Estique seu braço para o lado e o observe. Imagine que os 14 mil anos em que os humanos vivem na América do Norte começam no seu ombro e vão até as pontas dos seus dedos. Os últimos quinhentos anos dessa história, que este livro abarca, começam apenas na última polegada dos seus dedos. De fato, os Estados Unidos passaram a existir somente na *segunda* metade desses quinhentos anos. Esse período quase cabe em uma unha.

Pensar no tempo dessa maneira nos fará sentir insignificantes. Quinhentos anos podem parecer uma tela enorme na qual pintamos nossa história. Mas, olhando para seu braço esticado, uma unha parece bem pequena. Então pegue esses 14 mil anos que cabem em um braço e compare-os com os 65 milhões de anos anteriores à existência da América do Norte. Esse é o tempo que se passou entre o fim da era dos dinossauros e o presente. Os dinossauros morreram depois que um meteorito de pelo menos nove quilômetros de largura colidiu com o que é hoje o Golfo do México. A explosão foi equivalente a acionar 100 milhões de megatoneladas de explosivos. Esse Big Bang literalmente "fritou a América", como colocou um cientista. Ao fazer isso, extinguiu milhares de espécies de plantas e de animais e iniciou a era dos mamíferos. Para incluir esse período em nossa escala de tempo, mantenha o braço esticado; então alinhe um amigo atrás de você, com o braço dele esticado por outros 14 mil anos; então outro amigo, e outro, e outro... até 450 pessoas saírem serpenteando pela porta e alcançarem as ruas, os braços esticados de ombro a ombro, por quatro quilômetros. E lembre-se que a história que estamos contando – tudo que você vai ler nas próximas trezentas páginas – acontece na ponta do seu dedo.

3
De um, muitos

Em um dia agradável de outono, o sol aquece as encostas dos montes Apalaches. À medida que o ar quente sobe, cria uma corrente ascendente que um gavião usa para sobrevoar a terra à procura de uma presa. A visão de um gavião é incrivelmente aguçada. Empoleirado sobre uma árvore de dezoito metros de altura, ele pode avistar no chão um inseto do tamanho deste *i*.

Imagine o que você veria se acompanhasse esses pássaros em sua jornada rumo ao sul. A maioria das pessoas pensa na América do Norte em 1492 como um território vasto e intocado, cheio de animais selvagens. Imaginam que, de vez em quando, é possível avistar índios: atravessando um lago a remo em uma canoa feita de casca de bétula ou perseguindo búfalos a cavalo. Mas tal imagem seria extremamente equivocada. Para corrigir um detalhe imediatamente, elimine os cavalos. Em 1492, fazia 13 mil anos que não se viam cavalos na América do Norte. De fato, alguns arqueólogos acreditam que os primeiros humanos na América do Norte exterminaram os cavalos, bem como muitos mamíferos gigantes que vagavam por essas terras, incluindo mastodontes e mamutes lanudos, preguiças gigantes mais altas que uma girafa e leões de mais de dois metros de altura.

Mais tarde, porém, os colonizadores europeus relataram grandes números de animais selvagens na América. Os rios da Virgínia estavam tão cheios de peixes que os cascos dos cavalos os pisoteavam quando os colonos ingleses trotavam em águas rasas. Os pescadores de Nova York capturavam lagostas de trinta centímetros de comprimento, que eles preferiam para "servir à mesa" porque eram mais convenientes de comer do que as lagostas de um metro e meio que eles também pescavam. Bisões não só perambulavam pelas Grandes Planícies como também eram vistos na Pensilvânia e na Virgínia, muito mais a leste. Havia tantos pombos-passageiros escurecendo os céus que quando pousavam para dormir os galhos das árvores quebravam sob seu peso. Em 1492, portanto, certamente veremos vida selvagem em abundância. Ainda assim, tais relatos de abundância podem ser enganosos. Como veremos no capítulo 5, essa grande quantidade de animais pode ter sido, em parte, criada pela *chegada* dos europeus na América do Norte, por mais estranho que isso possa parecer.

Em 1492, cerca de 8 milhões de índios viviam na América do Norte. Esse número não é grande, especialmente para um continente inteiro. Mais de 8 milhões de pessoas vivem hoje na cidade de Nova York. Ainda assim, o número é significativo. Para comparar, as ilhas Britânicas tinham de 2 a 3 milhões de habitantes em 1492. A França, o país mais populoso da Europa, tinha em torno de 15 milhões de pessoas. E na Ásia, mais de 100 milhões viviam somente na China. Então, pensando em 8 milhões de índios espalhados pela América do Norte, juntemo-nos aos gaviões em seu voo. O que vemos abaixo é um continente que é menos selvagem do que esperávamos. Não importa onde sobrevoamos, quase em toda parte vemos nuvens de fumaça.

Onde há fumaça, há fogo, diz o ditado. E os índios usavam o fogo para mais do que cozinhar e aquecer. Bem acima do Mississippi, a fumaça subia das fogueiras usadas na construção de canoas de tronco. O fogo queimava até que o interior do barco ficasse oco. No rio, dezenas de canoas brilhavam ao sol, com quarenta a sessenta homens em cada uma. Não era exatamente uma pequena canoa de casca de bétula! Em um dia de cerimônia ou guerra, os barqueiros pintavam o rosto de marrom avermelhado, e muitas cabeças ostentavam cocares de penas brancas. Alguns índios se ajoelham ao remar; outros ficam atrás deles, seus escudos prontos para evitar um ataque. Uma cobertura na popa faz sombra para o comandante de cada canoa.

Nas Planícies, os índios fazem fogueiras para marcar búfalos e, na Grande Bacia, queimam pastos para eliminar lagartos do solo. Alguns povos queimam campos para encorajar o crescimento de mirtilos ou girassóis; outros tocam fogo para afastar hordas de mosquitos nocivos. Nas Rochosas, os índios usam fogo inclusive para celebrar. Abetos inteiros são queimados, seus galhos soltando fagulhas na noite como fogos de artifício. Humanos de uma ponta a outra do continente usam o fogo como ferramenta para moldar o território a seu gosto.

Em outros aspectos, os povos indígenas diferiam muitíssimo. De fato, podemos dizer que o lema da América do Norte em 1492 era o oposto de *E pluribus unum*. Não *De muitos povos, um*, mas *De um continente, muitos povos*. Dependendo de que pássaros você seguir, verá enormes diferenças nas maneiras como os índios se adaptaram ao mundo à sua volta. Alguns viviam em bandos simples, caçando e coletando alimentos. Outras civilizações ostentavam campos cultivados, monumentos, templos, cidades, astrônomos, sacerdotes e governantes.

Um bando de gansos partindo do Ártico ocidental avistará grupos de inuítes caçando baleias em *umiaks* – embarcações abertas feitas de pele de morsa estirada sobre madeira flutuante. Os inuítes (também conhecidos como esquimós) possuem arpões fortes o suficiente para perfurar a pele grossa das baleias, uma fonte de alimento valiosa. (Gordura de baleia também é um bom combustível em lamparinas a óleo.) As mulheres inuítes desenvolveram a habilidade de costurar intestino de foca e pele de peixe para fazer roupas que se ajustam mais ao corpo e, portanto, aquecem melhor os que vivem nessas terras invernais.

Três mil e duzentos quilômetros para o sul, onde hoje é Oregon, os mesmos gansos voam pelo vale do rio Willamette. Abaixo, índios consertam uma armadilha para peixes – uma fileira de galhos fincados no fundo de uma corredeira de um rio. Os salmões subindo a correnteza só conseguem passar por umas poucas aberturas, e lá são capturados em cestas trançadas. O clima é mais ameno, e há muitas focas, lontras, moluscos, grandes botos e milhares de pequenos peixes tão gordurosos que podiam ser secos e usados como combustível em uma tocha.

Mais ao sul, pássaros atravessando o deserto de Sonora, onde atualmente fica o Arizona, podem ver linhas esculpidas na terra. Estas não são bifurcações de rios, pois as linhas correm retas demais. São feitas pelo homem. Nos séculos depois de 300 d.c., o povo hohokam cavou quase mil quilômetros de canais, alguns com mais de dezoito metros de largura, para trazer água para o feijão, a abóbora e o milho que cultivavam. Os pássaros em 1492 ainda podem ver os restos dos canais, mas os hohokams não estão em parte alguma. Quanto aos motivos, retornaremos a essa questão em outro momento.

Em suma, os povos indígenas da América do Norte diferem muitíssimo uns dos outros, em parte porque o ambiente os forçou a inventar diferentes maneiras de sobreviver. No noroeste ameno e úmido à beira do Pacífico, quem pensaria em abrir canais para irrigar plantações? Por outro lado, nenhum índio do deserto inventaria canoas de tronco em uma terra onde não se conhecem árvores grandes.

O ambiente não é o único motivo pelo qual os índios de 1492 diferiam entre si. Mesmo em climas similares, humanos diferentes pensarão em soluções diferentes para os mesmos problemas. Em 1492, fazia milhares de anos que havia pessoas vivendo na América do Norte – tempo suficiente para desenvolver diferentes crenças, costumes e culturas. Nas terras áridas da Grande Bacia, onde a sobrevivência era difícil, cada pequeno bando era liderado por um caçador que houvesse demonstrado coragem e habilidade. As sociedades indígenas do sudeste tinham povoados muito maiores e sistemas políticos muito mais complexos. Os natchez, por exemplo, se dividiam em hierarquias diferentes, governados por um rei (conhecido como O Grande Sol) e seus parentes (Pequenos Sóis). Abaixo vinham os nobres, os honoráveis e, na base da pirâmide, uma classe mais numerosa chamada indesejáveis. Como o nome O Grande Sol sugere, o culto ao sol exercia um papel importante na vida religiosa dos índios do sudeste.

Em 1492, a civilização mais complexa na América do Norte se encontrava no vale do México. Essas pessoas se autodenominavam mexicas, mas, em anos posteriores, os espanhóis se referiram a elas como astecas. Sua capital, Tenochtitlán, foi construída em uma ilha no lago Texcoco e era maior do que qualquer cidade europeia. Canoas deslizavam por canais em toda parte. Mercadores traziam produtos de milhares de quilômetros de distância. Havia papagaios à venda, mantos de algodão e chocolate quente, tortillas, peru, coelho, peles de animais, penas bonitas de todos os tipos e ouro em pó, cuidadosamente embalado dentro de bicos de penas de ganso. Tenochtitlán ostentava zoológicos e jardins de museus cheios de plantas exóticas. Aquedutos traziam água potável à cidade, de montanhas a quilômetros de distância. A religião e a cultura astecas eram tão avançadas e únicas quanto as de qualquer civilização na Ásia ou na Europa.

Por trás da cultura de todo grupo, há uma história – isto é, um relato de como um costume começou. Na América moderna, por exemplo, muitas pessoas usam calça jeans azul unida por rebites. Esse é um costume, e tem uma história. Na verdade, dois norte-americanos, Levi Strauss e David Jacobs, tiveram a ideia em 1873. De maneira similar, alguém, ou talvez um grupo de índios, deve ter pensado em como confeccionar roupas melhores com pele ou uma lança mais afiada – ou teve a ideia de configurar um sistema político em que pessoas "honoráveis" recebiam reconhecimento especial. Mas nenhum dos povos originários da América do Norte inventou a escrita. Por isso, não temos histórias contando de que modo os indivíduos contribuíram para a maneira como as pessoas viviam, ou sobre os vilarejos que construíram ou as guerras que travaram.

Os arqueólogos assumiram a tarefa de descobrir o que aconteceu antes de haver uma história escrita. Seu trabalho de detetive é realmente impressionante, com novos conhecimentos adquiridos a cada ano. Ainda assim, restam muitos enigmas. O que aconteceu com o povo hohokam, que construiu canais? Antes de 1492, a região desértica do Arizona provavelmente abrigou mais índios do que qualquer outro lugar ao norte do império mexica. Por que os canais foram abandonados? O clima se tornou mais quente ou mais seco, dificultando a sobrevivência? Passou a haver pessoas demais vivendo em uma área pequena? Os índios vindos do norte atacaram esses povos? Não sabemos essa história.

Há um enigma similar em torno da única cidade nos Estados Unidos de nossos dias a ter sido construída antes de 1492. Cahokia cresceu à margem do rio Mississippi onde hoje fica St. Louis. Por volta de 1050, uma praça central, maior do que dez campos de futebol, foi construída à sombra de uma colina de quarenta metros de altura feita pelo homem. Milhares de pessoas viveram lá e ergueram mais de 120 colinas similares. Alguns arqueólogos acreditam que a cidade foi construída, em parte, do assombro religioso depois que uma luz resplandecente iluminou o céu noturno: uma supernova, a explosão de uma estrela morrendo, que foi vista pelos astrônomos chineses em 1054. Mas esta é apenas uma teoria. Tampouco sabemos por que os habitantes da cidade se mudaram, deixando-a deserta na época em que Colombo chegou à América do Norte. Não havia registros escritos.

Depois de outubro de 1492, os registros escritos chegaram à América do Norte. Os pássaros voando perto da ilha de São Salvador olharam para baixo e viram algo que nunca tinham visto antes. Sim, como sempre, havia fumaça subindo ao céu, e homens pescando em canoas de tronco. Mas, agora, três embarcações maiores apareceram no vasto oceano azul, com suas velas, gastas pela intempérie, bem estiradas nos mastros. Barcos estranhos com humanos ainda mais estranhos a bordo. As pessoas observando Colombo e seus marinheiros de baixo das árvores da ilha devem ter ficado perplexas. Que roupas estranhas eles usavam! Meias compridas e calças até os joelhos. Casacos acolchoados, quentes e pesados. Quem eram eles? O que sua chegada significava?

A história estava chegando à América do Norte – história escrita, rabiscada em jornais, impressa em livros, armazenada em baús pesados ou enfiada em bolsos. Nada voltaria a ser como antes.

4
Uma era dourada e a era do ouro

Hoje a história de Colombo é tão familiar que poucos param para pensar em como seria o mundo se as coisas tivessem acontecido de modo um pouco diferente. Em vez de comemorar o aniversário da chegada de Colombo em 12 de outubro, talvez honrássemos o dia em que o almirante Zheng He deitou âncora na costa da Califórnia em 1429... O primeiro asiático dos tempos modernos a chegar à América.

Absurdo? Durante os anos 1400, a China se encontrava no centro da civilização, e toda a Ásia e a Europa queriam produtos chineses. Enquanto os comerciantes abriam caminho pela Rota da Seda, a China lançou uma grande frota de navios mercantes que fizeram sete viagens pelo oceano Índico, chegando a Madagascar e à costa da África Oriental.

Para comparar, Colombo tinha três navios cuja tripulação totalizava noventa homens. A frota do tesouro do almirante Zheng He tinha entre duzentos e trezentos navios. A maior embarcação de Colombo tinha 25 metros de comprimento; a de Zheng He, 125 metros, com nove mastros e velas de seda. Cada navio tinha capacidade para mais de quinhentas pessoas, e a frota incluía navios separados que transportavam cavalos e água fresca para beber. Se os imperadores da dinastia Ming tivessem continuado a financiar tais viagens, a história que você está lendo poderia ter sido escrita em chinês. Mas os povos mongóis do norte da Ásia estavam atacando a China, atraindo a atenção do imperador para outro lugar. Depois de 1433, a frota do tesouro foi destruída e não se construíram mais grandes navios.

A Europa, por outro lado, não era o centro do mundo civilizado. Marinheiros na costa do Atlântico estavam ansiosos por sair na frente, cheios de energia e *famintos*, pode-se dizer: famintos por fama, riquezas, poder e glória. Se Colombo não tivesse chegado à América em 1492, algum outro europeu teria chegado.

Mas Colombo chegou. Quando ele desembarcou na praia, a pequena ilha à sua frente parecia o paraíso. Os antigos escritores contavam sobre uma era dourada antes da história, onde "os homens viviam de forma simples e inocente" – sem leis, sem disputas. As pessoas nessa ilha pareciam ser gente de tal época. "Andavam nus como a mãe lhes deu à luz", Colombo relatou, e eram tão mansos e amistosos que "davam do que tinham com a maior boa vontade." Colombo chamou o novo povo de índios porque acreditava estar em algum lugar perto da Ásia – que os europeus chamavam de "Índias" do Extremo Oriente. Ele lhes deu gorros coloridos e miçangas, "porque nos demonstraram grande amizade", e esperava convertê-los "à nossa fé pelo amor e não pela força". Escreveu, também, que os índios que encontrou eram "dóceis e bons para receber ordens e fazê-los trabalhar" e deviam ser ensinados a "andar vestidos e a seguir nossos costumes".

As palavras de Colombo insinuavam o que estava por vir nos anos seguintes. Primeiro, o devoto almirante estava ávido por transformar esses "índios" em cristãos. Mas também queria colocá-los para trabalhar. Em troca, os índios aprenderiam costumes espanhóis, usariam roupas espanholas e seriam "governados" pela Espanha – quer quisessem, quer não. Colombo acreditava que poderia impor sua vontade porque os habitantes da ilha tinham poucas armas e pareciam ter medo de lutar.

E também havia a questão do ouro. Colocar os índios para trabalhar era, na visão de Colombo, uma maneira de lucrar com suas descobertas. Descobrir ouro lhe pareceu um método ainda melhor, sobretudo quando as pessoas da ilha lhe entregaram prontamente as poucas pepitas de ouro que possuíam. Colombo procurou mais na Espanhola, uma ilha muito maior nas proximidades, que se tornou o atual Haiti e a atual República Dominicana. Lá, o povo taino vivia em aldeias maiores e possuía mais ornamentos em ouro, muitos representando o deus ou espírito ancestral dos tainos, Cemi. Quando Colombo regressou à Europa contando sobre metais preciosos, boa terra para o plantio e nativos pacíficos, vários milhares de espanhóis navegaram para a Espanhola, em busca de fortuna.

Na verdade, Colombo não estava muito interessado em fundar colônias. Ele brigava com demasiada frequência e fazia inimigos facilmente. Então, deixou a Espanhola e partiu para explorar outras partes do Caribe. Em uma costa, as correntes oceânicas começaram a arremessar seu navio de um modo estranho quando a noite se aproximava. Espreitando na penumbra, para seu espanto ele viu o mar se levantar "na forma de uma elevação da altura da nau (...) e, por cima dela, uma correnteza fazendo tal estrondo (...) que até agora ainda sinto no corpo o medo (...)". Depois se soube que as correntes sinuosas vinham de um grande rio que desaguava no oceano – o Orinoco, um dos maiores da América do Sul. Colombo percebeu que um rio desse tamanho dificilmente poderia vir de uma ilha. Em seu diário, escreveu: "E creio ainda que esta terra (...) seja imensa e tenha muitas outras no Austro, de que jamais se ouviu falar". É por essa observação que Colombo merece crédito não só por chegar às Américas, como também por compreender o que essas descobertas significavam. Além disso, ele foi pioneiro em uma rota de navegação confiável para as Américas, que foi usada pelos europeus que o sucederam.

Mas, voltando à Espanhola, Colombo não descobriu nada além de problemas. Seus colonos chegaram esperando conseguir ouro e especiarias "aos montes", e, como não encontraram, reclamaram amargamente. O almirante permitiu que eles ganhassem dinheiro capturando índios e mandando-os para a Espanha para serem vendidos como escravos. Os pacíficos tainos também foram entregues aos novos colonos como trabalhadores – escravos na prática, ainda que não no nome. Cada colono tinha "dois ou três índios para servi-lo e cachorros para caçar para ele", Colombo escreveu.

Ao saber das muitas reclamações de seus inimigos, o rei Fernando e a rainha Isabel ordenaram que Colombo fosse preso e enviado à Espanha acorrentado. Ele conseguiu reconquistar a confiança dos reis e fez uma última viagem, que se revelou um desastre. Tempestades arremessaram seu navio, índios hostis atacaram seus homens, uma doença o deixou meio delirante, os cascos de suas embarcações foram tomados por cupins. Ele voltou para casa um homem abatido.

Colombo se autodenominara almirante: suas habilidades de navegação eram o que lhe havia trazido fama. Os espanhóis que o sucederam ficaram conhecidos por um nome diferente: conquistadores. Por mais grandioso que o nome possa parecer, o primeiro dessa nova estirpe começou sua ascensão ao poder como fugitivo, no escuro, fechado em um barril. Esperava-se que o barril estivesse carregado de suprimentos, mas em vez disso estava cheio até a borda com Vasco Núñez de Balboa. Balboa tentara a agricultura na Espanhola, mas devia dinheiro e decidiu sair da cidade na surdina. De algum modo, ele não só conseguiu ser carregado em um navio dentro de um barril, como também se enfiou a bordo com seu bem mais valioso, um cachorro grande com pelo avermelhado e nariz preto chamado Leoncico – "Leãozinho." Quando o capitão descobriu Balboa, ameaçou abandoná-lo na próxima ilha deserta. Mas o passageiro clandestino era um sujeito amistoso, e os tripulantes gostaram mais dele do que do capitão. Exigiram que ficasse.

O episódio diz muito a respeito da personalidade de Balboa. Durante os primeiros anos de colonização espanhola, as ilhas do Caribe se tornaram um mundo duro e cruel. Centenas de milhares de índios tainos morreram em decorrência de guerra, escravidão, excesso de trabalho e doença. Havia poucas autoridades espanholas por perto para manter a ordem, e os colonos geralmente as ignoravam, escravizando índios (contra as ordens do rei) ou matando-os, quando esses se recusavam a trabalhar ou a fornecer ouro. No que lhe diz respeito, Balboa podia ser atroz. Mais de uma vez ele lançou Leoncico sobre seus inimigos, para dilacerá-los membro por membro. (Como muitos povos, incluindo os egípcios e os romanos, os espanhóis usavam cachorros nas guerras.) Mas Balboa entendeu que precisava de amigos para prosperar – não só aliados espanhóis, como índios também. Explorando o istmo do Panamá, ele conquistou uma nação indígena depois de outra, mas não simplesmente vendeu seus cativos como escravos: encorajou os líderes desses povos derrotados a se unirem a ele em sua conquista de novos territórios para a Espanha.

Não foram poucos os que concordaram. Afinal, melhor ajudar esses europeus estranhos a conquistarem alguma nação rival do que tê-los causando problemas em casa! Um índio, Panquiaco, observou, certa vez, que vários dos tenentes de Balboa brigavam por causa do ouro que estavam pesando. Panquiaco, furioso, bateu na balança e falou: "Se estão tão famintos por ouro a ponto de abandonar suas terras para vir causar discórdia em terra alheia, eu lhes mostrarei uma província onde podem saciar essa fome". Havia um império na costa "do outro mar", segundo informou, onde as pessoas bebiam em taças de ouro maciço.

Balboa aguçou os ouvidos. Que outro mar, que tesouros? Abrindo caminho pela selva densa, ele e seus seguidores avançaram pelo estreito istmo do Panamá até que chegaram ao oceano Pacífico, em 1513. Finalmente, os europeus começaram a entender que a América era composta de dois grandes continentes, um ao norte e outro ao sul, conectados por uma estreita ponte de terra. Muitos anos depois, Fernando de Magalhães atravessou as vastas águas do Pacífico. Seus navios se tornaram os primeiros a circum-navegar o globo, indo para casa pela Índia e pela África, embora o próprio Magalhães tenha sido morto nas Filipinas.

Balboa, o primeiro conquistador, adquiriu terras e tesouros usando índios aliados para ajudá-lo a conquistar outros territórios indígenas. O mesmo fez outro conquistador, Hernán Cortés. Como Balboa, Cortés ouvira rumores de ricos impérios ainda não descobertos. Em 1519, ele e cerca de seiscentos seguidores marcharam rumo ao planalto de mais de 2 mil metros de altura e ao vale do México. O império que ele estava procurando, é claro, era o dos mexicas, ou astecas, cuja capital ficava na cidade insular de Tenochtitlán.

A marcha não foi fácil. No caminho, viviam milhares e milhares de índios, e uma das nações, Tlaxcala, combateu Cortés implacavelmente. Mas então os governantes de Tlaxcala decidiram ajudar os espanhóis em vez de enfrentá-los. Eles não tinham apreço algum pelos mexicas, que durante anos os haviam forçado a enviar guerreiros para serem sacrificados em cerimônias religiosas. Os mexicas cultuavam um deus chamado Huitzilopochtli, cuja função, de acordo com os ensinamentos sagrados, era nada menos que sustentar a vida do Sol. Seus raios reluzentes traziam vida para todas as pessoas, todos os animais e todas as plantas. Mas todos os dias o Sol era expulso do céu pela lua e pelas estrelas. Só retornaria na manhã seguinte, acreditavam os mexicas, se Huitzilopochtli o abastecesse com espírito vital suficiente. Isso só podia ser obtido por meio do sacrifício de sangue humano.

Os mexicas acreditavam que esse costume de sacrifício humano era sua obrigação. Eles forçavam os povos que conquistavam a enviar de 3 a 4 mil pessoas por ano para serem sacrificadas no topo de pirâmides sagradas. Lá, sacerdotes abriam o peito dos prisioneiros com facas afiadas feitas de obsidiana preta a fim de entregar esses corações pulsantes ao deus e assim salvar o sol. Não é de admirar que Tlaxcala tenha decidido mandar seu exército de 20 mil homens com Cortés.

Mas quando chegou a Tenochtitlán, Cortés deixou para trás seus aliados indígenas. Com um ato de ousadia que foi quase imprudente, ele e seus homens marcharam por uma das trilhas estreitas que atravessavam o lago Texcoco e os levavam até a cidade insular. Os espanhóis ficaram atônitos com o frenesi de mercados e mercadores, canais e canoas, ourives e artesãos, banhos e saunas, danças com tochas, jardins, zoológicos. A cidade continha "todas as coisas a serem encontradas sob os céus", Cortés se admirou.

O imperador dos mexicas, na época, era Montezuma. Com razão, ele teve medo e desconfiança desse povo desconhecido, com suas espadas de aço, seus cavalos estranhos e seus cachorros ferozes. Mas, quando Cortés viu "o tamanho e o poder da cidade", reconheceu que os mexicas tinham capacidade para cercá-lo e matá-lo "sem qualquer possibilidade de defesa". Um homem mais prudente talvez tivesse recuado. Mas Cortés dobrou as apostas, tornando Montezuma cativo em sua própria cidade. Os conquistadores proibiram o imperador de morar em seu palácio, obrigando-o a dormir nos quartéis espanhóis. Quando Montezuma caminhava pela cidade, guardas espanhóis lhe faziam companhia. Durante oito meses, Cortés tentou encontrar uma maneira de convencer os mexicas a se renderem sem um combate, mas à medida que o tempo passava eles ficavam mais furiosos e mais rebeldes, porque seu rei era conduzido por esses forasteiros como se fosse uma marionete. Finalmente, Montezuma concordou em se dirigir a seu povo e implorar por cooperação. Mas quando ele apareceu sobre um telhado para se pronunciar, seus súditos o apedrejaram; ele morreu no dia seguinte. Cortés e seus soldados tentaram fugir da cidade na calada da noite, mas os mexicas os descobriram e começaram a batalha. O próprio Cortés quase afundou no lago Texcoco enquanto ele e seus homens tratavam de sair da cidade insular.

Finalmente, chegaram reforços espanhóis vindos do litoral. Cortés cercou Tenochtitlán para que ninguém pudesse sair para buscar comida. Então, ele e seus aliados indígenas capturaram a cidade, seção por seção. Os mexicas se renderam – sua capital, um dia esplêndida, agora em ruínas.

A verdade é que o mundo de 1500 era um lugar brutal. Quando Cortés acompanhou Montezuma pela primeira vez pelos 113 degraus íngremes de uma pirâmide até o templo do Sol, ele ficou horrorizado com as caveiras e o altar coberto de sangue. Mas os "conquistadores" europeus também eram cruéis e sanguinários. Logo depois que Balboa descobriu o oceano Pacífico, um governador espanhol invejoso fez com que o decapitassem. Seu cachorro Leoncico foi envenenado. E o oficial de baixo escalão que prendeu Balboa – Francisco Pizarro – prosseguiu para conquistar outra civilização na América do Sul, o império inca. Esse homem também acabou sendo morto a punhaladas por seus rivais.

A nova era do ouro se revelou bem diferente das lendas da era dourada. Os índios das Américas não eram mais inocentes do que os espanhóis eram gentis. Mas, apesar de sua crença em sacrifício humano, os mexicas deram ao mundo uma civilização surpreendente de guerreiros e poetas, artesãos e astrônomos. Os espanhóis, também, estavam destinados a moldar as Américas de maneiras criativas, apesar do apetite de seus conquistadores por ouro.

Mas, no próximo capítulo, há um último conquistador por conhecer – mais perigoso e letal do que Balboa, Cortés e Pizarro reunidos.

5
Quando dois mundos colidem

Às vezes, os acontecimentos mais triviais têm consequências enormes. Quem pensaria que seria digno de nota que em algum lugar na Espanhola um conquistador tenha calçado botas que havia guardado em um baú de bordo? Ou que uma mulher chacoalhou um cobertor que havia trazido da Espanha? Ou que um homem africano tossiu quando se sentou em uma habitação indígena perto do Golfo do México? Mas tais acontecimentos triviais desencadearam grandes mudanças.

Antes de 1492, as duas metades do mundo haviam se desenvolvido de maneira praticamente isolada. As árvores na América "eram tão diferentes das nossas quanto o dia da noite", comentou Colombo. Em nenhum lugar da Europa as enguias davam choques elétricos para se defender, como faziam na América do Sul. Em nenhum lugar criaturas de cauda anelada e olhos mascarados perambulavam por florestas europeias, como os guaxinins faziam na América do Norte. Por sua vez, os índios americanos ficaram perplexos diante dos cachorros e cavalos estranhos que os espanhóis trouxeram consigo.

Considere a colona chacoalhando seu cobertor. Quando as pessoas faziam as malas para uma viagem, algumas sementes às vezes ficavam metidas em seus pertences, ou talvez aderissem à lama grudada em um par de botas. Nas Américas, algumas dessas sementes, sem que ninguém percebesse, caíam, eram levadas pelo vento e então germinavam e se disseminavam. Dentes-de-leão e erva-de-febra são hoje visões comuns nos campos americanos; ambos vieram da Europa depois de 1492. Os colonos trouxeram consigo limão, laranja, banana e figo da África; melão, rabanete e cebola da Europa. Juan Garrido, um conquistador negro que esteve com Cortés em Tenochtitlán e depois se estabeleceu ali, foi o primeiro a "plantar e colher trigo nesta terra".

Os cavalos, em particular, passaram maus bocados atravessando o Atlântico, já que eram mantidos debaixo do convés principal. Quando uma tempestade ameaçava, os espanhóis deslizavam faixas sob o abdômen dos animais e os içavam até seus cascos ficarem suspensos no ar, para evitar que os garanhões assustados empinassem e causassem tumulto. Nos trópicos, os mares calmos eram ainda mais perigosos – o calor extremo podia matar os pobres animais em seus alojamentos escuros e abafados. Por essa razão, essas zonas mortíferas do oceano eram conhecidas como "latitudes dos cavalos". Porcos europeus também eram transportados como apólice de seguro dos conquistadores contra a fome, trazidos para alimentar os homens no caminho. E, como Leoncico mostrou, os conquistadores também traziam cachorros, como companheiros e como guerreiros.

Igualmente importante é o fato de que plantas e animais americanos viajaram para a outra metade do mundo. A culinária italiana moderna dificilmente existiria sem o tomate, uma fruta americana. Os espanhóis levaram para casa a batata branca que os índios cultivavam nas terras altas das montanhas andinas. Nos anos 1800, os irlandeses dependiam tanto desse cultivo que milhares de camponeses morriam de fome quando uma doença arruinava as plantações. O milho americano se espalhou não só pela Europa como também por toda a Ásia; hoje, além do milho no sabugo, do pão de milho e da pipoca, milhares de alimentos e bebidas diferentes são adoçados com xarope de milho, ao passo que o farelo de milho é usado para alimentar animais domésticos e até mesmo peixes criados em cativeiro. Os índios que cultivaram o vegetal pela primeira vez há 5 mil anos o chamavam de *teosinto*, e naquela época uma espiga não era maior do que um dedo humano. Com o passar dos séculos, os agricultores indígenas aumentaram pouco a pouco o tamanho da planta.

Sementes de plantas são pequenas, mas são visíveis ao olho humano. Os viajantes não convidados que acompanharam um homem chamado Francisco de Eguía eram invisíveis. Eram micro-organismos – germes. Não sabemos quase nada sobre De Eguía além do fato de que ele era africano e veio com os conquistadores; e, é claro, as pessoas da época não sabiam nada sobre germes invisíveis que espalhavam doenças. Logo depois de chegar à América Central, Francisco ficou doente, com tosse e febre alta. Apareceram pústulas por todo o seu corpo – *viruelas*, como os espanhóis as chamavam. Eram causadas pela varíola, uma doença que atormentara os europeus durante séculos. Em 1520, a maioria dos europeus eram capazes de resistir a ela em certa medida, porque haviam sido expostos aos germes durante muitos anos. Desenvolveram imunidade.

Mas a varíola era completamente nova para os índios, que não tinham tal imunidade. Suas vítimas eram acometidas por pústulas que cobriam "o rosto, a cabeça, os seios", lembrou um dos mexicas. Os doentes "não conseguiam se locomover; não conseguiam se mexer; não conseguiam mudar de posição (...) e quando se mexiam, muitos gritavam". Pais e mães, irmãs e irmãos morreram em agonia, jazendo um ao lado do outro. Tantos pereceram em Tenochtitlán que as casas às vezes eram simplesmente derrubadas sobre os corpos para servir de túmulos. E, como os doentes ficavam fracos demais para encontrar comida ou "ir até a fonte para buscar uma cabaça cheia d'água", outros milhares morreram de fome.

A varíola ajuda a explicar como Cortés conseguiu conquistar uma cidade de mais de 100 mil habitantes. É verdade, os mexicas nunca haviam enfrentado exércitos que possuíam canhões, cães de guerra e cavalos. Mas Cortés só tinha um número limitado de tais armas e animais. Foram os recém-chegados invisíveis que viraram a maré a seu favor. Quando os espanhóis vitoriosos marcharam para a cidade, descobriram que "as ruas, as praças, as casas e os tribunais estavam cheios de corpos, de modo que era quase impossível passar. Até mesmo Cortés ficou nauseado com o odor". Infelizmente, a varíola foi só o começo. Em 1600, catorze epidemias haviam se espalhado pela América Central; pelo menos dezessete assolaram a América do Sul. Os historiadores e os arqueólogos só podem fazer estimativas aproximadas do número de mortos. Mas doenças europeias como sarampo, febre tifoide, influenza, difteria e caxumba, junto com as guerras dos conquistadores, parecem ter matado algo entre 50 a 90 milhões de pessoas na América Central e na do Sul. Nunca na história tantas pessoas morreram vítimas de doenças em um único século.

No começo, a América do Norte foi poupada dessas epidemias fatais porque se mostrou um território muito mais difícil para os espanhóis conquistarem. Seus índios não tinham cidades reluzentes e grandes impérios, apenas territórios pequenos, cada um deles controlado por um líder diferente. E mesmo os índios amistosos tinham dificuldade de se relacionar com os espanhóis que invadiam suas cidades, às centenas, e pediam ouro e prata e também comida, ficando por meses a fio. Juan Ponce de León liderou várias expedições à Flórida, mas foi expulso por uma chuva de flechas. Do oceano Pacífico, Francisco Vázquez de Coronado marchou para o sudoeste, onde alguns de seus homens se tornaram os primeiros europeus a verem o Grand Canyon. O próprio Coronado se aventurou a atravessar as Planícies, chegando à região onde hoje é o Kansas com aproximadamente 3 mil soldados, mulheres, escravos e índios aliados, travando guerras pelo caminho. Essas expedições de descobrimento quase sempre acabavam mal tanto para os índios quanto para os espanhóis. Quando suspeitavam de que os índios os haviam enganado, os conquistadores faziam reféns, soltavam os cachorros em seus cativos ou os matavam. Ponce de León morreu de uma ferida provocada pela flecha envenenada de um índio. Coronado regressou ao México muito ferido e falido.

Melhor, talvez, falar de quatro conquistadores bem diferentes, que provaram que nem todos os que vieram à América do Norte se comportaram mal. Os quatro eram parte de uma expedição à Flórida liderada por Panfilo de Narváez, um conquistador do tipo usual. Seu bando se lançou miseravelmente de um povoado indígena a outro, procurando ouro, lutando e, por fim, passando fome. Seus homens comeram um por um os cavalos da expedição enquanto construíam balsas improvisadas para uma viagem desesperada de volta aos assentamentos espanhóis no México. Certa noite, enquanto dormia em sua balsa, Narváez foi levado pelo vento para o Golfo do México; as embarcações remanescentes afundaram logo depois, no litoral de onde hoje é o Texas.

No fim, apenas quatro homens sobreviveram: um sujeito magro chamado Cabeza de Vaca, o tesoureiro da expedição; dois espanhóis chamados Castillo e Dorantes; e um africano amistoso apelidado Estevanico (ou "Pequeno Estevan" – assim chamado, talvez, porque na verdade era muito grande). Durante uns seis anos, os quatro homens foram escravos dos índios locais, forçados a desenterrar raízes, transportar água e cuidar das fogueiras usadas para afastar os mosquitos. Finalmente, os homens escaparam e começaram a caminhar pelo Texas – os pés cheios de bolhas, as mãos sangrando, sem roupas para aquecê-los. Ao longo dos anos, eles ocasionalmente cuidaram de índios doentes, e agora, em seu percurso, descobriram que as histórias sobre suas curas haviam se espalhado. Índios de toda parte traziam pessoas doentes para serem curadas por esses forasteiros – curandeiros sagrados e "filhos do Sol". Centenas, até milhares de índios às vezes escoltavam os peregrinos em sua jornada. Durante três anos os quatro homens caminharam – atravessando o Texas, transpondo as montanhas, finalmente chegando ao Pacífico. Eles já não eram conquistadores, à procura de joias e riquezas. Eram índios curandeiros, trabalhando com eles, cooperando juntos. Cabeza de Vaca teve uma visão – unir espanhóis e índios para plantar e viver em paz. Era um sonho atípico para aqueles tempos. Sugeria que povos muito diferentes poderiam encontrar uma forma de viver juntos sem insistir que um grupo fosse o governante, o outro o governado. Era um novo sonho de criar um de muitos.

Um dia, os viajantes avistaram espanhóis cavalgando pelo campo. Os soldados ficaram pasmos ao ver quatro forasteiros de sua própria nacionalidade caminhando praticamente nus e sendo seguidos por centenas de índios. A barba de Cabeza de Vaca chegava ao peito, e seu cabelo ia até a cintura. Eles seriam mesmo da expedição de Narváez, que se perdera havia cerca de dez anos? Certamente isso era impossível! Mas não era.

Infelizmente, o que se mostrou impossível foi o sonho de viver com os índios de maneira pacífica. Pois os espanhóis que encontraram Cabeza de Vaca eram caçadores de escravos. "Tivemos grandes disputas com eles", ele anotou, "porque queriam escravizar os índios que trazíamos conosco." Quando regressou à Espanha, ele pediu ao seu monarca que lhe concedesse as terras inicialmente concedidas a Narváez. Mas o imperador Carlos já havia prometido o território a outro aventureiro, Hernando de Soto. Ele, como tantos outros que o precederam, começou mais uma caça ao tesouro cheia de infortúnios, batalhas com índios e não muito mais. Exausto depois de três anos marchando, De Soto morreu à beira do rio Mississippi em 1542, a milhares de quilômetros de casa. Seus soldados embrulharam seu corpo com pedras e, uma noite, o afundaram no meio do rio, para que os índios não soubessem que o conquistador havia morrido.

Por ora, a América do Norte havia derrotado os europeus. Embora os espanhóis continuassem a mordiscar as bordas do continente, nenhum europeu adentrou seu interior, como fizera De Soto, até 1682. Naquele ano, o explorador francês La Salle desceu grande parte do rio Mississippi em uma canoa, até chegar ao Golfo do México. 1542 a 1682 – pense nesses 140 anos entre De Soto e La Salle. É um *grande* silêncio nos livros de história. Se não soubéssemos nada dos 140 anos entre 1860 e o ano 2000, jamais teríamos ouvido falar da Guerra Civil, das duas grandes guerras mundiais, da invenção dos arranha-céus, aviões, computadores e milhares de outras coisas. O que aconteceu na América entre 1542 e 1682?

Os dois exploradores tiveram experiências muito diferentes em suas viagens. No Mississippi, os homens de De Soto foram forçados a combater cada nova nação indígena que encontravam pelo caminho. Grandes canoas de tronco lotadas de guerreiros enxameavam o rio. La Salle, por outro lado, só viu uma dúzia de pequenas aldeias ao longo de muitos dos mesmos caminhos. Por que a mudança? Os historiadores hoje percebem que as doenças europeias não pouparam a América do Norte, afinal. De Soto trouxera centenas de porcos consigo, e alguns escaparam para a floresta. Outros foram roubados pelos índios, e os suínos podem ter começado a espalhar infecções fatais no sudeste. Se a culpa foi dos porcos ou não, de um jeito ou de outro as doenças europeias cobraram seu preço.

Há uma última reviravolta nesse silêncio de 140 anos. Como vimos no capítulo 3, os colonos que chegaram à América nos anos 1600 escreveram sobre a abundante vida selvagem: bisões perambulando pela Virgínia, rios cheios de peixes, grandes bandos de pássaros. Durante muito tempo, esses foram considerados exemplos de como era a América do Norte antes de 1492. Mas todos esses animais podem indicar, em vez disso, a catástrofe das doenças europeias. Se milhares e milhares de índios morreram entre 1542 e 1682, teria havido menos caçadores para caçar mamíferos, peixes e pássaros. O número de animais cresceu? De Soto viu muitos índios, mas nem um único bisão às margens do Mississippi. La Salle viu poucos índios, mas muitos bisões.

Os historiadores há muito falam das Américas como o Novo Mundo, contrastando com o Velho Mundo da Europa, África e Ásia. Eu não usei esses termos porque as Américas certamente não eram novas para os índios, que viveram no continente por milhares de anos antes disso. Mas duzentos anos depois do primeiro contato entre europeus e americanos, grande parte da América do Norte e do Sul *era* nova – muitíssimo diferente do mundo antes de 1492. As Américas *se tornaram* um novo mundo, transformado por guerras de conquista, germes de varíola e sementes de dente-de-leão, melão, cebola e laranja.

6
Como posso ser salvo?

Em 1505 – no mesmo verão em que um velho e abatido Cristóvão Colombo se sentou para escrever seu testamento –, um estudante de 21 anos caminhou penosamente por uma estrada poeirenta na Saxônia, um dos cerca de 150 pequenos estados alemães que eram parte do Sacro Império Romano. Em uma estrada como aquela, o jovem estudante pode ter passado por camponeses cortando feno com suas gadanhas ou, talvez, por um par de moças em frente a uma cabana jogando astrágalo, um jogo parecido com o da bugalha ou cinco marias, jogado com ossos de ovelhas. Enquanto o estudante caminhava, o céu escureceu e se encheu de nuvens pesadas, que liberaram uma chuva torrencial. De repente, um relâmpago caiu tão perto que o arremessou no chão. "Santana me ajude!", ele gritou, "e me tornarei monge."

Alguns poderiam se esquecer de um voto como este depois de passada a tempestade, admirando-se de como um quase acidente era capaz de assustar um homem. Não o jovem Martinho Lutero. Ele abandonou seus estudos em Direito e dedicou a vida a viver na pobreza como um monge.

Como muitos europeus da época, Lutero acreditava que a vida eterna estava prometida àqueles que seguiam Jesus e que a agonia do inferno estava à espera dos que não foram salvos. A Igreja Católica Romana oferecia muitos rituais para ajudar um crente a alcançar a salvação. O batismo lavava os pecados da criança para o caso de ela morrer jovem. Confessar seus pecados para um padre ajudava os adultos a endireitar seu caminho. O último sacramento de colocar óleo na fronte preparava um crente moribundo para o céu. Na época, também, muitas igrejas mantinham relíquias – objetos passados ao longo dos séculos que, segundo se dizia, estavam associados com santos. Em Wittenberg, onde Lutero passou a viver, a igreja do castelo se gabava de ter quatro fios de cabelo da cabeça de Maria, mãe de Cristo; um fio de palha do berço em que o bebê Jesus dormiu um dia; e mais de 19 mil pedaços de ossos de vários santos. Um crente que reverenciasse essas relíquias (e fizesse uma contribuição em dinheiro) ouvia que Deus perdoava muitos pecados por tais preces e doações.

 Entrar para uma ordem religiosa – tornar-se monge, frade ou freira – marcava um caminho ainda mais drástico para uma vida sagrada. Quando menino, Lutero olhou com admiração para Guilherme de Anhalt, um príncipe que abdicara de sua riqueza mundana para andar pelas ruas esmolando – "só pele e osso", recordou Lutero. "Ninguém era capaz de olhar para ele sem sentir vergonha da própria vida." E esse era o problema de Lutero. Mesmo depois de abrir mão dos confortos do mundo, ele se sentia indigno aos olhos de Deus. Sim, ele rezava. Sim, ele ia à missa. Jejuava. Inclusive fez uma peregrinação até a distante Roma, lar do Papa. Nada o convencia de que ele levava uma vida boa o bastante. Ao contrário, Lutero ficou chocado ao conhecer padres em Roma que não pareciam preocupados com a religião. "*Passa, passa!*", um deles ladrou, antes que Lutero terminasse de confessar seus pecados. "Anda! Segue em frente!"

 Depois de anos de angústia, Lutero encontrou conforto na passagem da Bíblia que declarava "O justo viverá pela fé". Ninguém jamais poderia acumular bons atos suficientes para ser salvo, concluiu. Um cristão só era salvo pela fé – a fé de que Jesus vivera uma vida perfeita e morrera pelos pecados de todas as pessoas. Igualmente importante é o fato de que Lutero colocou a Bíblia no centro de sua religião. Ele rejeitou muitos dos rituais da Igreja

Católica. A Bíblia dizia que as relíquias dos santos podiam levar uma pessoa para o céu? Se não, então as relíquias deveriam ser eliminadas. Bem como as extremas-unções e as confissões para os padres. Os dois princípios aos quais Lutero se ateve foram, primeiro, que os crentes eram salvos "somente pela fé" e, segundo, que a Bíblia – e somente a Bíblia – fornecia o caminho para a salvação.

Diz a lenda que, em 1517, Lutero pregou um papel contendo uma lista de suas ideias à porta da igreja do castelo. Reunidas, essas 95 teses marcaram o início de um movimento reformista que ficou conhecido como Reforma Protestante.

Depois de Lutero, um dos mais importantes líderes da Reforma foi o pastor francês João Calvino. Os dois homens não poderiam ser mais diferentes. Lutero era modesto, amistoso e emotivo. Seu rosto largo se iluminava quando ele sorria, e parecia estrondoso quando ele franzia a testa. Ele falava de uma maneira simples, como quando alertou os "tolos rudes e ignorantes em Roma" a "manter distância da Alemanha" ou então "pular no Reno ou no rio mais próximo e tomar um banho frio". João Calvino, por outro lado, era calmo e lógico – um pensador brilhante cujo rosto comprido e anguloso emoldurado por uma barba pontiaguda se iluminava com a confiança de estar cumprindo a palavra de Deus. Ele reuniu seus seguidores na cidade de Genebra, nos Alpes.

Calvino sonhou com uma época em que "os escolhidos" – crentes que Deus havia salvado – governariam o mundo em paz. Em Genebra, ele e seus reformadores ganharam influência suficiente para fundar uma comunidade santa, um governo regido por princípios protestantes. Algumas das leis da cidade hoje parecem muito severas ou mesquinhas. Você podia ser multado por passar tabaco a outro fiel ou por fazer barulho na igreja. Não podia dar o nome de um santo católico ao seu filho, porque os protestantes não acreditavam que a igreja mundana tivesse o poder de decidir quem era santo. Mas as leis estritas de Calvino tinham a intenção de melhorar um mundo imperfeito. Reformadores afluíram para Genebra para ver como uma comunidade santa funcionaria.

Pode parecer estranho uma história dos Estados Unidos passar tanto tempo na Europa distante. Por que falar de Lutero e suas teses quando Cortés estava desafiando os mexicas naqueles mesmos anos? Por que observar Calvino em Genebra em vez de De Soto nas margens do Mississippi? Mas ideias são um pouco como dentes-de-leão. Como uma semente minúscula grudada na bota de um explorador, uma ideia pode atravessar o Atlântico alojada na cabeça de alguém. Dê ao dente-de-leão algumas centenas de anos para crescer e se espalhar e a América mudará sua paisagem. Dê a uma ideia a mesma quantidade de tempo, e essa terra distante pode ser verdadeiramente transformada. As ideias de Lutero e de Calvino transformariam a América.

Mas, assim como as plantas podem mudar com o passar do tempo, as ideias também podem. Considere a crença de Lutero de que a Bíblia era o único guia para a salvação. O que a tornou revolucionária? Durante a Idade Média, os papas e os concílios de igrejas atuavam como os juízes finais do significado da Bíblia – não as pessoas comuns. Lutero, por outro lado, queria que todos lessem a Bíblia. "O cristão deve julgar por si mesmo", insistia. A Bíblia deveria estar disponível no idioma das pessoas comuns, e não só em latim, que apenas os instruídos entendiam. Lutero traduziu a Bíblia para o alemão. Milhares de exemplares foram impressos. Milhares de pessoas começaram a lê-la, agora livres para julgar por si mesmas. Então, houve a ideia de Calvino, de uma comunidade santa. Muitos protestantes viriam à América esperando fundar comunidades em que as pessoas ajudariam umas às outras visando ao "bem comum". Com isso, Calvino se referia não só a bens econômicos, mas também a bens espirituais – do tipo que se obtinha ajudando uns aos outros enquanto os fiéis viviam juntos.

Duas grandes ideias: *julgar por si mesmo* e *construir uma comunidade santa*. Elas viriam a ter enorme influência sobre o que significava ser norte-americano. Mas, quando a enxurrada de migrantes chegou à América e começou a julgar por si mesma, surgiram ideias muito diferentes de como uma comunidade santa deveria funcionar.

Na Europa, as discórdias por causa das novas ideias da Reforma começaram quase imediatamente. Quando as autoridades católicas exigiram que Lutero renunciasse a suas crenças, ele se recusou. "Aqui eu fico. Que Deus me ajude. Amém." Ele insistiu que tinha a obrigação de "defender a verdade com o sangue e a vida". Os católicos sentiam da mesma forma. "Um único monge que contradiz todo o cristianismo de mil anos deve estar errado", insistiu o jovem Carlos V, o sacro imperador romano. "Decidi mobilizar tudo (...) meus reinos e domínios, meus amigos, meu corpo, meu sangue e minha alma", declarou depois de ouvir Lutero falar. "Considerá-lo--ei herege notório." Na Europa, alguém acusado de ser um herege – ensinar falsas ideias religiosas – era queimado na estaca. A punição era cruel, terrivelmente dolorosa, e tão assustadora quanto ter o coração arrancado com uma faca de obsidiana. Felizmente para Lutero, Carlos nunca conseguiu concretizar sua promessa. Mas milhares de outros hereges foram queimados em muitos países, incluindo um acadêmico condenado pela comunidade santa de Calvino em Genebra. As disputas iniciadas pela Reforma afundaram a Europa em um século e meio de guerra religiosa, quando protestantes e católicos lutaram ferozmente uns contra os outros.

Se metade das pessoas em um reino se tornaram protestantes e metade permaneceram católicas, um monarca poderia permitir que ambos os grupos acreditassem no que quisessem? Poucos governantes na época de Lutero pensavam que sim. A maioria dos monarcas só permitia uma igreja: a que concordava com suas crenças. Os súditos que discordassem tinham de ficar em silêncio e frequentar a igreja oficial ou praticar seu culto secretamente e arriscar serem detidos, presos ou queimados na estaca. Alguns países, incluindo Espanha, Portugal e Itália, permaneceram firmemente católicos. Outros, incluindo a Inglaterra, a Escócia e os Países Baixos, tornaram-se protestantes. Não tardou muito para que as guerras de religião atingissem as Américas.

Isso significou um problema para a Espanha católica. Quando o ouro e as joias dos mexicas se esgotaram, um novo grupo de aventureiros descobriu grandes depósitos de prata nas montanhas do México e da América do Sul. As maiores minas ficavam em Potosí, 4 mil metros acima do nível do mar, nos Andes, onde o ar rarefeito tornava difícil respirar. Não importava: em 1600, mais de 150 mil pessoas trabalhavam na região, fazendo de Potosí o maior assentamento na América do Norte ou do Sul, e maior do que qualquer cidade na própria Espanha. Os índios eram forçados a trabalhar em túneis profundos onde a poeira trazia enfermidade e morte em decorrência da doença do pulmão negro. (O nome indígena para o lugar significa "a montanha que come pessoas".) Trinta mil toneladas de prata eram transportadas em carroças, refinadas em fornalhas e enviadas de navio para a Espanha, e também para as Filipinas e a China. O poder e a prosperidade da Espanha aumentaram vertiginosamente.

Os navegantes espanhóis também subiram a costa da América do Norte, mas não estabeleceram nenhuma colônia permanente. Uma anotação rabiscada à mão em um velho mapa dá uma boa pista da razão para tal. "*No hay alla de oro*", dizia: "Não há ouro ali". Por outro lado, as frotas do tesouro que partiam da América Central e do Sul eram como ímãs para os rivais da Espanha. Os piratas franceses as assaltavam com tanta frequência que a Espanha estava perdendo quase metade de sua prata. Quando várias centenas de protestantes franceses construíram um forte na Flórida, a Espanha o destruiu e estabeleceu a colônia de St. Augustine.

Os protestantes ingleses também foram atrás do tesouro espanhol. Os homens que fizeram isso são às vezes chamados de lobos do mar – aventureiros rondando os oceanos em busca de fama e de glória. Mas *lobo do mar* é simplesmente uma maneira educada de dizer *pirata*. Um desses aventureiros, Francis Drake, pilhou o tesouro espanhol no Caribe e, com ainda mais ousadia, contornou a América do Sul até chegar ao Pacífico, que os espanhóis estavam acostumados a ter só para si. Drake continuou navegando rumo ao norte até chegar à Califórnia – e então seguiu para o leste pelo Pacífico, o navio carregado de prata, dando a volta ao mundo para chegar em casa. A rainha Elizabeth o condecorou por seus serviços e tomou metade do espólio que ele trouxe.

Vários anos depois, em 1585, Walter Raleigh, amigo de Drake, financiou uma expedição que desembarcou na orla da atual Carolina do Norte, na ilha de Roanoke. Muito provavelmente Raleigh esperava usar o novo posto avançado como uma base de onde atacar a Espanha. Os índios em Roanoke, segundo relatos, eram "extremamente gentis, amorosos e fiéis (...) e viviam à maneira da era dourada". (Estas palavras soam familiares?) Mas os ingleses em Roanoke brigaram com os índios, assim como os conquistadores haviam feito. Um comandante inglês, Sir Richard Grenville, gostava

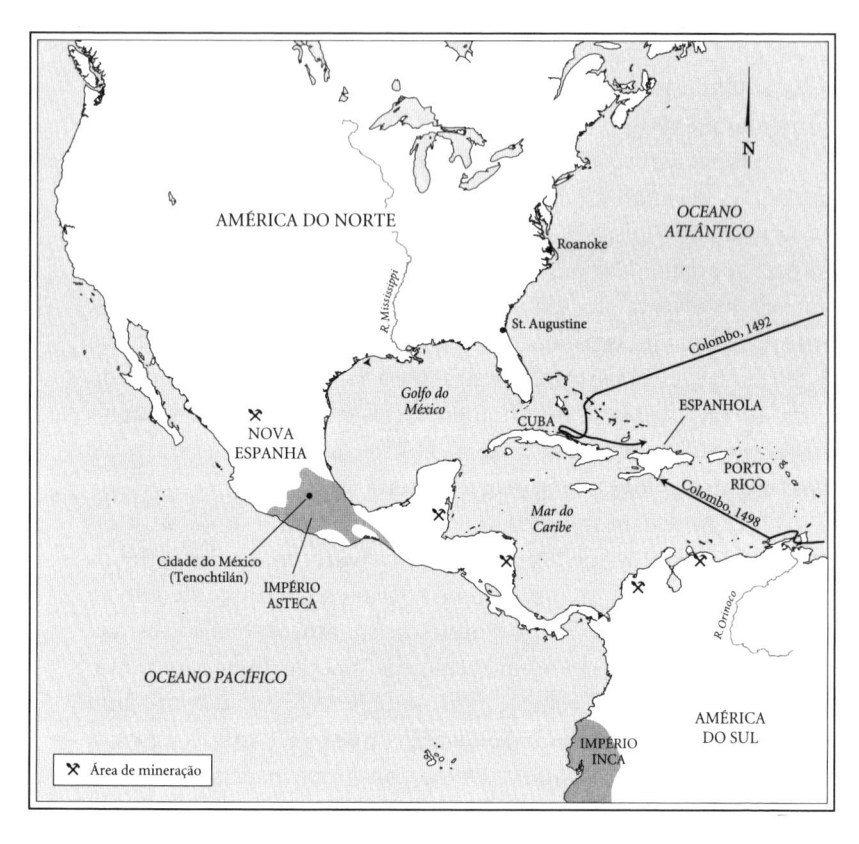

A era do ouro, 1492-1600. Os europeus fizeram contato com a América do Norte pela primeira vez através do mar do Caribe. Das ilhas de Espanhola, Cuba e Porto Rico, os espanhóis se ramificaram rumo ao continente, que se tornou conhecido como Spanish Main. Quase um século se passou antes que os ingleses começassem a desafiar as grandes frotas do tesouro espanhol.

de mostrar que era durão: depois de tomar três ou quatro taças de vinho, ele "colocava as taças entre os dentes, as quebrava em pedaços, e os engolia, de modo que às vezes saía sangue da sua boca". Sob tais líderes violentos, Roanoke quase morreu de fome.

Então, durante muitos anos, ninguém da Inglaterra conseguiu regressar à colônia com suprimentos e mais colonos. Em 1588, a Espanha havia enviado sua vasta marinha, a Armada, para invadir a Inglaterra. Os ingleses, mais ágeis, derrotaram os inimigos, mas quando uma missão de socorro regressou a Roanoke, encontrou apenas ruínas, alguns poucos pedaços de armadura enferrujada e a palavra "Croatoan" esculpida em uma árvore.

Teriam os ingleses se mudado para outro lugar – esse tal de "Croatoan"? Ninguém sabia, e a colônia foi considerada perdida. A Espanha pôde respirar aliviada, mas só por algumas décadas. Os ingleses ainda não haviam encerrado seus assuntos na América.

7
Santos e forasteiros

Em 1620, cinco ou seis índios nausets estavam trotando pela praia de Cape Cod um certo dia de novembro, com o cachorro à frente, quando viram dezesseis forasteiros vindo em sua direção. Os índios não esperaram uma apresentação; deram meia volta e correram, assobiando para que o cachorro os acompanhasse.

Os recém-chegados eram um grupo de peregrinos – assim denominados por William Bradford, um de seus líderes, que estava junto naquele dia. Seguindo os passos dos nausets, os homens finalmente atravessaram um rio, "pelo qual ficamos muito felizes, e nos sentamos e bebemos nossa primeira água na *Nova Inglaterra*". Ao caminhar pela floresta, eles se depararam com uma armadilha indígena para capturar cervos, com nozes de carvalho espalhadas ao redor de um laço oculto. Quando Bradford passou, a armadilha "deu um puxão repentino, e ele imediatamente foi capturado pela perna". Um "dispositivo muito interessante", comentou um dos homens.

É claro, em 1620, quando os peregrinos chegaram, navios espanhóis, franceses e ingleses vinham explorando a costa havia cem anos. Os europeus já não eram novidade para os índios. Eram apenas estrangeiros dos quais deveriam desconfiar. Os nausets saíram correndo com medo de que aquele fosse mais um bando de europeus que viera para guerrear. Mas os peregrinos não ficaram em Cape Cod. Eles navegaram rumo ao oeste até que chegaram a um porto mais abrigado, descarregando seus pertences perto da rocha hoje conhecida como Plymouth Rock. Na primavera seguinte, um índio wampanoag chamado Squanto apareceu para lhes dar as boas-vindas – falando inglês, para alegria dos peregrinos.

Aquele primeiro inverno havia sido difícil. Sem tempo hábil para cultivar alimentos, metade dos peregrinos havia morrido. Squanto mostrou aos novatos como plantar milho e fertilizá-lo colocando um peixe morto sobre cada semente. Seria este mais um artifício indígena, como a armadilha para cervo? Provavelmente não. É quase certo que Squanto aprendeu sobre o fertilizante de peixe com os europeus. Seis anos antes de os peregrinos chegarem, ele havia sido capturado por um inglês e levado à Espanha para ser vendido nos mercados de escravos. De alguma forma ele chegou à Inglaterra, aprendeu o idioma e regressou à América. Infelizmente, também aprendeu sobre as doenças europeias, que haviam assolado sua terra natal enquanto ele esteve fora. Tantos índios morreram, segundo Bradford, que, "sendo incapazes de enterrar uns aos outros, seus crânios e ossos eram encontrados em muitos lugares ainda jazendo acima do solo (...) um espetáculo muito triste de se contemplar".

Os peregrinos foram os primeiros dos muitos protestantes que vieram à Nova Inglaterra com a intenção de criar sua própria comunidade santa. Para esses reformadores, que queriam seguir mais de perto os ensinamentos da Bíblia, a Inglaterra parecia não ser pura o suficiente. É verdade, a Igreja da Inglaterra era protestante, mas seus membros (chamados anglicanos) ainda celebravam o Natal e os dias dos santos. Onde a Bíblia mencionava *esses* dias santos? A Igreja Anglicana era governada por arcebispos que usavam belas vestes de seda. Os verdadeiros pastores, insistiam os reformadores, deveriam usar trajes simples e celebrar cultos de acordo com "o padrão primitivo das primeiras igrejas". Os anglicanos zombavam dos reformadores, chamando-os "puritanos", e o nome pegou.

Embora os puritanos pensassem que a Igreja da Inglaterra se desviava dos ensinamentos bíblicos, eles estavam dispostos a permanecer nela e tentar melhorá-la. Outros protestantes se retiraram completamente. Esses separatistas, como eram conhecidos, incluíam várias centenas de pessoas que viviam na cidade de Scrooby. Foi desse povo que os peregrinos se originaram. Sendo alvo de escárnio dos vizinhos por suas crenças religiosas, multados e acossados pelo governo, eles partiram da Inglaterra para os Países Baixos holandeses, onde as leis permitiam liberdade de culto. Mas, depois de doze anos em meio aos holandeses, eles sentiam falta dos modos ingleses, e estavam incertos quanto ao futuro. Então, em 1620, o *Mayflower* partiu para a colônia inglesa da Virgínia, onde o rei Jaime concedera aos peregrinos permissão para se estabelecer, com a condição de que se comportassem "pacificamente". Infelizmente, o *Mayflower* perdeu o rumo. E a carta dos peregrinos, o documento legal em que o rei Jaime especificara o que eles podiam fazer, não falava nada sobre se estabelecer em outro lugar.

A bordo do navio, os passageiros tomaram uma decisão notável: criar um governo próprio, formando "uma entidade política civil" que faria "leis justas e iguais" para o bem da colônia. Esse acordo, o Pacto do Mayflower, não tinha autoridade reconhecida pela legislação britânica, mas os oficiais do rei estavam a 5 mil quilômetros de distância – como poderiam reclamar? A nova Colônia de Plymouth começou realizando eleições anuais em que os homens livres escolhiam um governador e alguns assistentes para tratar dos assuntos de Plymouth.

A ideia de que as pessoas pudessem eleger representantes para governar a si mesmas se tornaria central para os fundadores dos Estados Unidos. Mas a crença era atípica em 1620. Os reis ficavam visivelmente irritados quando seus súditos falavam demais. Esse era o motivo pelo qual o rei Jaime não gostava dos puritanos nem dos separatistas – eles podiam julgar por si mesmos, como Lutero dizia. "Então Jack e Tom e Will e Dick se encontram", reclamava o rei, "e, a seu bel-prazer, censuram [criticam] a mim e ao meu conselho e a todos os nossos procedimentos." Na verdade, os peregrinos não tinham intenção de se manifestar contra o rei. Eles concordavam com a autoridade de Jaime. O que os preocupava mais eram as pessoas a bordo do navio que Bradford chamava de "forasteiras". O fato é que menos de metade dos 102 passageiros do *Mayflower* eram peregrinos. O resto eram outros ingleses, trazidos para ajudar a pagar as despesas.

Para esses viajantes, os peregrinos eram os forasteiros. E quando alguns deles descobriram que o *Mayflower* não estava mais se dirigindo à Virgínia, observaram que os peregrinos não tinham "poder para comandá-los". Os forasteiros estavam em maioria, afinal. Bradford considerou suas reclamações "descontentes e insurretas", mas pelo menos não as ignorou. O Pacto do Mayflower permitiu que todos os homens livres participassem do governo da colônia, não só os peregrinos.

Os peregrinos se deram por satisfeitos de estarem sozinhos na América. Mas a próxima comunidade santa fundada na Nova Inglaterra queria mais. Dez anos depois que os peregrinos chegaram, cerca de mil colonos aportaram para começar a Colônia da Baía de Massachusetts, 65 quilômetros ao norte de Plymouth. Durante a viagem, seu governador, John Winthrop, lhes dirigiu a palavra. Deus estava fazendo de sua comunidade um exemplo, falou. "Pois devemos considerar que seremos como uma cidade no alto de uma colina. Todos estão com os olhos voltados para nós." Se a colônia seguisse a lei de Deus, "os homens dirão, das colônias seguintes, 'que o Senhor a faça como a da Nova Inglaterra'". Como João Calvino de Genebra, esses puritanos estavam não só determinados a prosperar, como também confiantes de seu lugar na história.

Em poucos anos, a Colônia da Baía de Massachusetts ofuscou a Colônia de Plymouth. A maioria dos que participaram da "Grande Migração" de puritanos viajaram em família. Eles se estabeleceram em Boston, uma cidade agitada, e em outros vilarejos perto da baía. Um fazendeiro podia ter muitos acres fora da cidade, mas ia caminhando de sua casa no vilarejo até essas terras. Esse costume contribuiu para o desenvolvimento de comunidades extremamente coesas. E bem educadas: como Lutero, os puritanos queriam que todos fossem capazes de ler a Bíblia. Talvez seis em cada dez homens que foram a Massachusetts sabiam ler – o dobro do número usual na Inglaterra. O número de mulheres que sabiam ler era menor, apenas três em cada dez. (Se você estiver se perguntando por quê – e deve –, falaremos sobre isso mais tarde.) Além do mais, praticamente toda cidade da Nova Inglaterra tinha uma escola pública de ensino fundamental para garotos; e muitas garotas aprendiam a ler nas então chamadas "escolas para damas".

Desde o começo, os puritanos descobriram como era difícil criar uma comunidade santa. Quão puras deveriam ser suas igrejas? À diferença dos anglicanos, os puritanos achavam que os membros da igreja deveriam incluir apenas os salvos, e não todos da comunidade. Todos os colonos tinham de ir ao culto, mesmo os que não eram cristãos. Mas, para se tornar um membro pleno da igreja, uma pessoa tinha de explicar a experiência religiosa pessoal que a levou a renascer no Espírito Santo – em síntese, como a pessoa se "converteu". Quanto a manter a colônia pura, a Baía de Massachusetts favorecia abertamente sua própria religião. Ao contrário da colônia de peregrinos em Plymouth, apenas membros da igreja podiam votar nas eleições. Qualquer um que professasse ideias que levassem à "destruição da alma dos homens" era banido da colônia; e se essas pessoas indesejáveis regressassem para disseminar falsas crenças novamente, podiam ter a língua perfurada com um ferro quente ou ser enforcadas. (Na verdade, as leis da Inglaterra listavam ainda mais crimes para os quais a punição era queimadura ou enforcamento.)

Mas até mesmo os puritanos discordavam entre si sobre religião. Hartford, em Connecticut, foi fundada por puritanos que acreditavam que as autoridades de Massachusetts eram rígidas demais. New Haven foi fundada por aqueles que pensavam que não eram rígidas o bastante. E alguns colonos simplesmente não estavam preocupados com religião. Um comerciante de peles rebelde chamado Thomas Morton fundou sua própria colônia, chamada Merrymount, perto de Plymouth. Morton gostava da companhia dos índios, aprendeu sua língua, e reclamava que as graças dos peregrinos antes das refeições eram tão longas que "a carne esfriava". Morton e seus amigos comerciantes convidavam os índios para dançar, cantar e beber em volta de um mastro de 25 metros de altura, uma criação feita de um pinheiro alto com um par de chifres de cervo pregados no topo, que então era erguido no terreno mais alto de Merrymount. Os peregrinos ficaram horrorizados com tais celebrações laicas e duplamente furiosos quando Morton deu armas para os índios em troca de suas peles. Os líderes peregrinos o prenderam e o forçaram a deixar a Nova Inglaterra. Uma cidade no alto da colina era uma coisa, um mastro monstruoso no topo de uma montanha era outra bem diferente.

Os peregrinos foram longe demais ao expulsar os comerciantes profanos? Tanto os puritanos quanto os peregrinos descobriram que estipular regras para manter outras pessoas santas levava a dificuldades inesperadas. Era um pouco como aquela caminhada na floresta de Cape Cod com William Bradford. Num instante você está desfrutando de uma bela caminhada matinal; no outro, um laço agarrou sua perna e não quer soltar.

Foi um pastor chamado Roger Williams que veio a entender o problema de forçar as pessoas a ser puras. Williams era amistoso, generoso e afável. Mas ele navegou para Boston com um desejo ardente de se tornar o mais santo de todos. Quando os membros de uma igreja lhe pediram para ser seu pastor, ele se recusou. Ele era separatista, e essa igreja não condenaria diretamente a Igreja da Inglaterra. Não era pura o bastante! Então Williams se mudou para Plymouth, onde os separatistas condenavam a Igreja da Inglaterra. Mas alguns dos peregrinos lá visitaram a Inglaterra e foram a cultos anglicanos. Ainda não era pura o bastante! Williams voltou para Massachusetts, onde continuou a pregar. Os verdadeiros cristãos não deveriam orar em companhia de pessoas não salvas, declarou – mesmo que fossem sua própria esposa e filhos. Quando a Baía de Massachusetts tentou disciplinar Williams por professar suas ideias estranhas, ele condenou os pastores da colônia. Os puritanos, então, baniram Roger Williams antes que ele os banisse. Ele fugiu no meio de uma grande ventania com neve para passar o inverno com os índios wampanoags, que concordaram em abrigar esse forasteiro.

E aqui Roger Williams deu uma guinada impressionante. Ele continuou devoto como sempre. Mas concluiu que, em um mundo imperfeito, era impossível, para as igrejas, determinar quem era verdadeiramente puro. Decidiu, em vez disso, "orar com todos os presentes" – os pecadores, os salvos, e qualquer um entre esses dois extremos. Não só isso, como também anunciou que o governo não tinha de se meter em assuntos religiosos. Não era função do Estado fazer as pessoas irem à igreja se não quisessem, ou decidir quem era um herege perigoso. Forçar alguém a praticar determinado culto "cheira mal nas narinas de Deus", falou. As atividades do governo deveriam ser separadas das da igreja.

    E assim uma linha bem definida foi traçada entre a igreja e o Estado na colônia de Williams, que veio a se tornar a colônia de Rhode Island. Roger Williams havia compreendido uma verdade importante: que um Estado não podia fazer um de muitos forçando todos a ter a mesma fé. Mais proveitoso "orar com todos os presentes" e esperar pelo melhor.

8
Polo econômico

Foi provavelmente por acaso que os peregrinos perderam o rumo e nunca chegaram à Virgínia, para onde se dirigiam em 1620. Naquela época, essa colônia desafortunada havia passado mais de doze anos lutando desesperadamente para sobreviver. Mas alguns de seus habitantes estavam começando a descobrir o segredo de como prosperar – e sua solução não teria agradado aos peregrinos, pessoas que só queriam criar uma comunidade santa e cultivar alimentos em paz. A Virgínia estava se transformando no que poderíamos chamar de um dinâmico polo econômico.

Uma série de coisas são necessárias para que uma região se transforme em um polo econômico. A primeira é ter alguma coisa que todo mundo deseja – mas que não seja fácil de conseguir. E quando essa alguma coisa é descoberta, as pessoas vêm correndo, ávidas por controlá-la, vendê-la e obter um belo lucro. Pense no ouro e na prata que os conquistadores trouxeram para casa. Potosí era o maior assentamento nas Américas em 1620 porque ficava sobre uma montanha de prata. Foi um importante polo econômico. Mas as pessoas não queriam apenas prata e ouro. Lembre-se das especiarias asiáticas que chegavam pela Rota da Seda – ou considere um fruto vermelho na África que o povo de Kaffa cultivava. Quando tostado, fazia uma bebida que os europeus logo aprenderam a saborear. Os turcos o chamavam de *kahve*; os holandeses (que o conheceram pelos turcos) o chamavam de *koffie*. Os ingleses criaram lugares especiais para bebê-lo, chamados cafeterias. Os puritanos gostavam porque, ao contrário das bebidas alcoólicas, esta os tornava mais alertas. Como escreveu um poeta puritano, "*Coffee arrives, that grave and wholesome liquor, / That heals the stomach, makes the genius quicker.*" [Chega o café, líquido escuro e salutar / Que cura o estômago, aguça o pensar.]

Mas o produto alimentício que desencadeou o maior crescimento foi o açúcar, um adoçante que hoje consideramos trivial. Durante a Idade Média, o açúcar era tão raro que somente homens e mulheres da nobreza podiam comprá-lo, geralmente como remédio para dor de garganta ou indigestão. Espanha e Portugal começaram a cultivá-lo em ilhas na costa africana; então a América do Sul e o Caribe se tornaram regiões açucareiras por excelência. A cana-de--açúcar era cultivada em grandes fazendas chamadas *plantations*, onde dezenas ou mesmo centenas de trabalhadores cortavam os caules compridos e os levavam aos moinhos, nos quais eram triturados e fervidos, transformando-se em melaço (usado principalmente para fazer rum) ou em açúcar propriamente dito. No início dos anos 1600, as *plantations* nas Américas estavam vendendo milhares de toneladas de açúcar e melaço para a Europa. Ouro, prata, açúcar, café, especiarias, chá... O que você tem que é escasso e todo mundo deseja? Não é exagero dizer que a era das descobertas, que uniu as duas metades do mundo, criou polos econômicos em toda parte.

Vários mercadores e aristocratas ingleses reuniram seu dinheiro para formar o que ficou conhecido como empresa de capital aberto, com a ideia de fazer uma nova colônia crescer. O clima da Virgínia era frio demais para cultivar açúcar ou café, mas a nova Virginia Company enviou 105 colonos para se estabelecerem na baía de Chesapeake em 1607. Eles tinham grandes esperanças. Nada de cidade santa "no alto de uma colina": o que eles buscavam eram "montanhas reluzentes de ouro". À margem de um rio que desembocava na baía de Chesapeake, fundaram Jamestown.

Infelizmente, não havia montanha nem ouro em parte alguma. Jamestown poderia ter definhado como Roanoke, não fosse pelo capitão John Smith, um soldado aventureiro que havia perambulado pelos rincões da Europa antes de se associar à Virginia Company. A confiança de Smith em si mesmo era tão grande quanto sua barba volumosa. No entanto, os nobres cavalheiros da expedição odiavam esse sujeito comum. Em certo momento, eles estiveram a ponto de pendurá-lo em uma forca, pelo crime improvável de conspirar para "assassinar" os líderes da colônia e "se autoproclamar rei". Mas Smith os convenceu a mudar de ideia. Depois de vários meses na Virgínia, com muitos colonos morrendo de "febres ardentes" e quase todos insatisfeitos com os líderes originais da colônia, Smith assumiu o comando e pôs todo mundo para trabalhar. Ele não permitia que os colonos que não faziam sua parte se alimentassem.

Quando subia o rio para fazer escambo por comida, Smith foi capturado por índios. Cerca de 20 mil nativos norte-americanos viviam perto da baía de Chesapeake, reunidos em uma confederação pouco coesa sob um chefe chamado Powhatan. Depois de convocar um conselho, Powhatan ordenou que o crânio de Smith fosse esmagado com um porrete. Foi então que uma das jovens filhas do chefe, Pocahontas, interviu e implorou para que a vida do capitão fosse poupada. Ou foi isso que Smith afirmou anos depois – ninguém mais mencionou a história, e ele era *muito* bom em contar histórias. Se Powhatan realmente ameaçou Smith, talvez tenha sido apenas para assustá-lo, para ter certeza de que os recém-chegados entendiam quem é que mandava na baía de Chesapeake. Mais tarde, os ingleses realizaram o mesmo tipo de cerimônia – uma "coroação" na qual pediram para Powhatan se ajoelhar e aceitar uma coroa como um rei subalterno. Os colonos tiveram dificuldade para conseguir que ele fizesse isso, e só lograram êxito "pressionando seus ombros com força".

Se Smith tivesse permanecido na Virgínia, poderia ter pressionado a todos para fazer a colônia funcionar. Mas uma noite, enquanto ele dormia, um saco de pólvora pegou fogo e explodiu, e ele sofreu graves queimaduras. A pólvora talvez tenha sido acesa por seus inimigos em uma conspiração para matá-lo. Seja como for, Smith regressou à Inglaterra e os colonos voltaram a brigar e a passar fome. Mesmo depois de dez anos, Jamestown estava em uma situação tão ruim que, quando um novo governador chegou da Inglaterra, só encontrou meia dúzia de casas em pé, a cerca do forte quebrada, "a ponte em pedaços, o poço de água fresca arruinado; o armazém (...) usado como igreja". A cidade estava em um estado deplorável – havia até mesmo plantas crescendo "no mercado e nas ruas".

Esse era o único detalhe estranho em meio à ruína. As plantas nas ruas não haviam crescido por negligência. Haviam sido *plantadas* – um cultivo chamado tabaco, exatamente o que os habitantes da Virgínia necessitavam para fazer sua colônia prosperar. Os colonos estavam tão ávidos por ganhar dinheiro que plantaram tabaco em cada espaço livre que encontraram. O rei Jaime considerava o hábito de fumar "repulsivo para os olhos, odioso para o nariz, nocivo para o cérebro e perigoso para os pulmões". Séculos mais tarde, a ciência provou que ele tinha razão sobre este último ponto. Mas muitos ingleses estavam dispostos a pagar um preço alto por essa nova moda norte-americana.

Cultivar tabaco era um trabalho difícil e monótono. Um homem limpava um ou dois acres de mato (ou uma mulher – algumas mulheres também trabalhavam com tabaco). Depois de capinar o terreno, você faz um monte para cada muda de tabaco, mantendo a perna esticada e puxando a terra ao redor com um "enxadão" até que o monte se parecesse com "o de uma toupeira, quase à altura do joelho". Tire o pé, "dê uma aplanada no topo do monte" e enfie a muda de tabaco. Então faça outro monte... e outro... e outro... para cerca de 8 mil plantas. Durante o verão quente, arranque constantemente as ervas daninhas e elimine os vermes que comem as folhas de tabaco. Em agosto, colha as folhas e pendure-as para secar. Finalmente, quando as folhas estiverem secas, embale-as em grandes barris, empurre-os rolando até o rio e envie-os de navio para a Inglaterra.

Era trabalho duro – mas o cultivo dava cinco a dez vezes mais dinheiro do que trabalhar em uma fazenda inglesa. E isso para só uma pessoa. Suponha que você tivesse trazido dez ou vinte pessoas para trabalharem para você. Isso significava um rendimento dez ou vinte vezes maior. Milhares de pessoas começaram a afluir para a Virgínia. O *boom* do tabaco havia começado.

Como a maioria dos *booms*, as apostas eram altas, e também os riscos. Os virginianos tinham um nome para o que os recém-chegados enfrentavam durante seu primeiro ano na colônia: "a aclimatação". Se sobrevivesse aos primeiros doze meses, você estava "aclimatado" – isto é, havia se adaptado aos perigos e ao clima da nova terra e tinha mais chances de continuar vivo. Os novatos morriam aos montes: de malária disseminada por mosquitos; de febre tifoide ou disenteria propagada por germes na água. Eram mortos por índios, insatisfeitos com a terra que os ingleses tomaram para plantar tabaco. Mesmo nos anos 1630, 1640 e 1650, os colonos morriam em grande número.

E, como tantos adultos morriam, a Virgínia se viu cheia de crianças órfãs. O pai de Agatha Vause morreu quando ela tinha dois anos de idade. Sua mãe se casou novamente, de modo que Agatha teve um padrasto, mas ele logo morreu também. A mãe de Agatha morreu alguns anos depois, deixando-a com seu tio James. Mas então James morreu, e só restou a tia Elizabeth para cuidar dela. Em média, os ingleses que vinham à Virgínia viviam até os 35 ou 40 anos. Aqueles que permaneciam na Inglaterra, por outro lado, podiam esperar viver até por volta de 60. E, na Nova Inglaterra, os colonos viviam, em média, 70 anos.

Isso não quer dizer que a Virgínia fosse apenas uma terra de morte, doenças e trabalho duro. Os primeiros habitantes da região tiveram uma vida difícil, mas também, muitas vezes, interessante. Alguns poucos felizardos se tornaram donos de plantações de tabaco. Vieram menos famílias para a Virgínia do que para a Nova Inglaterra: a colônia era composta principalmente de homens jovens e solteiros tentando a sorte. Também à diferença da Nova Inglaterra, menos colonos viviam em vilarejos e cidades. Eles se espalharam, estabelecendo fazendas e *plantations* ao longo dos rios que desembocavam na baía de Chesapeake. E, diferentemente dos puritanos, os colonos na Virgínia pouco se importavam em educar a todos. "Dou graças a Deus por não termos nem escolas livres nem imprensa", escreveu o governador da Virgínia William Berkeley, "e espero que não as tenhamos por cem anos ainda. Porque aprender trouxe ao mundo a desobediência e a heresia (...)". Em 1632, uma segunda colônia, Maryland, foi fundada na parte norte da baía de Chesapeake.

A vida nas colônias de tabaco era mais isolada, mas uma vez por mês os vizinhos de cada condado se reuniam para o Dia de Corte, que acontecia no salão do dono de uma *plantation*. Lá, um juiz lidava com reclamações de furto de porcos, disputas sobre heranças, relatos sobre os cuidados dos órfãos e coisas do tipo. Em um campo próximo, espectadores apostavam em corridas de cavalos. No dia da eleição, os homens de cada condado escolhiam dois deles para representá-los na legislatura, chamada de Câmara dos Burgueses. O xerife perguntava a cada eleitor: "Em quem você vota?". E o eleitor respondia, por exemplo, "em John Clopton". E então Clopton fazia uma reverência, agradecendo o homem por seu voto.

Pouco a pouco, Virgínia e Maryland se tornaram lugares mais saudáveis para se viver. E o tabaco continuou sendo o principal cultivo, o que traz à mente um último ponto. Todo polo econômico precisa de trabalhadores; e quanto mais trabalhadores um fazendeiro controlava e quanto menos lhes pagava, mais rico ficava. Para os que vieram à Virgínia, fazia uma grande diferença o fato de serem pobres ou endinheirados. A maioria das pessoas só conseguia viabilizar uma viagem à Virgínia como *indentured servants* (trabalhadores em regime de servidão temporária). Essas pessoas assinavam papéis (*"indentures"*) concordando em trabalhar por um período de quatro a sete anos para um senhor que, em troca, lhes pagaria a passagem para a América e as despesas na nova terra. A maioria dos que se apresentaram estavam passando por dificuldades. Alguns haviam sido forçados a abandonar lavouras inglesas e não tinham onde trabalhar nem morar. Órfãos eram tirados das ruas e dos abrigos. Na Virgínia, os que tinham sorte e não morriam antes de cumprir os sete anos recebiam "*freedom dues*" ("direitos de liberdade"): uma nova troca de roupas, ferramentas e cinquenta acres de terra.

Há uma última reviravolta na história daqueles que trabalharam no polo econômico da Virgínia. Considere o caso de um jovem que veio à colônia em 1621. Ele sobreviveu ao seu primeiro ano de aclimatação, escapou da morte em um grande ataque indígena de 1622 e viveu aproximadamente cinquenta anos mais, sendo um dos poucos idosos da Virgínia quando morreu. Os documentos legais listam seu nome como Anthony Johnson, mas ele se chamava Antonio quando chegou. E mesmo este não era seu nome original, que não conhecemos. Tudo que sabemos é que ele foi listado como "Antonio, um Negro".

Um escravo, você dirá. Talvez. Mas simplesmente não sabemos tanto assim sobre os primeiros colonos africanos. Em seus primórdios, a Virgínia não tinha leis sobre escravidão. Antonio e sua esposa, Mary, trabalharam em uma fazenda para um senhor branco, como criados ou escravos, e finalmente obtiveram sua liberdade. Antonio mudou seu nome para Anthony Johnson, mais sonoro em inglês. Ao morrer, ele tinha centenas de acres de terra, um rebanho bovino e vários escravos. A baía de Chesapeake podia ser um lugar duro para se viver, mas em 1650 não era uma terra cheia de escravos. Havia apenas cerca de trezentos africanos entre os 13 mil colonos. Dezenas deles se tornaram livres. "Eu conheço meu terreno, e vou trabalhar quando quiser e me divertir quando quiser", Johnson disse a um vizinho.

Em outras palavras, durante esses primeiros anos, não havia um *sistema* de escravidão em funcionamento na Virgínia ou em Maryland. As leis definindo o que um escravo podia e não podia fazer só foram criadas no século seguinte. E o estranho – talvez o mais estranho de toda a história norte-americana – é que esse sistema de escravidão estava se disseminando durante os mesmos anos em que floresciam ideias sobre liberdade e autonomia. Mas esta é uma parte tão importante da nossa história que precisamos de um capítulo separado para considerá-la.

9
Iguais e desiguais

Todos os homens são criados... o quê?
Praticamente todo norte-americano sabe completar esta frase. Mas cem anos antes de Thomas Jefferson redigir a Declaração da Independência, quase ninguém acreditava nisso. Berkeley, o governador aristocrático da Virgínia, sem dúvida teria agradecido a Deus por não haver "nem escolas livres, nem imprensa" para difundir tal absurdo.

A igualdade é uma ideia que teve de ser criada. Teve de ser construída gradualmente, ao longo de décadas de experiência. E, por estranho que pareça, para entender a igualdade precisamos entender também a história da *desigualdade*. Os colonos britânicos vivendo na América do Norte só precisavam olhar à sua volta para se convencer de que seu mundo era desigual. Em 1700, os pequenos fazendeiros, mercadores e comerciantes da Nova Inglaterra ainda teriam aceitado o que John Winthrop falara setenta anos antes: que Deus havia criado um mundo onde algumas pessoas "devem ser ricas, outras pobres, algumas importantes e eminentes (...) outras humildes e submissas". Na Virgínia e em Maryland, os donos das *plantations* de tabaco, os pequenos fazendeiros e os trabalhadores em regime de servidão temporária também viam desigualdade em toda parte. Somente os bem-nascidos representavam seus condados na legislatura. Na igreja, os grandes fazendeiros conversavam do lado de fora até que todas as pessoas de "*lower sort*" (das camadas mais baixas) entrassem. Então, as de "*better sort*" (ricas e bem-nascidas) entravam em procissão. Em 1730, a essas colônias sulistas originais haviam se somado a Carolina do Norte e a do Sul e, alguns anos depois, a Geórgia. A costa pantanosa perto de Charles Town (mais tarde, Charleston), na Carolina do Sul, se mostrou um território particularmente bom para o cultivo de arroz, embora a área fosse muito insalubre para se viver.

Nas terras entre as colônias inglesas do norte e as do sul a desigualdade também imperava. Mas foi aqui, nas colônias do meio, que alguns dos primeiros sinais de igualdade apareceram, como os primeiros rebentos de primavera.

No início, a Inglaterra deu pouca atenção a essas terras. Isso possibilitou que dois outros povos se instalassem, os holandeses e os suecos. Várias centenas de colonos fundaram a Nova Suécia às margens do rio Delaware, construindo cabanas improvisadas com troncos de árvores, uma técnica que mais tarde os americanos viriam a dominar. Mas os suecos não duraram porque, 160 quilômetros para o norte, os holandeses já haviam estabelecido sua colônia dos Novos Países Baixos à beira do rio Hudson. Os holandeses, determinados em provar que certamente eram mais iguais do que os suecos, invadiram a Nova Suécia. Quando os suecos entregaram seu forte, os holandeses os forçaram a sair com balas de mosquete na boca – para lembrar os suecos que seus conquistadores tinham o poder de atirar em todos eles, se quisessem.

Os holandeses eram muito poderosos. Durante os anos 1600, sua terra natal, os Países Baixos, se transformou em um grande império comercial cuja influência alcançava o mundo inteiro. Na Ásia Oriental, os holandeses comerciavam especiarias; na África, compravam escravos e os levavam para as Américas; na América do Sul, refinavam o açúcar que esses escravos eram forçados a cultivar e o levavam para vender na Europa. Os Novos Países Baixos, à margem do Hudson, eram uma parte diminuta do império holandês. Forneciam pele de castor, que os comerciantes compravam de índios iroqueses. Enquanto isso, agricultores se espalharam ao redor da cidade de Nova Amsterdã na ilha de Manhattan.

Como os primeiros peregrinos, os holandeses, em sua própria colônia, foram superados em número por "forasteiros". Lá viviam pessoas como Anthony van Salle, um pirata marroquino que virou agricultor, a quem todos chamavam de "o turco". E também Anna van Angola, uma viúva e agricultora africana. Asser Levy e Abraham de Lucena, ambos judeus, abriram negócios – Asser, da Polônia, e Abraham, do Brasil. Noruegueses, italianos, franceses, valões, boêmios, índios mohawks e montauks, todos caminharam pelas ruas de Nova Amsterdã – incluindo a Waal Straat, na extremidade mais distante da cidade, próxima a um muro de terra. Trezentos anos depois, Wall Street se tornou o centro de seu próprio império financeiro, algo que os mercadores holandeses certamente teriam apreciado.

Os Novos Países Baixos também tinham ingleses, da devota Anne Hutchinson, banida de Massachusetts por suas crenças religiosas, ao encrenqueiro Simon Root, que teve sua orelha arrancada durante uma briga em uma taverna. Os holandeses desconfiavam dos ingleses, um povo "de caráter tão orgulhoso que achavam que tudo lhes pertencia", como reclamou um habitante dos Novos Países Baixos. E, como era de se esperar, a Inglaterra atacou os Novos Países Baixos em 1664. Então foi a vez de os holandeses serem tirados do poder, embora os ingleses não os tenham forçado a mastigar balas de mosquete ao se renderem. O rei Carlos II da Inglaterra deu a seu irmão, o duque de York, as terras recém-conquistadas, que foram rebatizadas de Nova York; e a cidade de Nova Amsterdã também recebeu o nome de Nova York.

Imigrantes ingleses também se instalaram na colônia vizinha de Nova Jersey, mas a maioria dos recém-chegados afluiu para as terras à beira do rio Delaware, que se tornaram a Pensilvânia, termo latino para Florestas de Penn. Essas terras foram outro presente do rei Carlos, para seu amigo William Penn. (O rei gostava muito de recompensar seus amigos, e era fácil ser generoso quando se tomava as terras de um grupo de europeus à mão armada e se ignorava os índios que viveram ali durante séculos.) Penn anunciou sua colônia na Inglaterra e na Europa, imprimindo panfletos em francês, holandês e alemão. Em vinte anos, 15 mil colonos haviam se mudado para as terras ao redor da Filadélfia, a nova "cidade do amor fraternal".

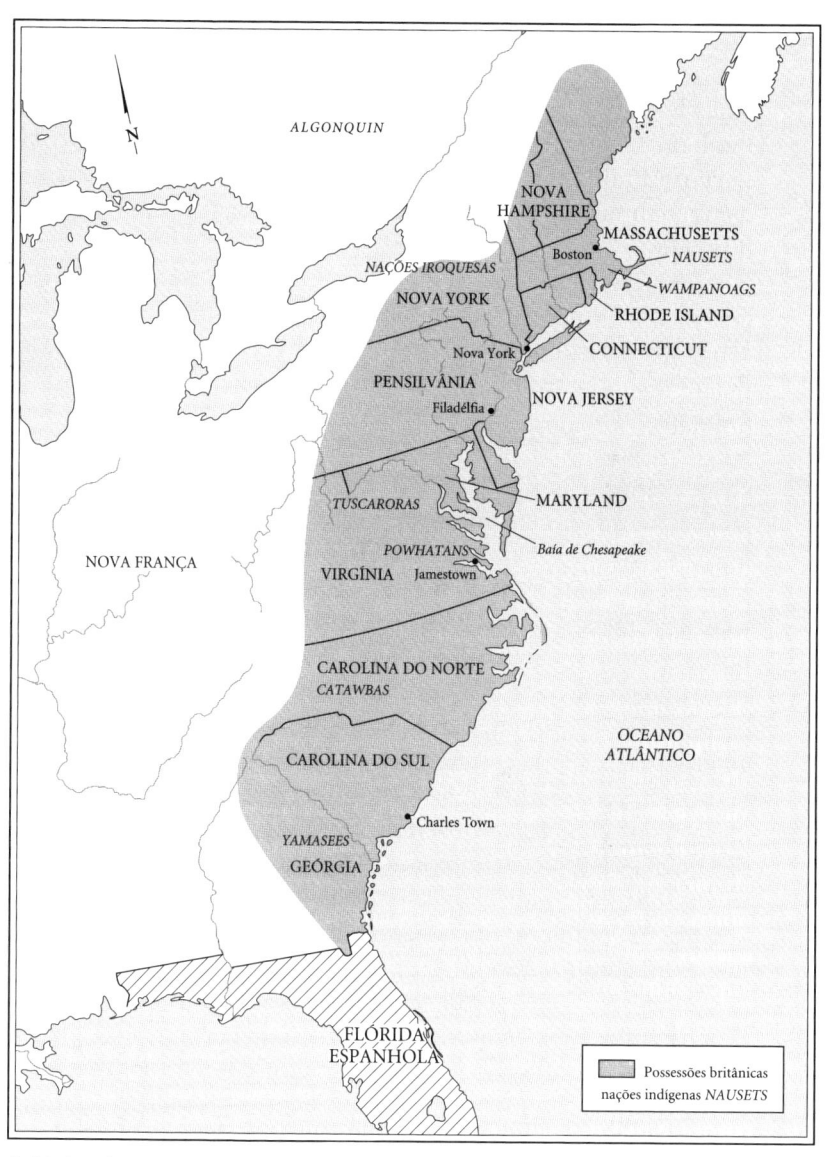

Colônias da Grã-Bretanha em 1700. As áreas sombreadas dão apenas uma ideia aproximada da colonização britânica. Os índios continuaram a ocupar terras nessas regiões; apenas alguns grupos são mostrados aqui.

Diferentemente do rei, Penn não era o tipo de inglês que acreditava que tudo lhe pertencia. Ele comprou terras indígenas a um preço mais justo do que a maioria dos europeus, que com frequência simplesmente tomavam o que queriam. Como os puritanos, Penn considerava sua colônia um "experimento sagrado". Mas ele se comportava de modo diferente em parte porque pertencia aos quacres, um grupo religioso que a maioria dos ingleses considerava no mínimo estranhos, se não perigosos.

Os quacres [em inglês, *quakers*] chamavam sua igreja de Sociedade dos Amigos, mas nos cultos eles às vezes tremiam quando o Espírito Santo os assoberbava, e por isso seus oponentes os apelidaram de *quakers* ["aqueles que tremem"]. Seu movimento começou nos anos 1640, quando a Inglaterra estava dividida por uma guerra civil entre o Parlamento e o rei. Ingleses lutaram contra ingleses, exércitos marcharam pelo território, Carlos I foi decapitado. No meio do tumulto, pipocaram grupos com ideias estranhas e nomes ainda mais estranhos: *levellers* [niveladores], *ranters* [faladores], *diggers* [escavadores], *fifth monarchists* [homens da quinta monarquia], *muggletonians* [muggletonianos, adeptos da seita religiosa de Lodowicke Muggleton]... Os primeiros quacres atrapalhavam os cultos nas igrejas, desafiando os ensinamentos de pastores e padres. Mas o que eles diziam era mais perturbador do que o modo como se comportavam, pois suas ideias ainda davam o que falar muito depois de a maioria dos quacres terem se tornado pacíficos e de o rei Carlos II ter restabelecido o reinado.

Como Lutero, os quacres julgavam por si mesmos. Mas eles davam mais importância à comunicação direta com o Espírito Santo. Por que um pastor nomeado pela igreja deveria pregar para os crentes? As "reuniões" dos quacres (eles não as chamavam de cultos) não eram conduzidas por um padre. Todas as pessoas eram livres para falar, se a "Luz Interior" as convocasse a fazê-lo. Seus inimigos lhes batiam e encarceravam com tanta frequência que os quacres concluíram que lutar era imoral, e se recusavam a servir o exército. Eles escolhiam não usar roupas caras, nem se curvar diante de nobres e reis ou tirar o chapéu para cavalheiros, porque acreditavam que todas as pessoas eram iguais aos olhos de Deus. Ideia horrível e perigosa, a de que todas as pessoas eram iguais! Ou pelo menos era o que a maioria dos ingleses pensava. Afinal, a desigualdade estava embaixo dos seus narizes – vinte e quatro horas por dia.

Como? Bem, as roupas que as pessoas vestiam dependiam de seu status na vida. Na baía de Massachusetts, usar renda ou botões de prata, xales de seda ou botas compridas de couro era contra a lei – a não ser que você fosse dono de uma grande propriedade. As pessoas comuns não tinham o direito de imitar seus superiores, mesmo que juntassem dinheiro para comprar esses itens de luxo. O lugar onde as pessoas se sentavam para jantar também dependia de seu status na sociedade. Um prato com sal era colocado no centro da mesa comprida: os de status mais elevado se sentavam "acima do sal"; os outros se sentavam abaixo. Aos domingos, as famílias mais respeitadas se sentavam nos melhores bancos da igreja. Estudantes universitários tiravam o chapéu quando um professor passava por eles na rua. Sua cabeça tinha de estar descoberta e a pelo menos cinquenta pés de distância para o reitor da universidade, 45 pés para um professor, 25 pés para um tutor. Na universidade, a desigualdade podia ser medida em pés.

Livros de etiqueta apresentavam as regras do comportamento apropriado. Na Virgínia, um rapaz de 14 anos chamado George Washington copiou algumas delas para estudar:

> Ao falar com homens de qualidade, não se curve nem os olhe diretamente no rosto; e nem se aproxime muito deles, mantendo pelo menos um passo de distância.
>
> Na companhia daqueles de posição mais elevada, não fale enquanto não lhe tenham feito uma pergunta; então levante, tire o chapéu e responda em poucas palavras.

Em um mundo como esse, era muito estranho os quacres não tirarem o chapéu!

Se você fosse mulher, o mundo dizia que você era desigual de muitas outras maneiras. John Winthrop amava muito sua esposa, Margaret, mas, seguindo os ensinamentos da Bíblia, ele se considerava "seu senhor" e ela deveria estar "sujeita a ele". Se Margaret quisesse vender uma propriedade, a lei requeria que John fizesse isso por ela. Ela não podia processar alguém no tribunal nem assinar um contrato; apenas seu marido tinha esses direitos. Tais leis variavam de uma colônia para outra. Nos Novos Países Baixos, as mulheres mantinham o sobrenome de solteiras ao se casar e podiam assinar contratos, o que tornava mais fácil a participação nos negócios. As mulheres espanholas podiam comprar e vender terras por conta própria e representar a si mesmas nos tribunais. E alguns ingleses, como os quacres, insistiam que as mulheres tinham o direito de se expressar nos cultos religiosos tanto quanto os homens.

Os escravos, obviamente, estavam na posição mais baixa nesse mundo de desigualdade. Mas devemos lembrar que, durante os primeiros anos das colônias, a maioria deles foram *feitos* escravos – não nasceram escravos. Sua perda de liberdade começou em terras distantes onde homens, mulheres e crianças eram sequestrados e percorriam uma longa jornada de um reino a outro, até que finalmente chegavam ao oceano. Lá, navios europeus os levavam para trabalhar em fazendas distantes. Você talvez tenha lido histórias sobre caçadores de escravos na África, mas o mesmo aconteceu na América. Antes de 1715, algo entre 30 mil e 50 mil índios foram capturados e enviados para as ilhas do Caribe, ao sul, ou para a Nova Inglaterra e as colônias do meio, ao norte. A efervescente colônia de Charles Town era o centro desse comércio, mas os franceses também o praticaram no Golfo do México. Antes de 1715, mais escravos indígenas foram enviados para *fora* da América do que escravos africanos foram trazidos.

Mas, à medida que mais europeus desejavam o tabaco da Virgínia e o arroz da Carolina do Sul, a demanda por escravos crescia. Como as plantações na América do Norte e do Sul clamavam por trabalhadores, o número de escravos vindos da África disparou. Quando imaginamos imigrantes chegando à América, normalmente pensamos em puritanos e colonos da Inglaterra, conquistadores espanhóis como De Soto, ou mesmo turcos como Anthony van Salee. Mas, de 1492 a 1820, o número de africanos escravizados que chegaram às Américas foi cinco vezes maior do que o de todos os imigrantes europeus somados. E esse comércio – essa desigualdade – cresceu de maneira constante nos cem anos após 1700. Durante todo o período do tráfico negreiro, mais de 12 milhões de africanos fizeram a difícil jornada pelo Atlântico, e bem mais de 1 milhão destes morreram antes de chegar ao seu destino. Para os que sobreviveram, o terror consistia, em parte, de não saber o que viria. Olaudah Equiano, um dos poucos que escreveram sobre a experiência, lembrou de ter ficado perplexo diante do vasto oceano

Atlântico e dos homens estranhos que pareciam viver apenas nesses enormes navios escavados em madeira flutuando no mar. Uma vez a bordo, ele viu uma grande chaleira de cobre com água fervendo e desmaiou, acreditando que seria "comido por aqueles homens brancos, com aparência horrível, rosto avermelhado e cabelo solto". A própria jornada era tão terrível que muitos cativos queriam pôr um fim à vida e se recusavam a comer, mas os guardas abriam sua boca à força e os obrigavam a engolir a comida. Os escravos africanos morriam do calor sufocante sob o convés, de infecções, de desespero. Tubarões seguiam os navios pelo Atlântico, esperando para devorar os corpos que eram lançados ao mar regularmente. Essa chamada *Middle Passage* ("Rota do Meio"), da África às Américas, era um verdadeiro horror.

Dos milhões que chegaram acorrentados, mais de nove em cada dez foram para a América do Sul e o Caribe. Menos de quatro por cento vieram diretamente para a América do Norte. Ainda assim, a escravidão se tornou uma parte crescente da vida colonial. Em 1730, os africanos e seus filhos superavam em número os colonos brancos na Carolina do Sul, na proporção de dois para um. As colônias do sul eram as que tinham mais escravos, mas em 1740 um em cada quatro homens trabalhando na cidade de Nova York era afro-americano. Os mercadores da Nova Inglaterra lucraram muito com o comércio de escravos. Diante desses fatos concretos, a escravidão continuaria sendo o exemplo mais extremo de uma terra onde quase ninguém poderia imaginar que todos os homens fossem criados iguais.

Iguais e desiguais. Como dois parceiros de dança pouco à vontade, eles circulam por uma série de passos que não estavam esperando dar e que não entendem completamente. Não encerraremos esse assunto tão cedo neste livro. Talvez nunca – porque o mundo está sempre mudando, e a dança nunca termina.

10
Iluminados e despertos

Enquanto colonos, trabalhadores e escravos continuavam a afluir para as colônias britânicas, floresceram dois movimentos atípicos que marcaram a vida norte-americana de maneiras muito diferentes. Um deles, o Grande Despertar, foi um movimento religioso que tratava de encontrar a certeza e a fé; o outro, o Iluminismo, era o oposto, preocupado com o questionamento e a dúvida. Para começar com a dúvida e o Iluminismo, acompanhemos um aprendiz fugindo a pé para a Filadélfia em 1723. Ele leva um pão aerado debaixo de cada braço e seus bolsos estão "abarrotados de camisas e meias". Seu nome é Benjamin Franklin.

Empregados e escravos fugiam com frequência. Ao fazer isso, eles se revelavam questionadores, pelo menos no que concerne à desigualdade. Seus senhores afirmavam: *Estou acima de você; faça o que eu digo.* Os fugitivos duvidavam disso, calçavam um par de botas e davam no pé. Iam em busca de uma vida com mais igualdade do que aquela que estavam vivendo – como fez o jovem Franklin, dirigindo-se à Filadélfia com pães debaixo dos braços. Benjamin trabalhara para seu irmão mais velho, James, um tipógrafo em Boston. Mas, aos dezessete anos, cansou de ser esmurrado e seguir ordens.

Benjamin era o mais jovem de dezessete filhos. Seu pai pretendia dedicá-lo à igreja, preparando-o para ser pastor. Mas o garoto não gostava da igreja. Ele fugia sempre que possível e reclamava de dar as graças antes das refeições do mesmo modo que Thomas Morton, vizinho dos peregrinos, reclamou em sua colônia desordeira em Merrymount. A família Franklin pouparia tempo, propôs Benjamin, se seu pai abençoasse um pedaço inteiro de carne *uma única vez* em vez de bendizer a carne todas as noites.

Uma gráfica é o tipo de lugar em que surge todo tipo de ideia. Enquanto Benjamin trabalhou na gráfica do irmão, ele entrou em contato com livros de filósofos que eram parte de um movimento na Europa conhecido como Iluminismo. Esses pensadores acreditavam em Deus – muitos se autodenominavam "deístas". Mas seu Deus não era do tipo que dividia o Mar Vermelho para ajudar Moisés a escapar dos egípcios ou que enviava seu filho Jesus à Terra para caminhar sobre as águas e ser ressuscitado dos mortos. Deus governava o mundo por meio de leis naturais, argumentavam os deístas. Chame-o de "Arquiteto Supremo" ou "Deus da Natureza" – ele não tinha necessidade alguma de milagres. Os deístas acreditavam que a razão humana era a chave para revelar as leis da natureza. O famoso cientista britânico Isaac Newton fez grandes avanços no conhecimento humano usando a matemática para determinar a trajetória dos planetas no céu e descobrindo a força da gravidade.

Como os deístas, o jovem Franklin adotou os métodos de Sócrates, o antigo filósofo grego que estava sempre fazendo perguntas. E as perguntas que Franklin fazia raramente ocorriam a outros. Quando menino, ele observou seus amigos empinarem pipa e se perguntou quão forte seria o vento. Então empinou uma pipa, pulou em um lago e implorou a um amigo que levasse suas roupas para o outro lado – onde as pegou de volta, tendo demonstrado que o vento era forte o bastante para fazer com que ele e a pipa atravessassem o lago. Anos depois, Franklin ficou famoso por empinar uma pipa durante uma tempestade para demonstrar que o relâmpago era uma forma de eletricidade. Ele projetou um aquecedor que aquecia casas melhor do que as lareiras abertas, e lentes bifocais para ajudar os míopes. Gostava de encorajar "experimentos que lançam luz sobre a natureza das coisas".

A atitude de Franklin é o que conta aqui: ele era imensamente interessado neste mundo, não no próximo. Era um homem secular, devemos dizer – uma palavra que vem do latim *saecularis*, e significa *do mundo*. "Eu amo companhia, conversa, risada, bebida, e até mesmo música." Depois de abrir uma gráfica na Filadélfia, ele e alguns amigos formaram um clube chamado Junto, que se reunia às sextas-feiras à noite em uma taverna. Lá, em meio a conversas e bebida, eles faziam questão de debater assuntos sérios, como, por exemplo, se um cidadão deveria resistir caso o governo lhe tirasse seus direitos. Como os quacres, Franklin duvidava de costumes que a maioria das pessoas aceitava sem questionar. Por que dar aos homens títulos pomposos como "Sir Anthony" ou "Arcebispo Robinson"? As grandes figuras da Bíblia nunca eram chamadas "o Reverendo Moisés" ou "o Muito Honorável Abraão", comentou. "Não, não, eles eram homens simples" e honestos. Quem precisava de títulos?

Aos 42 anos, Franklin havia ganhado dinheiro suficiente com sua gráfica para dedicar a maior parte do seu tempo a projetos que visavam ao bem público. Ele encorajou a Filadélfia a criar uma biblioteca para aqueles que não tinham dinheiro para comprar livros e um hospital para oferecer atendimento gratuito para os pobres. Organizou um corpo de bombeiros voluntário e, como diretor dos correios, melhorou o serviço postal da Nova Inglaterra para a Geórgia. Não menos importante, ele se interessou pela ciência do governo. Se era possível descobrir as leis da natureza, por que não observar também as leis naturais da política?

Na Inglaterra, o filósofo iluminista John Locke havia escrito sobre a origem dos governos. Os reis e as rainhas afirmavam que sua autoridade vinha de Deus. Locke duvidava disso. Por que os reis tinham algum "direito divino" de governar? Ele propôs que os primeiros governos humanos haviam se formado séculos antes, quando pessoas em um estado de natureza se uniram para se proteger. Se os reis governavam, não era porque Deus os abençoou com poder, e sim porque pessoas haviam criado essa forma de governo.

Locke também se manifestou contra as igrejas oficiais. Com tantas religiões afirmando serem donas da verdade, parecia absurdo supor que os governos conseguissem decidir qual delas estava certa. Melhor tolerar todas as crenças do que se envolver nas guerras religiosas que haviam abalado a Europa durante centenas de anos. As ideias de Locke sobre a ciência do governo um dia ajudariam Franklin e outros norte-americanos a refletir sobre o surgimento dos sistemas políticos, sobre a separação dos assuntos da igreja e do Estado e sobre a importância da liberdade de se acreditar em qualquer religião, ou em nenhuma.

Quanto ao segundo grande movimento, o Grande Despertar, o homem que o iniciou, a princípio, também agiu como um observador da natureza. Em 1723, o ano em que Franklin fugiu, Jonathan Edwards, então com 22 anos, enviou um ensaio para a Sociedade Real, uma organização científica na Inglaterra. Nesse ensaio, Edwards registrou suas observações sobre o modo como as aranhas teciam suas teias e saíam "navegando no ar (...) de uma árvore a outra". (De fato, elas usavam suas teias do mesmo modo que Franklin usou sua pipa para ser levado até o outro lado do lago.) Na faculdade, Edwards leu os escritos de John Locke e Isaac Newton. Mas, em vez de uma carreira em ciências, ele se tornou pastor. Ao contrário de Franklin, ele era, "por natureza, muito inapto para questões seculares".

Em sua igreja em Northampton, Massachusetts, Edwards se esforçou para trazer os jovens da cidade a um "novo nascimento" em Cristo. Ele queria que eles passassem por uma experiência de conversão em vez de passar as noites na "folia", festejando e bebendo. Em 1735, ele subitamente começou a fazer progresso. Os jovens afluíam para os cultos e para as sessões de estudos com seu pastor. A conversão era um estado belíssimo, Edwards lhes garantia – "absolutamente agradável e deleitoso" e repleto de uma "doce calma". Por outro lado, os pecadores que não se convertiam tinham um destino horrível. Imaginem uma aranha, ele propunha – e não uma se precipitando agradavelmente de árvore em árvore, mas uma criatura "lançada no meio de um fogo ardente". Seria impossível resistir às chamas. "Esta é uma pequena amostra do que vocês verão no inferno, a não ser que se arrependam e corram ao encontro de Cristo." Edwards pregava seus sermões "sem muito barulho" e "movimentando pouco a cabeça e as mãos", apenas olhando para a corda do sino no fundo da igreja. Mas certamente tais visões assustavam muitíssimo seus ouvintes.

Em questão de semanas, o revivalismo religioso de Northampton "se tornou universal em todas as partes da cidade" e se espalhou para os vilarejos vizinhos. Mas esses despertares foram modestos em comparação com os que aconteceram cinco anos depois, quando um pregador inglês chamado George Whitefield chegou à América. Whitefield pregou do Maine à Geórgia, geralmente ao ar livre, atraindo milhares de ouvintes – famílias inteiras chegando em carruagens, a cavalo e a pé para conseguir vislumbrá-lo. Ele se tornou a primeira verdadeira celebridade da América. Whitefield visitou Edwards em Northampton, levando "quase toda a congregação às lágrimas". Esses despertares poderiam ser o início de um movimento ainda maior?, Edward se perguntou. As profecias da Bíblia falavam do retorno de Cristo à Terra na época do milênio, os mil anos em que os santos governariam antes do Juízo Final. As previsões eram difíceis de se entender, mas um sem-número de pastores as estudaram. A própria leitura de Edwards o convenceu de que, até 2016, "nações inteiras" seriam despertadas.

Quando Whitefield visitou a Filadélfia, o pregador mais famoso do Despertar teve uma chance de se encontrar com o principal americano do Iluminismo. Ben Franklin não estava muito interessado em ser salvo, mas compareceu a um dos sermões de Whitefield e realizou um experimento científico. Ele ouvira falar que a voz do pastor alcançava grandes distâncias. Como Whitefield pregava do alto da escadaria do tribunal da Filadélfia, Franklin andou "para trás pela rua" até que já não podia ouvi-lo; e então, calculando o espaço disponível, computou que Whitefield "poderia ser ouvido por mais de trinta mil" pessoas de uma vez. Enquanto Franklin usou a razão para chegar à sua resposta, Whitefield usou a emoção para pedir dinheiro a seus ouvintes a fim de construir um orfanato na Geórgia. Franklin duvidou: ele achava o projeto inviável. Mas, à medida que Whitefield continuava pregando, Franklin "começou a amolecer", e decidiu doar algumas moedas. Whitefield prosseguiu, e Franklin teve "vergonha" de ser tão pouco generoso e tirou também alguns dólares de prata. Quando o sermão chegou ao fim, ele havia esvaziado os bolsos, doando inclusive algumas moedas de ouro. O poder do apelo de Whitefield derreteu até mesmo o coração do questionador do Iluminismo; e os dois homens se despediram em bons termos.

Os grupos rivais nem sempre se deram tão bem. Edwards e outros revivalistas advertiram os deístas de que estes se uniriam às pobres aranhas nas chamas eternas. Deístas como Franklin – e também vários pastores – reclamavam que os pregadores do Despertar dependiam demais da emoção e não o suficiente da razão. Mas ambos os movimentos influenciaram a vida norte-americana de maneiras significativas.

Os defensores do Despertar procuravam aperfeiçoar o mundo por meio do avivamento espiritual. Eles viam a comunidade santa de João Calvino e a cidade no alto de uma colina de John Winthrop como "precursoras dos tempos gloriosos tantas vezes profetizados nas Escrituras", como Edwards afirmou, quando a santidade se espalharia pelo mundo. Nos anos seguintes, o fogo da fé incitaria cruzadas contra a escravidão e o abuso de álcool, bem como campanhas a favor dos direitos das mulheres, para nomear apenas alguns. Mas, no fundo, o movimento queria que os não crentes despertassem e se convertessem. As outras reformas, segundo acreditavam, viriam naturalmente.

Os defensores do Iluminismo desconfiavam da emotividade do Despertar. Preferiam usar a razão e a ciência para decodificar os mistérios da natureza. Quanto à ciência do governo, os pensadores iluministas não acreditavam que uma comunidade santa, em que todos partilhavam as mesmas crenças, fosse o caminho para unir uma nação. Eles estavam mais interessados em entender como funcionava um sistema político eficaz, de modo que pessoas com crenças diferentes pudessem conviver.

E assim as colônias britânicas continuaram a crescer, fossem seus habitantes iluminados ou despertos. A maioria estava razoavelmente satisfeita com seus governantes. Mas pouco mais de doze anos depois da turnê de Whitefield pelas colônias, eclodiu uma guerra que arrastou a América do Norte por um caminho muito diferente – rumo à criação de uma nova nação que poucos poderiam ter imaginado.

11
Cuidado com o que você deseja

A PRIMEIRA VERDADEIRA GUERRA MUNDIAL – uma guerra em que as batalhas das nações se espalharam pelo mundo inteiro – não começou em 1914 com trincheiras lamacentas, bombas de artilharia ruidosas e milhões de homens em guerra na Europa. Começou em 1754, quando algumas dezenas de soldados se aninharam em uma região inóspita conhecida como vale do Ohio. A guerra foi iniciada por um tenente-coronel de 22 anos, da Virgínia. Trinta e cinco anos depois, ele se tornaria o primeiro presidente dos Estados Unidos, mas nessa manhã de maio George Washington se agachou sobre uma rocha de onde podia avistar um acampamento de franceses. Com ele havia cerca de quarenta soldados e uma dúzia de índios guerreiros liderados por um chefe indígena iroquês. O chefe, conhecido como o Meio Rei, havia conduzido Washington a essa ravina "sob uma chuva forte e numa noite escura como breu". Os últimos aguaceiros estavam cessando quando os franceses saíram de seus abrigos feitos de casca de árvore para preparar o desjejum.

Aquele era, de fato, um local improvável para começar uma guerra mundial. Mas, em 1754, a América do Norte estava sendo empurrada para uma luta que se estenderia da América à Europa, à

África e até mesmo à Ásia. Conhecida como Guerra dos Sete Anos, levou a um clímax a rivalidade entre as potências europeias em seu ímpeto por dominar a América do Norte. Para entender a guerra, devemos ver como essa disputa entre a Espanha, a França e muitas nações indígenas estava se acirrando.

Dois séculos e meio haviam se passado desde que Colombo pisou pela primeira vez no Caribe, e a essa altura as colônias europeias ocupavam grande parte da América do Norte. Para o sul, dezenas de missões espanholas e algumas poucas cidades haviam sido fundadas do Arizona à Flórida pelos esforços de frades franciscanos. Os frades pertenciam a uma ordem religiosa que pouco se importava com o ouro e os tesouros dos conquistadores. Os religiosos usavam trajes simples, cintos de corda e sandálias. As profecias da Bíblia os convenceram de que o mundo acabaria logo, e eles esperavam converter os índios antes que Jesus regressasse. Suas esperanças foram frustradas, mas em 1754 cerca de 15 mil colonos hispânicos viviam nas terras ao longo da fronteira norte do império espanhol. Além de missões franciscanas, havia fortes militares conhecidos como presídios. Os espanhóis nessas regiões se viam invadidos por índios apaches, que atacavam suas lavouras e seus rebanhos de ovelhas. E os comanches, um povo novo nas Grandes Planícies, tornavam a vida difícil tanto para os apaches quanto para os espanhóis.

Muito antes disso, a Espanha havia expulsado os franceses da Flórida, mas estes regressaram à América por uma porta dos fundos ao norte. O rio São Lourenço adentrava pelas florestas canadenses, e os exploradores franceses seguiram suas águas, construindo cidades em Quebec e Montreal para sua colônia de Nova França. Mais a oeste, comerciantes iam de um Grande Lago a outro trocando ninhadas, facas e cobre por peles de castor indígenas. Na França, essas peles eram transformadas em chapéus de feltro modernos, e cresceu um grande e valioso comércio para as peles de castor. Os comerciantes franceses eram conhecidos como *coureurs de bois* – "corredores dos bosques" – e usavam equipamento indígena para se locomover de maneira eficaz: canoas de casca de bétula no verão e sapatos de neve com cadarço de couro no inverno. Os *coureurs* eram acompanhados por jesuítas, missionários muito parecidos com os franciscanos.

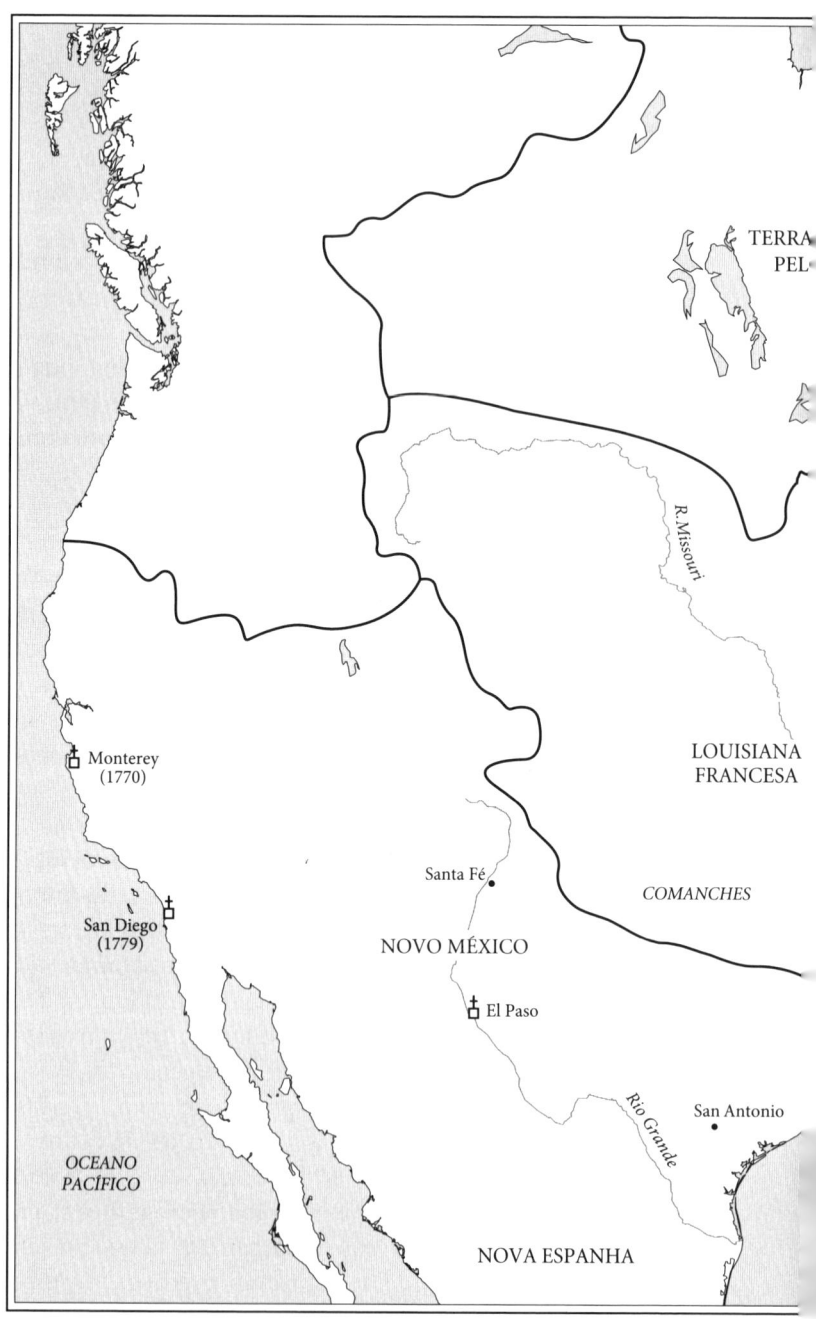

América do Norte na época da Guerra dos Sete Anos. A França, a Inglaterra e a Espanha reivindicavam territórios na América do Norte. Os espanhóis ocuparam suas terras com missões e presídios (ou fortes militares) que se espalharam da

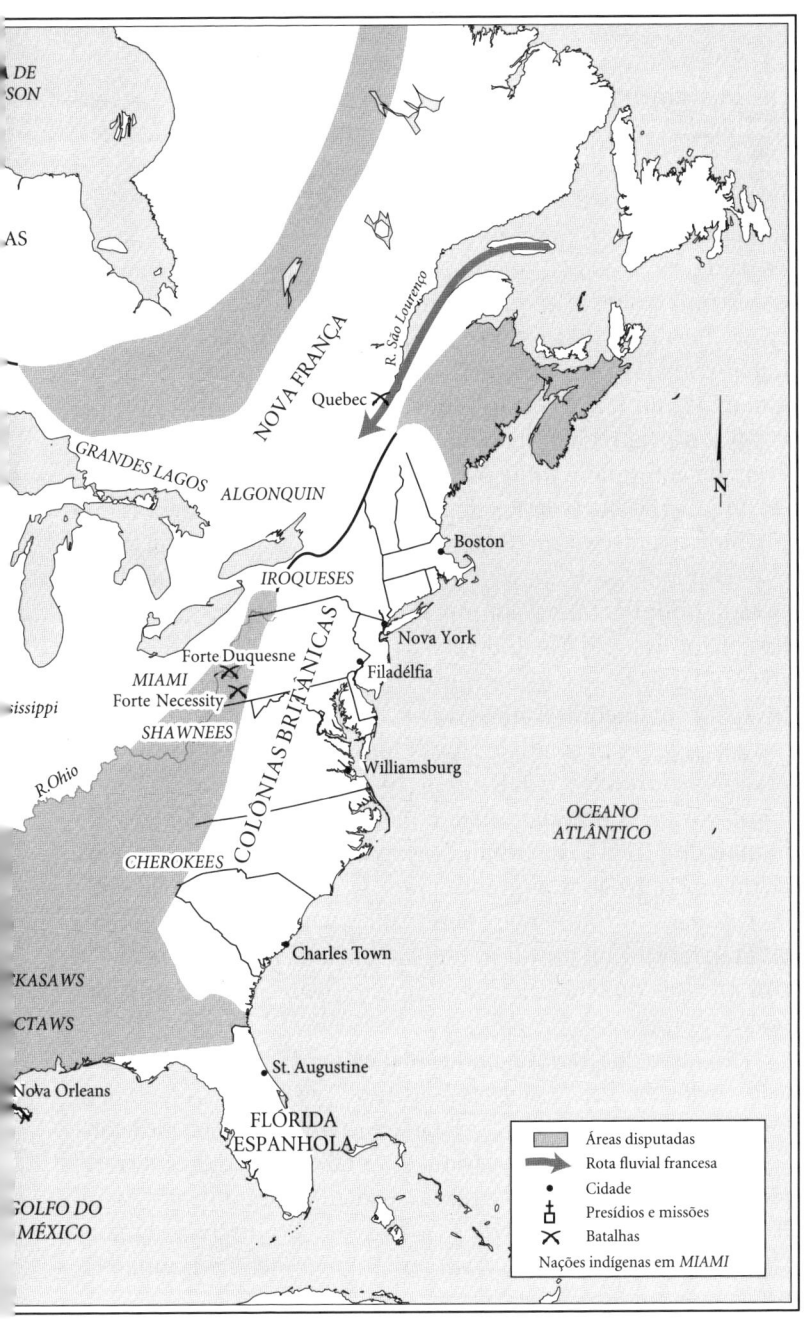

Flórida ao Novo México. Os franceses usaram uma espécie de rota alternativa para o continente, seguindo os rios São Lourenço, Mississippi e Ohio. As nações indígenas continuaram a controlar grande parte da América do Norte.

Infelizmente, o comércio de peles fez mais do que fornecer chapéus. Iniciou uma rivalidade conhecida como Guerras dos Castores, que disseminou o caos na região. Enquanto as peles desciam o rio São Lourenço em canoas francesas, os holandeses dos Novos Países Baixos encorajavam seus próprios aliados indígenas, os iroqueses, a trazer peles para o rio Hudson. Durante muitos anos, os iroqueses haviam formado uma confederação para manter a paz entre suas cinco nações. Mas essa Liga dos Iroqueses não poupou os índios que viviam mais a oeste. Armados com mosquetes holandeses, guerreiros iroqueses atacaram os huronianos e outros povos. Ao mesmo tempo, a varíola se espalhou pela região, matando milhares; os que sobreviveram tiveram de enfrentar a fome ou a morte decorrente do frio implacável do inverno. As Guerras dos Castores só cessaram depois que os holandeses entregaram os Novos Países Baixos para a Inglaterra.

Enquanto isso, comerciantes, missionários e exploradores franceses continuaram a avançar pelo interior do continente e, como vimos no capítulo 5, La Salle desceu o rio Mississippi em uma canoa até o Golfo do México. Lá, os franceses fundaram a Louisiana. Em 1754, os assentamentos franceses pontilhavam a América do Norte como contas em um colar, de Nova Orleans, na foz do Mississippi, à Nova Escócia, onde o São Lourenço desaguava no mar. Os 85 mil colonos franceses pareciam uma gota no oceano em comparação com mais de 1 milhão de britânicos na costa atlântica. Não importava: quem controlasse os grandes rios da América do Norte tinha as chaves para o continente. Os rios tornavam a locomoção mais fácil. Transportavam produtos rapidamente. E eram os franceses, e não os ingleses, que subiam o São Lourenço e desciam o Mississippi a seu bel-prazer.

No meio do caminho neste colar está o rio Ohio, cujas águas escoavam dos montes Apalaches e desembocavam no Mississippi. O vale do Ohio ostentava belas florestas, animais de caça em abundância e campos gramados que dariam boas fazendas. A violência das Guerras dos Castores transformou a região em terra de ninguém, mas todos a desejavam: os índios, os franceses e os ingleses. Em um lugar onde dois rios se juntavam ao Ohio, comerciantes ingleses construíram um forte.

A Nova França não toleraria isso. "Expulsem os ingleses das nossas terras", ordenou o governador geral da colônia. Mil soldados expulsaram os ingleses e, no lugar do velho posto, os franceses começaram a construir o forte Duquesne. Enquanto esse baluarte era erguido, o tenente-coronel Washington e seus soldados virginianos já estavam empreendendo a árdua jornada em sua direção, por ordem do governador da Virgínia. Quando os franceses se inteiraram da tropa de Washington, despacharam algumas dezenas de homens para advertir os ingleses a darem meia volta. Era esse bando que o Meio Rei iroquês havia descoberto acampando na ravina. Ele havia levado Washington até lá por vontade própria, pois os iroqueses esperavam tirar vantagem do comércio com os ingleses.

A vitória de Washington demorou não mais do que quinze minutos de tiros de mosquete. Na ravina, catorze franceses jaziam feridos, incluindo seu comandante, o alferes Jumonville. Jumonville gritou que vinha em paz, trazendo uma carta de seu superior. Washington, que não falava nada de francês, considerou a mensagem difícil de entender e tratou de buscar seu tradutor.

Enquanto isso, o Meio Rei, cujo nome real era Tanaghrisson, foi até Jumonville. Os iroqueses tinham seus próprios interesses nesse jogo de alto risco. Eles definitivamente não queriam ver os franceses manter sua influência no vale do Ohio, pois estes nunca os haviam apoiado. Que história era essa de o alferes vir em paz? "Você ainda não está morto, meu pai", o Meio Rei disse a Jumonville. Com golpes rápidos e firmes, sua machadinha partiu a testa do oficial. Então Tanaghrisson se abaixou – em uma espécie de gesto ritual – e pegou partes do cérebro do francês, lavando as mãos com elas. *Agora* os inimigos indígenas dos iroqueses pensariam duas vezes antes de confiar no poder francês.

O jovem Washington certamente ficou chocado, até mesmo perplexo diante desses atos, pois ele nada fez quando os homens do Meio Rei começaram a matar os demais franceses feridos. Então os virginianos recuaram onze quilômetros até seu acampamento, o forte Necessity. Mas essa paliçada, erguida às pressas, não era defesa contra os setecentos franceses e seus aliados indígenas que chegaram para cobrar vingança. Os virginianos foram encurralados no forte, fuzilados por seus inimigos durante um dia de chuva torrencial.

Com seus mosquetes molhados e sem serventia, eles foram incapazes de defender sua posição; Washington não teve alternativa senão se render. Os franceses deixaram-no se retirar com seus homens exaustos em 4 de julho de 1754, "quase nu (...) certamente não um homem" com "sapatos, meias ou chapéu". A guerra havia começado – com um grande constrangimento para a Grã-Bretanha.

No verão seguinte, o general Edward Braddock tentou tomar de volta o forte Duquesne dos franceses, mas estava excessivamente confiante que seus soldados – "regulares" – treinados por europeus poderiam vencer qualquer um. Quando seus homens se aproximaram do assentamento, os franceses e indígenas se esconderam na floresta, "rastejando até nós e caçando-nos como fariam com um rebanho de búfalos ou de cervos", relatou um norte-americano, desgostoso. Braddock cavalgou para cima e para baixo, reunindo seus homens em meio ao tiroteio devastador. Mas uma bala finalmente o atingiu e, com muitos outros oficiais também mortos, os ingleses fugiram por onde haviam chegado. (Dois cavalos de Washington foram mortos durante a emboscada.) À medida que a guerra continuava, os franceses conquistaram fortes britânicos ao norte, em Nova York, no lago George e no lago Champlain.

A maré só virou depois que um político notável chamado William Pitt assumiu o comando da guerra em nome da Grã-Bretanha. Conhecido como o Grande Comandante porque havia se recusado a se tornar um lorde quando teve a oportunidade, Pitt era determinado e eloquente, embora temperamental. Durante meses a fio ele ficou prostrado, com dores de cabeça intensas e uma dor penetrante nas juntas causada pela gota. Ainda assim, sua confiança era inabalável. "Eu sei que posso salvar este país, e ninguém mais pode", declarou. A França teria de ser aniquilada – não só expulsa da América do Norte, mas atacada em toda parte. Forças britânicas foram enviadas à Europa, ao Caribe e à África Ocidental para atacar assentamentos franceses. Pitt se recusou a computar o custo. A marinha britânica estava no limite, tentando fazer tudo que ele pedia? Construam mais navios, recrutem mais homens! As colônias norte-americanas estavam furiosas por não ser pagas pelos suprimentos e pelas tropas que forneciam? Paguem-nas generosamente, sem questionar! O Parlamento aprovou o maior orçamento da história inglesa.

Em 1759, o general britânico James Wolfe liderou um assalto à fortaleza francesa em Quebec, que estava bem posicionada em um penhasco sobre o rio São Lourenço. Wolfe estava muito doente, não só com febre como também por ser dessangrado por seus médicos, um tratamento da época que fazia mais mal do que bem. Melhor uma morte gloriosa, Wolfe concluiu, do que ser alvo de desprezo por não fazer nada. Um marinheiro britânico que havia passado um tempo em Quebec sabia de um caminho acidentado que ziguezagueava penhasco acima e chegava ao terreno plano diante dos muros da fortaleza de Quebec. Jamais ocorreria a alguém que os britânicos chegariam desse jeito. Na calada da noite Wolfe liderou seus homens, que subiram pelo caminho estreito de dois em dois. Quando o dia raiou, 4 mil casacas vermelhas estavam espalhados pelas planícies, deixando perplexo o general francês Louis-Joseph Marquis de Montcalm. Enquanto Montcalm saía com seus homens naquele dia chuvoso, Wolfe fez seus soldados se deitarem no chão para evitar oferecer um alvo ao inimigo. Foi preciso sangue-frio para ficarem lá deitados enquanto as balas de canhão francesas vinham trovejando, destroçando qualquer coisa no caminho. Mas quando os franceses se aproximaram o bastante, os britânicos se levantaram, atiraram calmamente e dispersaram o inimigo. No calor da batalha, tanto Wolfe quanto Montcalm foram feridos, e mais tarde morreram por causa de seus ferimentos.

A América do Norte estava praticamente ganha para a Grã-Bretanha. Mas Pitt queria mais. Os britânicos já haviam atacado postos comerciais franceses na Índia, e ele ordenou que uma nova força avançasse rapidamente rumo à colônia espanhola de Manila, nas Filipinas. O jovem rei George III, que havia acabado de subir ao trono, protestou. A Grã-Bretanha estava muito endividada e nem sequer estava em guerra com a Espanha! Indignado, Pitt renunciou. Então a Espanha declarou guerra de todo modo, e os britânicos prontamente capturaram não só Manila, como também a Havana espanhola, no Caribe.

A essa altura, as potências europeias, exaustas de tanta guerra, estavam ávidas por assinar um tratado de paz. A França abriu mão de todos os seus territórios na América do Norte, mas a Grã-Bretanha lhe permitiu manter suas ricas ilhas açucareiras, seus portos de escravos africanos e seus postos comerciais na Índia. Pitt não teria sido tão generoso, mas ele já não era parte do governo. Debilitado pela gota, suas pernas doloridas entrouxadas em feltro, ele foi carregado por criados ao Parlamento, onde se arrastou para seu assento com a ajuda de uma muleta, e por três horas e meia protestou ruidosamente – em vão – contra o tratado. Ainda assim, a Grã-Bretanha havia conquistado uma vitória magnífica.

Havia mesmo? As colônias norte-americanas acenderam fogueiras, tocaram sinos de igrejas e lançaram balas de canhão. O forte Duquesne foi renomeado forte Pitt; e finalmente se tornou a cidade de Pittsburgh. Mas a guerra, como tantas na história, praticamente levara os vitoriosos à bancarrota. Como a Grã-Bretanha pagaria dívidas tão vultosas? Como conseguiria administrar suas novas terras na América do Norte, cheias de franceses e indígenas que não estavam acostumados a acatar ordens dos britânicos? Colonos norte-americanos já estavam atravessando os montes Apalaches em uma febre por colonizar o vale do Ohio.

Vitória gloriosa! Mas, como diz o ditado: cuidado com o que você deseja.

12
Mais do que uma disputa

A Câmara dos Lordes estava silenciosa e vazia, exceto por um sentinela que montava guarda. Suas janelas com armação de chumbo ficavam no alto, e uma tapeçaria escura ilustrando a derrota da Armada Espanhola pela Inglaterra pouco ajudava a iluminar as sombras. Mas não havia como não identificar o trono, reservado para o rei George III. Benjamin Rush, um jovem médico da Pensilvânia, observava. Ele sentia como se "caminhasse em solo sagrado". Contemplando a cadeira esplêndida, em um impulso, pediu para se sentar nela. O sentinela hesitou, mas Rush não aceitaria não como resposta, e finalmente se instalou no trono "por um tempo considerável (...) enquanto um monte de ideias inundavam meus pensamentos". Aqui estava ele em Londres, o centro do império britânico, e no Parlamento, o centro do poder do império. Pasmem: a Câmara dos Lordes, a Câmara dos Comuns e um trono majestoso para um rei presidir a todos.

No fim da Guerra dos Sete Anos, a maioria dos colonos se sentia como Rush se sentiu com relação ao seu rei. Mas, na breve década que se seguiu, tantas mudanças assolaram as colônias que muitos norte-americanos, incluindo o próprio Rush, não queriam nada com o Parlamento nem com o rei. Tamanho foi o alcance das mudanças que nós as chamamos de revolução – uma espécie de guinada, como a palavra sugere, que vira de cabeça para baixo as velhas maneiras de fazer as coisas. O que aconteceu em 1776 para fazer a cabeça de tantos súditos leais?

Para começar, as contas da Guerra dos Sete Anos precisavam ser pagas. A aventura de William Pitt havia duplicado a dívida da Grã-Bretanha e mais do que duplicado o número de soldados na América. Alguns casacas vermelhas voltaram para casa, mas outros foram necessários para conter uma sublevação liderada por um chefe indígena de Ottawa chamado Pontiac. Durante a Guerra dos Sete Anos, lavouras de milho e cidades indígenas foram queimadas, a varíola espalhara o terror e colonos britânicos começaram a tomar terras indígenas. Com o fim da guerra, índios de todo o interior atacaram os assentamentos britânicos em suas terras. As autoridades na Inglaterra tentaram acalmar os ânimos emitindo a Proclamação de 1763, que proibia os colonos de ocupar terras a oeste dos Apalaches. Mas as tropas permaneceram. E os colonos quase sempre ignoraram a proclamação.

O Parlamento, liderado pelo novo primeiro-ministro da Grã--Bretanha, George Grenville, achou justo que os norte-americanos ajudassem a pagar por sua própria segurança. "Se a América recorre à Grã-Bretanha em busca de proteção, deve [nos] capacitar a protegê-la", insistiu um membro do Parlamento. Para outro membro, no entanto, essas palavras soavam falsas. Isaac Barré era um veterano irlandês que havia lutado na batalha de Quebec, onde uma bala lhe tirara a visão de um olho. Agora, ele se levantou de um salto. Era o Parlamento que estava cego, pensou.

> [Os colonos] protegidos pelos seus cuidados? Não! Sua opressão os instalou na América. Eles fugiram da sua tirania para um território então não cultivado e inabitável [...]
> Nutridos pela *sua* leniência? Fruto da sua negligência: assim que vocês começaram a se preocupar com eles, essa preocupação consistiu em enviar pessoas para governá-los.
> Protegidos pelos *seus* soldados? Eles, nobremente, pegaram as armas em sua defesa [...] E acreditem, lembrem--se do que vou lhes dizer, esse mesmo espírito de liberdade

que moveu essas pessoas no início, irá acompanhá-las [...] Elas são tão leais quanto quaisquer súditos do Rei, mas são um povo zeloso de suas liberdades.

Em volta de Barré, "toda a Câmara se sentou por um instante como que admirada, olhando intensamente e sem dizer uma palavra".
Mas George Grenville estava determinado a arrecadar fundos. Durante décadas, uma lei exigira que os mercadores coloniais pagassem uma tarifa alfandegária sobre o melaço que importavam. (Os destiladores da Nova Inglaterra transformavam o melaço em rum e o revendiam com uma margem de lucro.) As tarifas, no entanto, pouco ajudavam a Grã-Bretanha, porque a maioria dos mercadores contrabandeava seu melaço, subornando as autoridades da alfândega para que fizessem vista grossa. Com a Lei do Açúcar, Grenville tornou o sistema mais rígido. Agora os mercadores tinham de preencher papéis para cada carga que importavam. O Parlamento também aprovou a Lei do Selo, que exigia que os americanos comprassem papel timbrado especial para todo tipo de negócio. Se você fizesse um testamento, tinha de ser escrito em papel timbrado. Jornais, almanaques e até mesmo cartas de baralho precisavam de papel timbrado. Os ingleses já pagavam impostos sobre o selo; Grenville achava justo que os norte-americanos partilhassem o ônus.
Mas as legislaturas coloniais uivaram em protesto. Na Câmara dos Burgueses da Virgínia, um jovem legislador exaltado chamado Patrick Henry foi o primeiro – usando "linguagem muito indecente", segundo resmungou o governador real da Virgínia. Os oponentes dos novos impostos se chamavam Filhos da Liberdade, uma expressão que Isaac Barré havia usado em seu discurso. Os Filhos organizaram desfiles, instaram os norte-americanos a boicotar produtos da Inglaterra e ameaçaram quem favorecesse os impostos de Grenville. Multidões em Boston e em Newport penduraram imagens dos distribuidores do selo oficial em forcas, enquanto os rebeldes invadiram as casas de homens proeminentes que defendiam o imposto, entre os quais um mercador de Newport, "destruindo e demolindo todos os seus móveis, instantaneamente quebrando toda a sua porcelana, seus espelhos etc.", e então invadindo seu porão, onde "beberam, desperdiçaram e levaram todos os seus vinhos e outras bebidas".

Por que os colonos britânicos – tão orgulhosos do rei e do país – reagiram com tanta fúria? Bem, porque *eram* britânicos. Eles reivindicavam os mesmos "direitos e liberdades" que as pessoas da Inglaterra. Os ingleses elegiam representantes para a Câmara dos Comuns, de modo que tinham voz para decidir se deveriam pagar impostos. Nem todos tinham o direito de votar, é certo, mas pelo menos alguns proprietários em cada condado tinham. Os norte-americanos, por outro lado, não elegiam representantes ao Parlamento. Como afirmou Patrick Henry, "a característica distintiva da liberdade *britânica*" era o direito das pessoas de serem tributadas "por pessoas escolhidas por elas para representá-las, que podem saber quais impostos as pessoas são capazes de tolerar".

Os norte-americanos não rejeitavam totalmente a autoridade do Parlamento. Em 1765, reuniu-se em Nova York o Congresso da Lei do Selo, onde delegados de nove Estados concordaram que o Parlamento tinha o direito de regular o comércio entre diferentes partes do império. Mas não leis concebidas para arrecadar dinheiro. O poder de cobrar impostos pertencia às legislaturas norte-americanas, insistiram os delegados. Então a crise passou, porque o Parlamento rejeitou a Lei do Selo. A paz parecia estar de volta; mas, na verdade, a disputa em torno da Lei do Selo estabeleceu o padrão para o que viria. O Parlamento nunca duvidou de que tinha o direito de tributar, e logo criou outra tática. Os norte-americanos disseram que o Parlamento podia regular seu comércio? Muito bem, o Parlamento cobraria novos impostos sobre tinta, chumbo, vidro, papel e chá – as tarifas de Townshend, como foram chamadas. Esses impostos eram todos sobre produtos importados. Eles estavam regulando o comércio! As leis também deram às autoridades alfandegárias o poder de confiscar os navios e as cargas de qualquer mercador acusado de infringi-las. Fiscais alfandegários desonestos fizeram fortuna prendendo mercadores por cargas forjadas.

Mais uma vez, vieram os protestos contra a tributação sem representação. Mais uma vez, os boicotes organizados pelos Filhos da Liberdade e agora também pelas Filhas da Liberdade, que produziam tecido em seus teares caseiros em vez de comprar lã britânica. Depois de três anos de discussão, o Parlamento cedeu novamente e rejeitou as tarifas de Townshend. Mas, desta vez, manteve um tributo para marcar sua autoridade: o imposto sobre o chá. Os norte-americanos não gostavam de pagá-lo, mas gostavam do chá. Por vários anos, as relações entre as colônias e a Grã-Bretanha ficaram menos conturbadas.

Mas, no fim das contas, até mesmo o chá trouxe problemas. Em 1773, o Parlamento decidiu ajudar a Companhia das Índias Orientais, a maior importadora de chá da Grã-Bretanha, que passava por momentos difíceis. Sob a nova Lei do Chá, a empresa pela primeira vez foi autorizada a vender diretamente a mercadores coloniais, em vez de por intermediários. O novo sistema, com efeito, significou que o preço do chá caiu, embora o imposto sobre o chá continuasse.

Mas agora estavam todos de guarda. Se um imposto pequeno era aceito, o que impediria o Parlamento de aprovar impostos maiores? Quando os primeiros navios carregando chá das Índias Orientais chegaram a Boston, os Filhos da Liberdade estavam prontos, organizados por um político local severo chamado Samuel Adams. Adams era um homem de rosto redondo, olhos azuis, pele clara e uma determinação notável. "Ponha seu adversário no banco dos réus e o mantenha lá", ele gostava de dizer. Quando o governador real de Massachusetts insistiu que o chá deveria ser descarregado, Adams parou diante de uma multidão iluminada por velas na igreja Old South Church, em Boston, e proferiu palavras que eram um sinal secreto: "Esta reunião não pode fazer mais nada para salvar o país". Imediatamente, uma multidão de Boston vestida como índios afluiu para o porto, abriu os baús de chá e jogou as folhas nas águas geladas.

Desta vez, o Parlamento não recuou. Como punição, fechou o porto de Boston para todo comércio e proibiu as audiências públicas em que os colonos se reuniam para planejar e protestar. Essas Leis Coercitivas, junto com outras medidas duras, convenceram os colonos de que eles precisavam se reunir novamente para falar em uníssono. Em 1774, reuniu-se na Filadélfia o primeiro Congresso Continental.

Até esse momento, a história sobre selos, impostos e chá soa muito como uma disputa que se transforma em luta, e uma luta que se transforma em sublevação. Vocês *vão* pagar impostos. Não vamos – *obriguem-nos*. Casacas vermelhas já haviam sido enviados para Boston e Nova York para vigiar norte-americanos rebeldes, o que levou a enfrentamentos entre "*lobsterbacks*" (soldados britânicos com suas casacas vermelhas) e moradores furiosos. Nos velhos tempos, a milícia (as forças armadas locais) se reunia de vez em quando para marchar, e então comia e bebia em reuniões agradáveis. Agora eles começaram o treinamento como "*minutemen*", bandos prontos para se reunir e lutar em questão de minutos. Juntaram munição e a armazenaram em locais seguros, longe das tropas britânicas.

Um desses depósitos ficava em Concord, em Massachusetts, a 34 quilômetros de Boston. No meio da noite, soldados britânicos saíram para confiscar a pólvora e atiraram. Mas vários homens alertaram a zona rural sobre a chegada dos britânicos – entre eles, um ourives chamado Paul Revere, que galopou a cavalo para dar o alarme de vilarejo em vilarejo. Ao amanhecer em 19 de abril de 1775, havia cerca de setenta *minutemen* no campo de Lexington bloqueando as tropas britânicas. O tiroteio começou, mas ninguém sabia dizer ao certo quem atirou primeiro. Oito norte-americanos foram mortos, e os britânicos seguiram em frente. Mas em Concord, horas depois, centenas de milícias atacaram. À tarde, outros milhares haviam afluído para a área, atirando de trás de árvores e muros de pedra enquanto os britânicos bateram em retirada para Boston. Uma disputa que se transformou em sublevação havia atingido proporções de uma verdadeira rebelião.

Mas não de uma revolução – não exatamente. Você pode fazer uma rebelião lutando. Mas, para fazer uma revolução, é preciso pensar. A disputa forçou os norte-americanos a refletir sobre ideias que durante muito tempo aceitaram sem questionar. Em 1765, a maioria dos norte-americanos concordava que o Parlamento podia regulá-los, ainda que não pudesse cobrar impostos. Mas então o Parlamento aprovou as "leis de aquartelamento" que requeriam que os norte-americanos abrigassem soldados britânicos em casas e fazendas vazias e lhes proporcionassem acomodação e alimento, se necessário. No início, essas leis pareciam ter função reguladora, mas certamente foram sentidas como arrecadação de impostos para os norte-americanos obrigados a fornecer suprimentos! As Leis Coercitivas não eram impostos, mas eram injustas e tirânicas. Os delegados no Congresso Continental começaram a argumentar que o Parlamento não deveria ter autoridade *nenhuma* sobre os norte-americanos.

Se era assim, o que mantinha os norte-americanos presos ao império britânico? Apenas o rei, escreveu John Adams, um advogado de Massachusetts. John era um delegado no Congresso e primo do demagogo Sam Adams. Ele observou que havia muitas províncias ou reinos no império britânico. "Massachusetts é um reino, Nova York é um reino" – assim como a Irlanda, a Inglaterra e a Escócia. E "o rei da Grã-Bretanha é o soberano de todos esses reinos". Se Sua Majestade visse as coisas corretamente, impediria o Parlamento de agir sem autoridade. Infelizmente, o rei concordava com o Parlamento. A rebelião era liderada por "pessoas vis e perigosas", declarou o rei George, e ele pretendia "levar os traidores à justiça".

No verão de 1775, com a guerra já em curso, um segundo Congresso Continental se reuniu. Benjamin Rush, o médico que um dia havia se sentado no trono do rei, era um delegado. Como outros norte-americanos que pensavam em como iniciar uma revolução, ele começara a imaginar o impensável. A América poderia não ter um rei? "Eu fui ensinado a considerar [os reis] praticamente tão essenciais à ordem política quanto o Sol é para a ordem do nosso sistema solar", Rush admitiu. Ele pensou em escrever um ensaio, mas teve "calafrios" ao pensar no que os outros diriam se ele sugerisse que os norte-americanos poderiam não ter um monarca.

Mas Rush tinha um amigo destemido que estava à altura da tarefa. Thomas Paine havia se mudado da Inglaterra para a Filadélfia no ano anterior. Filho de um quacre, Paine havia experimentado todo tipo de ocupação, de professor em uma escola a costureiro de espartilhos, antes de se tornar editor e escritor. Um livre pensador que considerava os ensinamentos do cristianismo quase sempre superstição, Paine aceitou prontamente a sugestão de Rush de escrever um panfleto. Denominou seu ensaio *A pura verdade*, e leu partes dele em voz alta para Rush, enquanto o redigia. Rush gostou da mensagem, mas sugeriu outro título: *Senso comum*. O panfleto saiu em janeiro de 1776.

Paine não media palavras. Ele estava pronto para varrer aquele rei – e todos os reis – do sistema solar político. Toda nação governada por um monarca estava "envenenada" por essa forma de governo, e George III em particular ele chamou de "o tirano da Grã-Bretanha". Paine insistia que, "diante de Deus, um homem honesto" tinha "mais valor do que todos os facínoras coroados que já existiram". Quando *Senso comum* foi publicado, os norte-americanos compraram surpreendentes 100 mil exemplares em seis meses. O panfleto convenceu muitos leitores de que os norte-americanos deveriam depor seu monarca e cortar todos os vínculos com a Grã-Bretanha.

Mas essa ideia só levantou uma questão maior. Durante anos os colonos reivindicaram orgulhosamente seus direitos e suas liberdades *porque eram britânicos.* Se os norte-americanos já não eram britânicos, como poderiam justificar os direitos que valorizavam tanto?

Enquanto o Congresso debatia a questão da independência, outro escritor fez sua contribuição: um pacato jovem delegado da Virgínia no segundo Congresso Continental. Sentado em seu alojamento na Filadélfia, na esquina das ruas Market e Seventh, uma escrivaninha em seu colo, ele concebeu uma revolução. Seu nome era Thomas Jefferson.

Ele mergulhou a pena no tinteiro e começou a escrever...

13

IGUAIS E INDEPENDENTES

Quando, no curso dos acontecimentos humanos, torna-se necessário a um povo dissolver os laços políticos que o ligavam a outro, e assumir, entre os poderes da Terra, posição igual e separada a que lhe dão direito as leis da natureza e do Deus da natureza, o respeito digno às opiniões dos homens exige que se declarem as causas que o levam a essa separação.

Consideramos estas verdades evidentes por si mesmas, que todos os homens são criados iguais, que são dotados pelo Criador de certos direitos inalienáveis, entre os quais estão a vida, a liberdade e a busca da felicidade.*

QUANDO O MAIS JOVEM delegado ao Segundo Congresso Continental escreveu estas palavras, ele tinha 33 anos, um cabelo ruivo claro alaranjado e um maxilar protuberante. Nascido ao pé das montanhas Blue Ridge, Thomas Jefferson amava sua terra natal; e quando construiu sua própria fazenda, Monticello, ele a instalou

---

* ARMITAGE, David. *Declaração de Independência: uma história global*. Tradução de Angela Pessoa. São Paulo: Companhia das Letras, 2011. (N.T.)

no alto de uma montanha. Era um local pouco prático, mas, como ele afirmou, "Posso cavalgar acima das tempestades (...) observar a obra da natureza, ver suas nuvens, granizo, neve, chuva, trovão, tudo fabricado a nossos pés!". Para Jefferson, aqui estava o Deus da natureza em ação, seguindo as leis da natureza.

Como Franklin e Paine, Jefferson era um iluminista e um deísta. "Coloque a razão firmemente em seu lugar", ele aconselhou a seu sobrinho. Concordava com John Locke que os humanos em seu estado natural nasciam "iguais e independentes" e inclusive usou a frase de Locke em sua primeira versão da Declaração da Independência. Locke também havia afirmado que "ninguém deve prejudicar a outrem em sua vida, saúde, liberdade ou posses". Jefferson omitiu saúde e, em vez de "posses", falou do direito à "vida, liberdade e busca da felicidade".

Estas foram palavras que transformaram uma rebelião em revolução. As pessoas "desses Estados Unidos" não estavam reivindicando direitos que o rei lhes *concedeu* por serem britânicas. Ou mesmo que o Congresso lhes concedeu por serem norte-americanas. *Todas* as pessoas tinham esses direitos desde o nascimento: eram direitos naturais. O restante da Declaração explicava a discussão com a Grã-Bretanha, listando as reclamações dos norte-americanos, mas as primeiras frases do documento apresentavam um ideal que inspiraria as pessoas nos séculos seguintes. Oitenta anos depois, Abraham Lincoln percebeu como foi impressionante Jefferson, sob "pressão de uma luta de um único povo pela independência nacional", ter colocado na Declaração uma verdade sobre *todos* os povos. Os Fundadores da nação pretendiam instaurar a igualdade como um "modelo", explicou Lincoln, "que deveria ser conhecido e reverenciado por todos (...) constantemente buscado e, ainda que nunca perfeitamente alcançado (...) cada vez mais influente".

É claro que em toda parte havia demonstrações de que nem todas as pessoas estavam sendo tratadas igualmente. Abigail Adams escreveu a seu marido, John, sobre o novo "código de leis" que ela sabia que os delegados estavam redigindo. "Lembrem-se das mulheres", ela insistiu. "Se não for dada a devida atenção às mulheres, estamos decididas a fomentar uma rebelião, e não nos sentiremos obrigadas a cumprir leis para as quais não tivermos voz nem representação."* Ela estava brincando, mas ao mesmo tempo falava muito sério sobre seus sentimentos. Quanto a Jefferson, ele chegou à Filadélfia em uma carruagem puxada a cavalo, atendido por três escravos. Será que Jefferson acreditava que Richard, Jesse e Jupiter haviam sido criados iguais?

Os Fundadores da nação tinham duas caras, alguns disseram. Eles pregavam igualdade enquanto mantinham escravos. Asseguravam às esposas que as mulheres eram as verdadeiras senhoras na vida, ao mesmo tempo que confidenciavam (a outros homens, como fez John Adams) que a "delicadeza" de uma mulher a tornava inapta para votar ou para administrar os grandes "assuntos de Estado". Outros afirmaram que até mesmo os indivíduos brilhantes são produtos de seu tempo, que apenas as gerações posteriores poderiam apreciar plenamente que a igualdade deveria se estender aos negros norte-americanos e às mulheres.

Certamente, nossa compreensão de igualdade aumentou com o passar dos anos. Mas, lá no fundo, é provável que John Adams só brincasse com Abigail porque não tinha coragem de ordenar que ela se submetesse ao marido, como John Winthrop possivelmente teria feito. Quanto à escravidão, Jefferson admitiu na primeira versão da Declaração que quem escravizava africanos lhes roubava os "direitos sagrados à vida e à liberdade". Mas só afirmou isso para culpar o rei George por encorajar o comércio de escravos. O Congresso eliminou esse trecho da versão final da Declaração, sem dúvida porque parecia um tanto ridículo ouvir senhores de escravos culparem o rei por encorajar a escravidão.

Lincoln estava certo: falar e fazer são duas coisas diferentes. Jefferson se sentiu desconfortável com a escravidão a vida inteira, embora nunca desconfortável o bastante para libertar seus escravos. Como veremos, ele inclusive começou a recuar em seu compromisso com a liberdade e com sua esperança de que a escravidão desaparecesse gradualmente. Mas, apesar de todos os seus defeitos consideráveis, Jefferson colocou a ideia de igualdade no centro da Declaração. E, ao fazer isso, transformou a rebelião em uma revolução, cujas mudanças continuam operando até os dias de hoje.

---

* MARINELA, Fernanda. *Vade-mécum: Direitos das mulheres*. Belo Horizonte: Fórum, 2015. (N.T.)

Quando o Congresso publicou a Declaração em 4 de julho de 1776, o exército norte-americano vinha combatendo o britânico havia mais de um ano. George Washington estava no comando – o líder lógico aos olhos de todos. Com 1,83 m de altura, ereto e dignificado, uma espada a seu lado e esporas de prata em suas botas, ele era o único oficial norte-americano com experiência na Guerra dos Sete Anos que ainda era relativamente jovem. Um general daquela época tinha de se sentir confortável a cavalo, e Washington era ousado, "saltando as cercas mais altas e cavalgando extremamente rápido" sem "deixar seu cavalo correr desenfreado". Ele *conduzia* seus homens à batalha em vez de segui-los, raramente perdia o autocontrole e era capaz de enfrentar grandes adversidades. Infelizmente, o exército que ele comandava era, quando muito, um bando desorganizado. As milícias, no início, pareciam impressionantes. Um mês depois de Lexington e Concord, elas, num ato de ousadia, à meia-noite tomaram uma colina de onde podiam avistar as tropas britânicas estacionadas em Boston. (Elas planejavam tomar Bunker Hill, mas na verdade chegaram a Breed's Hill.) Os casacas vermelhas recuperaram a colina no dia seguinte, mas apenas depois de sofrer muitas baixas, pois os rebeldes atiraram de trás de barricadas improvisadas na noite anterior. "Não atire até ver o branco dos olhos deles!", gritou o general norte-americano Israel Putnam.

Grande bravura – mas também grande fraqueza. Putnam gritou porque muitos de seus homens atiravam sem mais nem menos e careciam de treinamento. (Lembram de como os britânicos tardaram em abrir fogo na batalha de Quebec?) É verdade, as milícias sempre apareciam quando os casacas vermelhas invadiam seus vilarejos. Mas, assim que o inimigo seguia em frente, elas voltavam para suas lojas e fazendas. "Hoje estão aqui, amanhã já se foram", Washington reclamou. Ele sabia que jamais venceria sem organizar um exército verdadeiramente eficaz (que veio a ser chamado de Exército Continental), um que estivesse disposto a treinar e a lutar durante mais de seis meses seguidos. Sendo um aristocrata da Virgínia, ele esperava que os homens comuns fossem liderados por seus superiores, e no início se surpreendeu com os soldados da Nova Inglaterra, "excessivamente sujos e repugnantes". Os soldados *escolhiam* seus próprios oficiais, gracejavam com eles, e às vezes até eram barbeados por eles! Como alguém poderia ter sucesso com um bando tão indisciplinado?

Durante mais de um ano, Washington, de alguma forma, conseguiu manter o exército britânico em Boston enquanto treinava seus soldados, o tempo todo escondendo do inimigo um fato enorme e assustador. Seu exército praticamente não tinha pólvora, e dispunha de pouca artilharia. Pouco a pouco, a pólvora começou a escassear; e depois que Ethan Allen e Benedict Arnold capturaram o forte britânico na distante Ticonderoga, eles carregaram 55 mil quilos de morteiros e canhões em 42 grandes trenós e os enviaram para Boston em pleno inverno. Os soldados arrastaram as armas pesadas até o topo de Dorchester Heights durante uma longa noite enluarada. O general William Howe, comandando os britânicos, mal pôde acreditar no que viu na manhã seguinte. "Meu Deus, esses homens trabalharam mais em uma noite do que eu consegui que o meu exército fizesse em três meses!" Ele carregou seus soldados em navios e partiu.

Por que perder tempo com os rebeldes teimosos de Boston, decidiu Howe, quando mais ao sul muitos mais nova-iorquinos permaneciam fiéis ao rei? Howe desembarcou 32 mil soldados em Long Island, incluindo 8 mil hessianos – soldados alemães que o rei havia contratado para lutar pelos britânicos. Washington e seus 10 mil recrutas despreparados foram totalmente superados, tanto em seu poder de fogo quanto em suas táticas. Durante o outono de 1776, cada retirada desesperada parecia levar a outra. Os britânicos capturaram Nova York, então levaram Washington e seu Exército Continental para o sul através de Nova Jersey e do rio Delaware até a Pensilvânia, onde desembarcaram exaustos. Um membro da milícia da Pensilvânia os viu desembarcar: "Um homem saiu da formação e veio cambaleando em minha direção. Ele havia perdido todas as suas roupas. Estava enrolado em um cobertor velho, a barba comprida e o rosto cheio de feridas (...) Só quando ele falou é que reconheci meu irmão James".

Washington estava tão desesperado quanto seu exército. Ele precisava de um ato ousado para mostrar aos britânicos que os soldados norte-americanos podiam fazer mais do que se retirar. Precisava encorajar civis, que poderiam se transformar em "lealistas" – fiéis ao rei – se a rebelião parecesse prestes a fracassar. Acima de tudo, precisava mostrar a seus próprios homens que eles eram capazes de vencer. Na véspera de Natal, ele os conduziu de

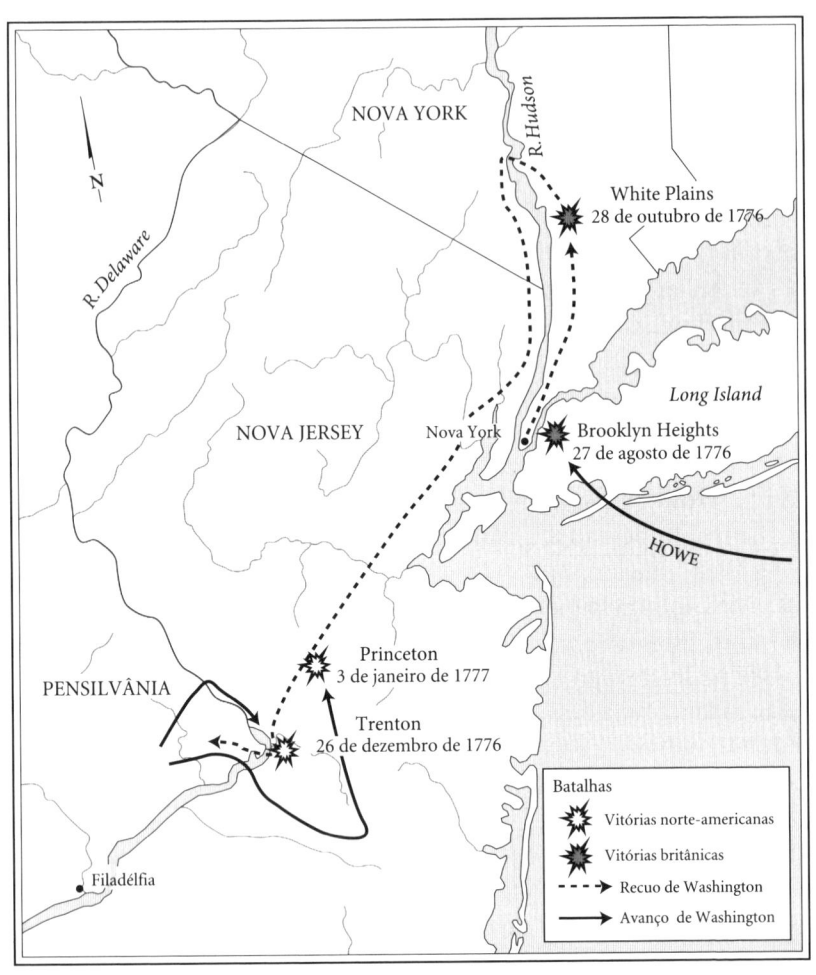

Retirada e avanço de Washington. No outono de 1776, o general William Howe expulsou o exército de Washington de Long Island e da cidade de Nova York, fazendo-o recuar pelo rio Hudson e por Nova Jersey. Na Pensilvânia, Washington reagrupou seus homens e atravessou o rio Delaware duas vezes, para conquistar vitórias em Trenton e Princeton.

volta pelo rio Delaware – debaixo de granizo, neve e chuva, por entre massas de gelo girando rio abaixo – para surpresa de uma guarnição de hessianos em Trenton, Nova Jersey. Depois daquela vitória, ele continuou avançando para capturar mais britânicos em Princeton, em vez de recuar e cair nas mãos dos casacas vermelhas, que os perseguiam atônitos.

Seria agradável dizer que, naquele momento, a maré virou. Mas ainda haveria cerca de cinco anos de combate. No ano seguinte, o general Howe capturou a Filadélfia, onde o Congresso Continental estava se reunindo. Os membros se dispersaram "como um bando de perdizes", reclamou John Adams. Washington estava desanimado, mas então percebeu que, mesmo se não pudesse vencer, os britânicos também não podiam – não importava quantas cidades conquistassem. "A posse de nossas cidades, enquanto tivermos um exército em campo, de pouco lhes servirá", observou. O segredo era impedir que o exército norte-americano fosse vencido e capturado, o que significava evitar grandes batalhas, a não ser que os norte--americanos realmente encurralassem o exército britânico.

Enquanto isso, a Grã-Bretanha lançou um plano para isolar a Nova Inglaterra do resto da rebelião, assumindo o controle do rio Hudson de Nova York a Albany e além. O general John Burgoyne liderou um exército que partiu do Canadá rumo ao sul para encontrar as forças do general Howe, que vinham de Nova York. O *"gentleman* Johnny", como era conhecido, estava confiante. Ele apostara cinquenta guinéus com membros de seu clube social em Londres que iria "regressar da América vitorioso". Mas, enquanto o general avançava com dificuldade por entre densas florestas inóspitas, ele descobriu que seu exército – e sua bagagem – estavam sobrecarregados, e suas habilidades, superestimadas. Uma batalha desastrosa em Saratoga forçou seu exército inteiro a se render. Ao saber da novidade, o rei George "ficou muitíssimo agoniado" pois essa vitória mudava a guerra drasticamente – não só na América, como também na Europa. Benjamin Franklin já havia sido enviado a Paris para implorar ajuda à velha rival da Grã-Bretanha, a França. Os franceses hesitaram, tentando decidir se esses norte-americanos arrivistas poderiam realmente desafiar o poder da Grã-Bretanha. A vitória em Saratoga os convenceu a se unirem aos Estados Unidos na guerra. Isso, mais do que qualquer outro acontecimento, mudou o rumo da batalha.

A grande marinha da França forçou a Grã-Bretanha a enviar um terço de seus soldados à América para proteger suas valiosas ilhas açucareiras no Caribe. As tropas restantes, agora, focavam nas colônias do Sul. Lá, os casacas vermelhas capturaram Savannah e Charleston, exatamente como haviam tomado as cidades do Norte. Mas o verdadeiro conflito aconteceu na zona rural, onde muitos lealistas ainda apoiavam o rei. Bandos rebeldes e lealistas atacaram as fazendas uns dos outros, queimando casas e assassinando cruelmente homens, mulheres e crianças. Para infelicidade da Grã-Bretanha, suas próprias tropas realizaram alguns dos ataques mais brutais. "A Grã-Bretanha agora tem uma centena de inimigos, onde antes só tinha um", lamentou um lealista.

Os britânicos não foram atrás de uma outra fonte possível de soldados. Um terço de todas as pessoas entre Delaware e a Geórgia eram afro-americanos, praticamente todos escravizados. De tempos em tempos, oficiais britânicos prometiam liberdade a qualquer escravo que lutasse pela Grã-Bretanha, e cerca de 100 mil escravos tentaram se tornar livres de um modo ou de outro. Mas a maioria dos britânicos não gostava da ideia de usar escravos para enfrentar seus senhores brancos, e os lealistas brancos também não. Muitos escravos que correram para as linhas britânicas foram negligenciados ou mesmo vendidos novamente para a escravidão no Caribe. Quanto ao Exército Continental, o Congresso só recrutou afro-americanos quando ficou desesperado por soldados. Então, os Estados do Norte enviaram 5 mil voluntários negros, que serviram na esperança de obter sua liberdade.

Enquanto isso, nas Carolinas, as forças norte-americanas foram mais rápidas e mais inteligentes que o general Charles Cornwallis, lutando apenas quando achavam que estavam em vantagem. Cornwallis se cansou da perseguição e levou seu exército para a Virgínia, ao norte, onde acampou na península de Yorktown. Ele estava a apenas algumas dezenas de quilômetros de onde os primeiros colonos ingleses haviam desembarcado em Jamestown, em 1607. Washington, ainda fora da cidade de Nova York, agarrou a oportunidade de capturar Cornwallis quando soube que a marinha francesa estava navegando do Caribe para o Norte sob o comando do almirante François Joseph de Grasse. Se De Grasse chegasse a Yorktown a tempo, poderia evitar que Cornwallis escapasse pelo mar. Enquanto Washington apressava seu exército rumo ao Sul pelo rio Delaware, outro oficial norte-americano ficou surpreso de ver o general, normalmente solene, chamar de longe, acenando um lenço em uma mão e o chapéu na outra, sorrindo e gritando, *De Grasse!* com "a maior alegria". Os franceses haviam chegado à baía de Chesapeake. A vitória era possível.

Cercado por terra e por mar, Cornwallis e seu exército inteiro se renderam em 19 de outubro de 1781. Quando os soldados britânicos baixaram suas armas, seu bando tocou uma canção chamada "The World Turned Upside Down" ["O mundo virado de cabeça para baixo"].

A vitória veio graças ao Exército Continental, que havia virado os britânicos de cabeça para baixo. Washington, no início, considerou esses soldados "sujos e repulsivos". Mas, durante sete anos, ele os liderou pelo tumulto da batalha e então implorou para que eles se realistassem – "da maneira mais afetuosa", lembrou um sargento. Quando alguns poucos virginianos ainda reclamaram dos recrutas da Nova Inglaterra, Washington esclareceu: "Não acredito que algum outro Estado produza homens melhores, nem pessoas capazes de ser melhores soldados", falou.

O Exército Continental foi onde os Estados Unidos experimentaram, pela primeira vez, um sentimento real de unidade. De muitos, um. Eles eram "velhos de 60, rapazes de 14 e negros de todas as idades, e maltrapilhos em sua maioria", relatou um oficial britânico, torcendo o nariz. "Seu exército é o mais estranho já reunido." Mas esses Continentais passaram a se ver como iguais a qualquer pessoa. E travaram uma guerra longa e dura o bastante para tornar a si mesmos, e à sua nova nação, totalmente independentes.

14
União mais perfeita

Os norte-americanos conceberam uma revolução e lutaram pela independência. Mas poderiam permanecer unidos? No fim da guerra, o Congresso emitiu o Grande Selo dos Estados Unidos, um selo oficial ostentando uma águia e o lema: *E pluribus unum*. De muitos, um. Mas como isso poderia ser administrado?

Já *havia* sido, afirmou Patrick Henry no primeiro Congresso Continental. "Estamos em um estado de natureza", ele disse aos delegados. "Onde estão seus marcos fronteiriços, os limites de suas colônias? (...) A distinção entre os habitantes da Virgínia, da Pensilvânia, de Nova York e da Nova Inglaterra já não existe. Eu não sou virginiano, sou norte-americano."

Na verdade, as colônias dificilmente eram tão unidas. Observe como a Declaração da Independência coloca: "Estas colônias unidas são, e por direito têm de ser, Estados livres e independentes". Unidos, sim – mas como uma confederação de Estados independentes. John Adams continuou a pensar em Massachusetts como seu "país", assim como Jefferson considerava a Virgínia o seu. Em certo momento, quando o general Washington pediu a alguns de seus recrutas de Nova Jersey que jurassem lealdade aos Estados Unidos, eles se recusaram. "Nosso país é Nova Jersey!", protestaram. De fato, "estes Estados Unidos" eram uma confederação muito similar à Organização das Nações Unidas de nossos dias. Cada Estado enviava uma delegação ao Congresso, assim como as nações hoje enviam delegações à Assembleia Geral da ONU. Em ambos os casos, cada delegação tem um único voto.

As regras do novo governo foram estabelecidas nos Artigos da Confederação. Ao criar os Artigos, o Congresso queria evitar os tipos de problemas que haviam levado à guerra, para começar. Obviamente, os Estados Unidos não coroariam nenhum rei – Tom Paine e seu *Senso comum* haviam se encarregado disso. Os Artigos também proibiam conceder títulos de nobreza. Não haveria lorde Washington ou barão Adams, nem mesmo um presidente dos Estados Unidos para aplicar as leis. Essa confederação seria administrada por uma legislatura com treze votos. O Congresso tinha o direito de declarar guerra e assinar tratados. Podia nomear oficiais militares, como fez Washington. Podia emitir moedas e papel-moeda. Tinha o poder de fazer acordos com nações indígenas.

Mas esses eram poderes um tanto limitados. O Congresso podia nomear oficiais do exército, mas não podia criar o exército que seus oficiais comandavam. Só podia *pedir* aos Estados que enviassem soldados. O Congresso não podia cobrar impostos dos norte-americanos para pagar suas despesas; só podia *solicitar* dinheiro dos estados. Não tinha o poder de regular o comércio entre os treze Estados e o resto do mundo. Esses limites faziam sentido para um povo já em guerra com um Parlamento distante que os havia tributado, regulado seu comércio e posicionado soldados em seu quintal. Por que um Estado iria querer outra legislatura na distante Filadélfia exercendo controle sobre ele? Os Artigos da Confederação nunca se referiam aos Estados Unidos como uma nação, apenas como uma "liga de amizade".

Infelizmente, esses Estados "amistosos" começaram a brigar. Para começar, os Estados maiores e os menores não confiavam uns nos outros. Quando Patrick Henry anunciou que era norte-americano, e não virginiano, foi porque ele achava que Estados menores como Maryland e Delaware tinham poder demais. Cada um deles tinha um voto no Congresso, como a Virgínia. Mas a Virgínia tinha muito mais habitantes. "É sabido, na minha província, que algumas outras colônias não são tão numerosas ou ricas", ele assinalou. Os virginianos não deveriam ter o direito de enviar mais representantes para o Congresso? Estados menores como Maryland, por outro lado, temiam que os Estados maiores conquistassem muita influência por causa do seu tamanho. A Virgínia reivindicava terras que iam até o rio Mississippi, onde, em 1783, os Estados Unidos terminavam. Podia arrecadar fundos vendendo essas terras a colonos, o que manteria baixos os impostos; ao passo que Maryland, que não tinha terras ocidentais para vender, teria de aumentar os impostos.

Depois de muito discutir, os Estados maiores concordaram em abrir mão de suas terras ocidentais. À medida que essas terras fossem colonizadas, seriam divididas em "territórios" e finalmente se tornariam Estados que estariam em condições de igualdade com os treze Estados originais. Essa foi uma disputa resolvida, mas muitos Estados continuaram a seguir seu próprio caminho, mostrando pouco respeito pelo governo nacional. Às vezes, os Estados nem se davam ao trabalho de enviar uma delegação ao Congresso. Observando, os europeus suspeitaram de que a confederação poderia simplesmente se dissolver.

E os próprios governos dos Estados pareciam ineficazes. Em Massachusetts, mil agricultores desesperados se ergueram em protesto quando a legislatura estadual ignorou seus pedidos de ajuda em tempos difíceis. Lideradas por Daniel Shays, um veterano de Lexington e Concord, multidões fecharam os tribunais locais por um tempo. A rebelião de Shay foi controlada, mas muitos norte-americanos ficaram chocados com a violência. James Wilson, da Pensilvânia, relembrou com tristeza as palavras de Patrick Henry, de 1774, "que a Virgínia já não existe, que Massachusetts já não existe, que a Pensilvânia já não existe (...)". Mas em vez de os Estados formarem uma união forte, eles haviam se tornado "dilapidados" e impotentes. Convencidos de que os Artigos da Confederação precisavam ser revisados, delegados de doze Estados se reuniram na Filadélfia durante o verão de 1787.

Ninguém estava mais preocupado com uma confederação fraca do que James Madison, um grande fazendeiro da Virgínia.

Um metro e 64 centímetros de altura, delgado, com olhos escuros e cabelo rarefeito, Madison não tinha a estatura de um Washington e era um pouco tímido. "Uma criatura melancólica e séria", julgou uma mulher que o conheceu. Mas Madison era um bom ouvinte e um pensador ainda melhor. Um homem do Iluminismo, era fascinado pela ciência do governo. O que fazia as nações prosperarem ou fracassarem? Como os governos poderiam dar aos líderes poder suficiente para serem eficazes, mas não tanto a ponto de se tornarem tiranos? Madison não só devorava livros sobre tais questões como praticava política diariamente como membro da legislatura da Virgínia e, mais tarde, no Congresso da Confederação. Sabendo que a maioria dos norte-americanos só aceitaria um governo mais forte se houvesse líderes respeitados por trás do projeto, ele visitou George Washington mais de uma vez. O general odiava deixar sua casa em Mount Vernon, mas a confederação era como uma "casa em chamas", concordou, correndo o risco de ser "reduzida a cinzas". Então Washington acorreu, assim como Benjamin Franklin. Nessa época, ele tinha 82 anos, um "velho baixo, gordo e troncudo", relatou um visitante, embora ainda se exercitasse diariamente com um haltere.

Depois de escolher Washington para presidir a convenção, os 55 delegados tomaram uma decisão ousada. Em vez de simplesmente revisar os Artigos da Confederação, eles começaram a trabalhar em uma constituição totalmente nova. Madison e a delegação da Virgínia já haviam elaborado um plano. Propunha uma legislatura nacional; mas, ao contrário do Congresso da Confederação, essa legislatura teria duas câmaras. Os representantes da câmara baixa seriam escolhidos pelos eleitores, seu número em proporção à população de cada Estado: quanto maior a população, mais representantes. Os membros da câmara alta seriam escolhidos pela câmara baixa, de uma lista de candidatos fornecida por cada legislatura estadual. Segundo o plano da Virgínia, o novo Congresso era muito mais forte. Podia não só tributar cidadãos como também vetar quaisquer leis estaduais que entrassem em conflito com os poderes do governo nacional. Um segundo ramo do governo, o executivo, implementaria as leis. E um terceiro, o judiciário, resolveria quaisquer disputas em torno de leis federais por meio de um sistema de tribunais.

Os Estados menores não gostaram do plano de Madison, especialmente da ideia de representação proporcional. Eles queriam que cada Estado tivesse um único voto, como antes. Nova Jersey apresentou um plano baseado nessa configuração, mas a maioria dos delegados concordava que não outorgava poder suficiente ao governo nacional. Todos trataram de tornar o plano da Virgínia aceitável para mais delegados.

Criar um sistema de governo de baixo para cima significava decidir sobre dezenas, e até centenas, de detalhes. A maioria dos delegados concordava que um executivo era necessário para implementar as leis, mas de que tipo? Um presidente com um mandato de quatro anos parece uma obviedade hoje – porque é o que os delegados escolheram. Por que não ter três "copresidentes" para representar diferentes regiões da nação? Essa foi uma proposta. Por que não limitar o presidente a um mandato de seis anos? Isso concederia tempo suficiente para concluir alguma coisa e eliminaria a tentação de gastar muita energia em ser reeleito. O presidente deveria ser capaz de vetar alguma lei aprovada pelo Congresso? Os delegados debateram essas questões e muitas outras.

Com tantas escolhas a serem feitas e tantas opiniões diferentes, era essencial chegar a um acordo. A composição da legislatura desencadeou o debate mais importante, não só entre Estados grandes e pequenos como também entre as regiões Norte e Sul. Em 1787, as populações do Norte e do Sul eram quase iguais, mas o Sul estava crescendo mais depressa. Então, os delegados do Sul (incluindo Madison) queriam que o número de representantes se baseasse na população. O Norte, por outro lado, estava dividido em um número maior de Estados menores. Se cada Estado tivesse um voto, os Estados do Norte poderiam superar mais facilmente os do Sul, ainda que houvesse mais pessoas vivendo no Sul.

A escravidão complicava ainda mais o debate. Se cada Estado tivesse representantes de acordo com sua população, os escravos deveriam ser contados como parte desse número? Não, argumentavam os Estados do Norte, que tinham muito menos escravos do que os do Sul. Os escravos não podem votar; vocês, sulistas, os consideram sua propriedade, e o número de representantes não deve ser determinado por quanta propriedade você possui. Nós, nortistas, não pedimos mais representantes só porque temos muitos bois e cavalos! Os delegados do Sul responderam que os escravos deveriam ser contados porque as pessoas com mais propriedades têm uma participação maior na sociedade e estariam pagando mais impostos. "Dinheiro é poder", argumentou a Carolina do Sul. Os Estados "devem ter influência no governo em proporção à sua riqueza".

Finalmente, um comitê liderado por Benjamin Franklin propôs uma série de acordos. O número de membros na Câmara dos Deputados (a câmara baixa) seria determinado pela população, como a Virgínia propôs – uma vitória para os Estados grandes. Os Estados pequenos ficaram satisfeitos porque o Senado (a câmara alta) teria dois senadores de cada Estado, não importando o tamanho de sua população. Os senadores não seriam eleitos pelo povo, e sim escolhidos por suas legislaturas estaduais. Os escravos seriam contados como parte da população de um Estado (sem direito a voto) – uma vitória para os estados do Sul. Mas cada escravo só contaria como três quintos de uma pessoa. O "Compromisso dos Três Quintos" não agradou aos nortistas, mas os delegados sulistas não estavam dispostos a ceder.

Talvez a maior dificuldade ao se criar a Constituição tenha sido encontrar uma forma de treze Estados independentes conceberem a si mesmos como um. As pessoas que estudavam governos estavam acostumadas a pensar em *soberania* – o poder supremo em um Estado – como existente em um lugar. O governo nacional era soberano? Todo o poder emanava dele? Ou cada Estado era soberano, com o direito de dizer não ao governo federal? Os delegados perceberam que a soberania poderia ser dividida. Sob o sistema de federalismo que criaram, o governo nacional tinha poder supremo em algumas áreas, mas os Estados reservavam poder supremo em outras. E o governo nacional dividiu seu próprio poder em três ramos separados: o executivo, o legislativo e o judiciário. Cada ramo tinha maneiras de limitar o poder dos outros ramos, uma proteção para o caso de um ramo parecer se desviar.

Em setembro, a Constituição estava pronta para ser submetida à aprovação dos Estados. Seus defensores, chamados federalistas, reagiram a ataques dos adversários antifederalistas. Sam Adams, de Boston, se opôs, bem como Patrick Henry, que não havia participado da convenção porque achava que alguma coisa "cheirava mal". O maior argumento dos antifederalistas era que a Constituição não tinha uma carta de direitos, incluindo garantias como liberdade de expressão, liberdade religiosa e direito a julgamento por um júri. Alguns Estados só votaram a favor da nova união depois que lhes garantiram que uma carta de direitos seria incluída mais tarde – como de fato foi. Em junho de 1788, nove Estados haviam ratificado, o suficiente para que a Constituição entrasse em vigor. Rhode Island, o último que ainda resistia, entrou para a União em 1790.

"Bem, doutor, o que conseguimos – uma república ou uma monarquia?", perguntou uma mulher quando Franklin saiu da convenção. "Uma república, se pudermos mantê-la", ele respondeu. Sua resposta era um misto de advertência e esperança. As palavras iniciais da Constituição são *Nós, o povo dos Estados Unidos, a fim de formar uma união mais perfeita* (...). Essa União certamente era *mais* perfeita do que os Artigos da Confederação, mas não *totalmente* perfeita. Como poderia ser, quando tantas concessões foram feitas? Franklin, que viveria por apenas mais alguns anos, sabia que o compromisso era a única forma de avançar. "Confesso que existem várias partes desta constituição que eu não aprovo", ele disse aos delegados. Afinal, "quando você reúne um número de homens para ter a vantagem de sua sabedoria conjunta, você inevitavelmente reúne, com esses homens, todos os seus preconceitos, suas paixões, suas opiniões equivocadas, seus interesses particulares e suas visões egoístas. Pode-se esperar que tal reunião produza algo perfeito?". Ainda assim, Franklin apoiou a Constituição "porque não espero uma melhor, e porque não tenho certeza de que não seja a melhor possível".

Com o tempo, o novo sistema de governo precisaria mudar. E mudou, porque os delegados encontraram uma forma de a Constituição ser alterada. Mas 1789 marcou um novo começo momentoso. Uma confederação entre treze Estados "livres e independentes" havia sido substituída por uma União mais forte e mais perfeita, cujo poder supremo – sua soberania – reside em três palavras-chave: não *nós, os Estados*, mas *nós, o povo*.

15
O TEMOR DE WASHINGTON

HAVIA DUAS FILEIRAS DE SOLDADOS esperando quando George Washington desceu de sua carruagem e caminhou entre elas até o recém-pintado Federal Hall, a sede do governo, na cidade de Nova York. No segundo andar onde o Senado se reunia, John Adams, o vice-presidente eleito, conduziu o general a uma sacada para fazer o juramento de posse. Quando a multidão na rua olhou para cima nessa tarde de abril de 1789, Washington prometeu "desempenhar fielmente o ofício de presidente" e "preservar, proteger e defender a Constituição". Então, voltou para dentro e falou brevemente com o Congresso. Ele não parecia feliz. "Este grande homem estava agitado e constrangido como jamais esteve diante de um canhão ou mosquete apontado", alguém observou. "Ele tremia e, várias vezes, mal conseguia ler" seu discurso.

  O temor de Washington teria causado estranhamento à maioria dos norte-americanos, se tivessem se inteirado dele. Quando o presidente eleito viajou de sua fazenda na Virgínia para a capital federal temporária, Nova York, foi tratado praticamente como um deus. Sinos de igreja soaram; canhões dispararam; donzelas espalharam flores em seu caminho. A Filadélfia inclusive suspendeu um garoto acima dele, para colocar uma coroa de louros em sua cabeça. Washington ficou tão mortificado pela atenção recebida que saiu da cidade na surdina na manhã seguinte, uma hora antes de um guarda da cavalaria chegar para escoltá-lo. Mas não havia escapatória: uma balsa de doze metros o levou a remo até a cidade de Nova York, enquanto milhares de espectadores se apinhavam na costa, "como espigas de milho antes da colheita".

"Meus conterrâneos esperam muito de mim", Washington falou, preocupado. E não estava apenas sendo modesto: havia lido a história. Sabia muito bem como era difícil para uma república sobreviver. Os generais da antiga Roma tinham brigado, assassinado seus rivais e transformado sua república em uma ditadura de césares. Os líderes da guerra civil inglesa haviam cortado a cabeça do rei Carlos para criar uma comunidade puritana que durou menos de cinco anos. Hoje não levamos a sério os temores de Washington. Sabemos como a história se desenrolou. Mas, dez anos depois de sua posse, Washington foi para o túmulo ainda sem saber ao certo se os Estados Unidos sobreviveriam.

Sua eleição fora unânime, embora ele não tenha sido escolhido diretamente pelo povo. Os redatores da Constituição não confiaram esse poder às pessoas. Como um agricultor em Massachusetts poderia julgar se um candidato da Carolina do Sul era apto para governar? Em uma terra sem rádio, televisão ou internet, a Constituição requeria que cada Estado escolhesse um grupo de eleitores – pessoas com mais experiência – que tinha mais probabilidade de conhecer os candidatos pessoalmente. Reunindo-se como o Colégio Eleitoral, esses eleitores escolhiam um presidente e um vice-presidente.

Para auxiliar Washington em seus deveres, o Congresso criou vários departamentos executivos, e o presidente escolheu líderes para encabeçá-los. Esses oficiais se tornaram conhecidos coletivamente como o gabinete, uma palavra que, no início, se referia a uma sala pequena e particular usada como escritório ou refúgio. De fato, no começo, o gabinete se reunia na casa de Washington. Cada membro prestava especial atenção a uma parte do governo. Os dois mais importantes membros do gabinete eram Thomas Jefferson, secretário de Estado, e Alexander Hamilton, secretário do Tesouro.

A Constituição não falava sobre um gabinete; e nem uma palavra sequer sobre partidos políticos. Todos concordavam que os partidos não tinham lugar no novo sistema porque se esperava que os líderes da nação agissem em prol do "verdadeiro interesse do país", como afirmou Madison. Na Inglaterra, os partidos eram, quase sempre, grupos de pessoas que tramavam juntas no Parlamento para aprovar leis que favorecessem a si mesmas e a seus amigos. "Facções", eram chamadas, e o termo era um insulto. Jefferson declarou que se lhe dissessem que, para ir para o céu, teria de se afiliar a um partido, ele não iria.

É claro que as pessoas sempre sonharam com uma época em que os desentendimentos desapareceriam e todos viveriam em paz – uma "era dourada", Colombo teria dito. Ou uma comunidade santa, como John Winthrop esperou. Ou um milênio de paz, como previu Jonathan Edwards. Os líderes da nova República também tinham grandes esperanças de unidade, e por isso condenavam os partidos políticos. Mas tais sentimentos começaram a ruir quase imediatamente. Os mercadores que vendem roupas têm necessidades diferentes dos agricultores que cultivam trigo. As pessoas que emprestam dinheiro veem as coisas de um modo diferente daquelas que tomam dinheiro emprestado. Ingleses, africanos, alemães, escoceses, irlandeses, holandeses – esses povos e muitos outros trouxeram diferentes costumes, religiões e hábitos à América. Se "os muitos" nessa nova nação fossem se unir como um, seu governo teria de lidar com tais diferenças, e não esperar que elas desaparecessem por mágica em uma nova era dourada. Washington tinha motivos para temer o que vinha pela frente!

Como era de se esperar, a primeira discussão foi sobre dinheiro: como pagar as dívidas acumuladas durante a Revolução. O novo secretário do Tesouro, Alexander Hamilton, queria agir imediatamente. Arrojado, destemido e determinado, Hamilton servira durante a guerra como assistente de Washington. Agora ele propunha que os Estados Unidos assumissem todas as suas dívidas, e também as dívidas de cada um dos Estados. Muitos investidores que tinham títulos da dívida eram influentes. "Todas as comunidades se dividem entre os poucos e os muitos", Hamilton observou. "Os primeiros são ricos e bem-nascidos." Ele queria que essas pessoas tivessem uma "participação distinta e permanente no governo". Quanto aos muitos, eles eram "turbulentos e inconstantes" e nunca totalmente dignos de confiança.

Mas a situação era mais complicada. Muitas pessoas comuns haviam emprestado dinheiro ao governo, e não apenas os ricos e bem-nascidos. Um agricultor forneceu alimento para os soldados e foi pago com uma nota promissória. Um marceneiro entrou para o exército e recebeu alguns de seus salários da mesma maneira. Em 1789, o pagamento desses empréstimos estava em aberto havia tantos anos que, durante os tempos difíceis, as pessoas que precisaram de dinheiro venderam suas notas promissórias para investidores por uma fração do que valiam. Elas decidiram que era melhor ganhar alguns centavos de cada dólar do que nada. Jefferson e Madison argumentaram que era injusto pagar aos novos investidores o valor total do empréstimo quando os detentores originais das notas promissórias só haviam recebido alguns centavos. Depois de muito argumentar, eles apoiaram, relutantes, a proposta de Hamilton de pagar o valor nominal das notas, mas só depois que Hamilton apoiou seu desejo de construir uma capital permanente para a nação em um assentamento que viria a se situar entre a Virgínia e Maryland.

Notícias vindas do Exterior desencadearam uma segunda disputa. No ano em que Washington tomou posse, uma multidão francesa atacou um calabouço chamado Bastilha para libertar prisioneiros mantidos lá pelo rei Luís XVI. Os reformadores franceses também exigiram que o rei viabilizasse um governo mais democrático. Os norte-americanos ficaram exultantes com a notícia: afinal, os franceses foram seus aliados em sua luta por liberdade. Em poucos anos, entretanto, essa Revolução Francesa se tornou violenta. O rei, a rainha e milhares de nobres foram executados; e a França entrou em guerra com a Grã-Bretanha e outras nações europeias, cujos líderes temiam que, se fosse permitido aos cidadãos franceses matar reis e nobres, seu próprio povo poderia tentar fazer a mesma coisa. Muitos norte-americanos, incluindo Hamilton e John Adams, se sentiam mais próximos da Grã-Bretanha do que dos revolucionários franceses. Outros norte-americanos apoiavam a França. A igualdade começava a se espalhar pela Europa, para alegria de Jefferson. Sim, houve violência; mas esse era um pequeno preço a se pagar pela democracia depois de séculos de governo implacável de reis.

Washington tentou não se envolver nessas brigas. Ele anunciou que os Estados Unidos permaneceriam neutros na guerra entre a França e a Inglaterra. Mas os desentendimentos com seu gabinete continuavam, com Hamilton e Adams quase sempre persuadindo Washington a ficar do lado deles. Jefferson e Madison concluíram que se quisessem fazer algum progresso teriam de encontrar maneiras de eleger ao Congresso mais pessoas que pensavam como eles. Certa primavera, os dois homens passaram férias em Nova York e na Nova Inglaterra, supostamente para pescar e colecionar plantas raras. "Praticar botânica", diziam. Mas estavam igualmente interessados em colecionar aliados políticos e pescar votos. Eles deram os primeiros passos rumo à criação da estranha besta com a qual Jefferson afirmara que jamais iria para o céu: um partido político. Os que apoiaram Jefferson e Madison ficaram conhecidos como democratas-republicanos, ou simplesmente republicanos. (Eles não tinham relação com o Partido Republicano de hoje, que foi criado meio século mais tarde.) Os que seguiram Hamilton se autodenominaram federalistas, reivindicando a honra de serem os que defendiam a Constituição.

Os federalistas encontraram mais apoio na Nova Inglaterra, onde o comércio era importante e os vínculos com a Grã-Bretanha eram mais fortes. Eles acreditavam que os Estados Unidos se tornariam prósperos e poderosos se o governo encorajasse o crescimento da indústria e dos negócios. Aprovavam os programas financeiros de Hamilton e eram a favor de um banco nacional, que Hamilton persuadiu o Congresso a criar. E, como Hamilton, os federalistas acreditavam que as pessoas da "*better sort*" (isto é, da camada superior) deveriam ser apoiadas, enquanto as pessoas comuns deveriam ser reguladas para o seu próprio bem. Os republicanos, por outro lado, temiam que o governo nacional estivesse se tornando poderoso demais. Eles não confiavam totalmente nos mercadores e banqueiros, considerando os fazendeiros e agricultores os pilares de uma nação democrática. O futuro do país não estava no Leste, com seus "ricos e bem nascidos", mas nos pequenos agricultores no Oeste, mais democrático.

Washington foi eleito para um segundo mandato, mas em 1796 se recusou a concorrer a um terceiro, cansado das discussões.

Tanto Jefferson, republicano, quanto Adams, federalista, se candidataram à presidência; quando os eleitores se reuniram, Adams recebeu a maioria dos votos. Mas a Constituição não dizia nada sobre uma votação separada para escolher um vice-presidente. Como Jefferson ficou em segundo na votação para presidente, ele se tornou o vice-presidente republicano de seu rival federalista.

Quando John Adams tomou posse, a França e a Grã-Bretanha continuavam em guerra. Cada uma tentou impedir os norte-americanos de comerciar com sua adversária, capturando navios norte-americanos em alto-mar. Os federalistas estavam ávidos por uma guerra contra a França, convencidos de que isso traria apoio a seu partido. Mas Adams se recusou a apoiar tal guerra, o que enfureceu Hamilton e muitos de seus companheiros federalistas. A postura do presidente exigia coragem: diante de uma verdadeira febre por guerra, Adams sabia que provavelmente estava arruinando suas chances de ser reeleito em 1800.

Mais uma vez, ele enfrentou Jefferson. Mas, a essa altura, tanto os federalistas quanto os republicanos estavam organizando seus apoiadores, e a disputa entre os dois partidos muitas vezes se tornava violenta. Os jornais dos partidos atacavam seus opositores, e editores rivais chegavam a se enfrentar fisicamente. No Congresso, um republicano, furioso por ter sido insultado, cuspiu no rosto de seu adversário: o federalista agarrou uma bengala, o republicano pegou um par de pinças da lareira e eles partiram um para cima do outro, debatendo-se no chão.

A tensão aumentou quando os federalistas, o partido no poder, aprovaram leis concebidas para silenciar os republicanos. A Lei da Sedição determinava a prisão de qualquer um que criticasse o governo de maneira "falsa, escandalosa e maliciosa". Vinte e cinco republicanos foram presos por tais "crimes", embora a Declaração dos Direitos incluísse a liberdade de expressão. As discussões se tornaram tão violentas porque ambos os lados temiam que seus adversários destruíssem a República. Os republicanos estavam convencidos de que os federalistas queriam instaurar uma monarquia. Os federalistas temiam que os republicanos se rebelassem como os revolucionários franceses.

Quando a eleição de 1800 foi realizada, o Colégio Eleitoral se reuniu, e Adams e seu companheiro de chapa federalista perderam.

Mas Jefferson recebeu exatamente o mesmo número de votos que o candidato republicano para vice-presidente, Aaron Burr. Sendo assim, quem havia sido eleito presidente? Vendo o empate, Burr não deu um passo para trás de imediato; ele até que gostou da ideia de se tornar presidente. Então a eleição teve de ser resolvida na Câmara dos Deputados. A Câmara convocou uma votação após a outra – 35 ao todo – e cada uma delas resultou em empate. Alguns federalistas falaram de rejeitar a Constituição e assumir "o risco de uma guerra civil" em vez de votar em Jefferson. Hamilton discordava. "Se há um homem no mundo que devo odiar, é Jefferson." Mas Aaron Burr era ardiloso, um político em quem realmente não se podia confiar, argumentou. No fim, os federalistas deram a Jefferson o voto extra de que ele necessitava.

Washington teve razão ao temer pela República, embora tenha morrido um ano antes dessa crise. No fim das contas, um democrata-republicano se tornou presidente, com a ajuda de um partido político determinado. E a vida continuou. A República não se desintegrou nem caiu em ruína, como muitos haviam temido. Felizmente, os republicanos tiveram o bom senso de rejeitar a Lei da Sedição em vez de usá-la para se manter no poder.

A eleição de 1800 trouxe uma lição importante. O fim de uma administração não sinalizou o fim da nação. *E pluribus unum* não significava que todos tinham de pensar da mesma forma e ter as mesmas crenças. A nação podia sobreviver – mesmo com diferenças.

16

Império da liberdade

THOMAS JEFFERSON ERA UM OTIMISTA. "Eu conduzo meu barco com esperança na mente", escreveu, "deixando o medo para trás." Ele via a América de um modo diferente dos federalistas e queria demonstrá-lo, mesmo em sua cerimônia de posse.

Não haveria carruagem de cor creme para o presidente, puxada por seis cavalos, como em 1789. Jefferson simplesmente caminhou até a cerimônia, vestido como um "cidadão comum". Seu juramento foi o primeiro feito em Washington, a nova capital, e Jefferson, que nunca foi um bom orador, leu seu discurso em voz baixa. Mesmo se tivesse falado alto, poucos conseguiriam ter escutado suas palavras na câmara do Senado, inacabada e ainda cheia de aberturas. Em seguida, o novo presidente caminhou de volta até Conrad and McMunn's, a pensão onde estava morando, para jantar. Muitos hóspedes já estavam comendo e ninguém se deu ao trabalho de se levantar quando ele entrou, exatamente como Jefferson desejava. Mesmo quando era vice-presidente, ele sempre se sentava na ponta da mesa comprida, isto é, no local mais frio, mais distante da lareira. A sociedade republicana centrava-se na igualdade, e Jefferson queria dar demonstrações disso.

Seu discurso para o Congresso pareceu curar as feridas causadas pela eleição acirrada. Na manhã da posse, John Adams deixou a cidade antes do amanhecer – infeliz, desanimado, ainda furioso por sua derrota em uma eleição tão disputada. Jefferson, ao contrário, garantiu a seus rivais que não guardava ressentimentos. "Somos todos republicanos, somos todos federalistas", insistiu, pois realmente esperava que os partidos políticos viessem a desaparecer. Mas as diferenças persistiram. Os federalistas achavam que o presidente *tinha o dever* de andar em uma carruagem esplêndida, para que os norte-americanos comuns sentissem a dignidade e o poder de seu governo nacional. Ao contrário de Jefferson, Alexander Hamilton queria que o governo agisse e fosse visto; não deveria "operar à distância e longe da vista". Os federalistas pressionavam por um exército e uma marinha fortes, ávidos por ver sua nação rivalizar com os países poderosos da Europa.

Jefferson, por outro lado, preferia um governo enxuto, mais parecido com o da velha confederação. Assim que tomou posse, ele reduziu o exército pela metade e manteve apenas uma pequena frota de canhoneiras. O Distrito de Columbia fora recortado das florestas ao norte da Virgínia, e o presidente governou à distância e longe da vista – de quase tudo. Nova York e Filadélfia, onde o Congresso se reunira sob os federalistas, eram cidades vibrantes, com igrejas, teatros, restaurantes e outros lugares públicos. Washington, a nova capital, tinha pouco mais do que uma pista de corrida, onde desordeiros se reuniam para beber e brigar, e um teatro tão pouco sólido que os jovens se infiltravam rastejando por sob o piso e empurrando as tábuas soltas. Na sacada do Senado, uma placa alertava os visitantes a não apoiarem os pés na grade, "já que a sujeira cai sobre a cabeça dos senadores". O arquiteto francês Pierre L'Enfant havia projetado uma malha de grandes ruas e avenidas, que a cidade construiria aos poucos. Mas, por enquanto, tudo que havia eram caminhos lamacentos com pedaços de troncos ainda fincados nas ruas. A Casa do Presidente estava semiacabada, com montes de lixo do lado de fora. Dentro, ainda não se havia construído uma escada para chegar ao segundo andar.

Jefferson estava feliz de governar nessa capital campestre, onde uma floresta de tulipeiros se espalhava pela Colina do

Capitólio. A tarefa do governo, acreditava Jefferson, era meramente impedir seus cidadãos de "prejudicar uns aos outros". Do contrário, deveria deixá-los "livres para regular suas próprias atividades de produção e progresso".

Os federalistas não conseguiam partilhar do otimismo de Jefferson. Eles desconfiavam demais das pessoas comuns para fazer campanhas entusiasmadas em busca de votos. "Deve haver governantes e governados, senhores e servos, ricos e pobres", insistia um federalista, como John Winthrop afirmara dois séculos antes. "A cada dia estou mais convencido de que este mundo norte-americano não é para mim", Hamilton escreveu com tristeza. Três anos depois, ele foi morto em um duelo de pistola com o vice-presidente Aaron Burr, seu arquirrival de Nova York, por insultos que Hamilton supostamente dirigira a Burr. O Partido Federalista minguou e nunca mais retomou o controle do Congresso. Em 1804, Jefferson foi reeleito para um segundo mandato; então, James Madison o sucedeu como presidente durante oito anos. Os federalistas só sobreviveram por tanto tempo porque os norte-americanos estavam novamente divididos quanto a uma nova guerra na Europa. A França e a Grã-Bretanha, que vinham se enfrentando intermitentemente havia mais de cem anos, estavam em guerra outra vez em um último esforço por se tornar a potência dominante na Europa.

Na França, os líderes da Revolução haviam sido substituídos por um general ambicioso chamado Napoleão Bonaparte. Durante as guerras anteriores, Napoleão, no comando do exército francês, invadira a Itália, a Áustria e o Egito. Então regressou a Paris e, em pouco tempo, se autoproclamou imperador do povo francês. Quando a Grã-Bretanha e a França retomaram a guerra, ambos os países voltaram a capturar navios norte-americanos que comerciavam com seu adversário. Os mercadores da Nova Inglaterra foram duramente atingidos por essas incursões – mais de oitocentos navios foram tomados. Mas também os marinheiros comuns, pois com frequência os capitães britânicos paravam embarcações norte-americanas e levavam os marinheiros à força, alegando que eram britânicos foragidos da marinha. De fato, milhares haviam fugido, mas muitos outros marinheiros levados à força eram norte-americanos, oprimidos por uma marinha estrangeira que estava desesperada para tripular seus navios de combate.

Jefferson achou que tinha uma forma pacífica de parar esses ataques. Ele persuadiu o Congresso a proibir todo o comércio com a França e a Inglaterra. Esse embargo, como foi chamado, pretendia punir as nações que estavam aceitando produtos norte-americanos. Mas acabou prejudicando mais os norte-americanos do que os britânicos ou os franceses. Então, depois de um ano, o Congresso revogou o embargo, e o comércio foi retomado. Tentando uma estratégia diferente, o novo presidente, Madison, anunciou que, se a França ou a Grã-Bretanha parassem de atacar navios norte-americanos, os Estados Unidos suspenderiam o comércio com o outro lado. Napoleão prometeu parar – e Madison prontamente proibiu o comércio com a Grã-Bretanha. Mas Napoleão foi mais astuto do que o presidente, permitindo que navios franceses continuassem a capturar navios norte-americanos de todo modo. E a Grã-Bretanha, ainda mais furiosa com os Estados Unidos, intensificou seus ataques.

Seria de se imaginar que os mercadores da Nova Inglaterra clamariam por uma guerra contra a Grã-Bretanha, já que era o seu comércio que estava sendo prejudicado. Mas os mercadores sabiam que a guerra só pioraria as coisas. O chamado para o combate veio, em vez disso, de uma nova geração de republicanos no Sul e no Oeste. Chamados "falcões da guerra", esses jovens membros do Congresso reclamaram que a Grã-Bretanha não respeitava a independência dos Estados Unidos. Eles pressionaram Madison e continuaram pressionando até que ele finalmente declarou guerra, em junho de 1812. Recluso em Monticello, Jefferson previu que poderia conquistar facilmente o Canadá britânico. Era "uma mera questão de marchar", escreveu.

Mas a guerra é sempre mais custosa e letal do que os falcões do mundo preveem. As pequenas canhoneiras republicanas não foram páreo para a marinha britânica. Quanto a invadir o Canadá, um general norte-americano entregou seu exército antes mesmo de dar um tiro; outros membros de milícias simplesmente se recusaram a atravessar a fronteira. Navios norte-americanos nos Grandes Lagos venceram várias batalhas acirradas, mas essas vitórias foram anuladas por um ataque britânico a Baltimore e Washington, que forçou o presidente Madison e sua esposa, Dolley, a fugirem da Mansão Presidencial quando estavam prestes a se sentar para jantar. Os britânicos não só fizeram uma boa refeição como tocaram fogo na mansão antes de ir embora.

Esse constrangimento foi compensado por uma vitória impressionante dos norte-americanos em Nova Orleans, em janeiro de 1815. Embora os britânicos tivessem finalmente derrotado Napoleão na Europa, eles agora enfrentavam um general igualmente agressivo do interior do Tennessee, Andrew Jackson. Jackson já havia derrotado indígenas aliados da Grã-Bretanha no Oeste e então seguira combatendo rumo à Flórida espanhola (contrariando as ordens do presidente Madison). Em Nova Orleans, ele repeliu os britânicos com um exército que incluía homens da fronteira entre o Kentucky e o Tennessee, várias companhias de afro-americanos livres de Nova Orleans, um bando de índios choctaws e um bando de piratas reunido por seu líder ardiloso, Jean Lafitte.

As notícias sobre a vitória de Jackson chegaram a Washington ao mesmo tempo em que uma delegação de federalistas chegava para protestar contra a "Guerra do Sr. Madison". Para os federalistas, o momento não poderia ter sido pior. Eles haviam reconquistado parte de seu poder na Nova Inglaterra, onde a guerra era impopular. Mas a vitória de Jackson empolgou a maioria dos norte-americanos, e, de todo modo, diplomatas britânicos e norte-americanos na Europa haviam assinado um tratado mesmo antes da batalha de Nova Orleans. Notícias sobre a paz só chegaram à Louisiana depois da vitória de Jackson. Com a Grã-Bretanha já não combatendo os Estados Unidos e Napoleão derrotado, a Europa entrou em um século de relativa calmaria. Durante anos, os Estados Unidos não se envolveriam em assuntos europeus. Poderiam voltar sua atenção para o vasto continente norte-americano, onde já havia muita coisa a considerar.

Os norte-americanos não ganharam nenhum território com a guerra de 1812, mas uma década antes Jefferson havia conseguido dobrar o tamanho do país sem um único tiro. Ele realizou isso porque Napoleão, então distraído com a guerra na Europa, propusera vender a Louisiana francesa para os norte-americanos por 15 milhões de dólares. Mesmo antes de fechar o negócio, o presidente organizou uma expedição exploratória pela região, a ser liderada por seu secretário pessoal, o capitão Meriwether Lewis, e outro oficial do exército, William Clark.

Em 1803, essas eram terras turbulentas para se atravessar. Desde 1775, grande parte da América do Norte era assolada por uma epidemia de varíola que matou cerca de 130 mil franceses, britânicos, espanhóis e índios. (Compare esse número com os 8 mil soldados que morreram lutando na Revolução durante o mesmo período.) Além disso, as batalhas durante a Guerra dos Sete Anos e a Revolução Americana arrancaram muitos povos nativos de suas terras, forçando-os a se mudar.

Durante três anos, Lewis e Clark lideraram o "Corpo de Descobrimento", que subiu o rio Missouri de barco, atravessou as Montanhas Rochosas, desceu o rio Columbia até o oceano Pacífico – e então voltou para casa. No caminho, desenharam 140 mapas e encontraram duas dúzias de nações indígenas. Lewis coletou espécimes de tudo, de ratos e lagartos chifrudos a cobras-touro, cães-da-pradaria e pelicanos, enviando muitos deles para Jefferson. A expedição só perdeu um membro pelo caminho, de apendicite. Evitou ser arrastada para batalhas com índios hostis e teve o bom senso de buscar conselho de povos amistosos. Uma mulher shoshone, Sacagawea, se mostrou especialmente útil quando se uniu à expedição junto com o marido, Toussaint Charbonneau, um comerciante de peles.

Para um presidente que preferia uma república modesta e uma capital longe da vista, comprar a Louisiana foi, talvez, uma das coisas mais estranhas que Jefferson poderia ter feito. Para entender o motivo, coloque-se por um instante ao lado de Lewis e Clark na Idaho de nossos dias, onde, na época, Clark fez um discurso para os índios tushepaws. Suas palavras foram traduzidas primeiro para o francês, que Toussaint Charbonneau falava, e então Charbonneau traduziu o discurso para o minataree, um idioma que ele aprendera vivendo às margens do rio Missouri. Sacagawea entendia minataree, pois fora feita prisioneira por esse povo; mas ela crescera mais a oeste, e por isso pôde traduzir do minataree para o shoshone. Então, um garoto tushepaw, que entendia shoshone, traduziu o discurso de Clark para o idioma de seu próprio povo. Do inglês para o francês para o minataree para o shoshone para o tushepaw. O caminho percorrido por esse discurso dá uma pequena ideia da colcha de retalhos de idiomas e culturas que se tornaram parte dos Estados Unidos. E, a esses idiomas e muitos outros, acrescente o holandês ainda falado às margens do rio Hudson, o galês e o alemão falados entre os agricultores da Pensilvânia, o sueco em Delaware, o gálico

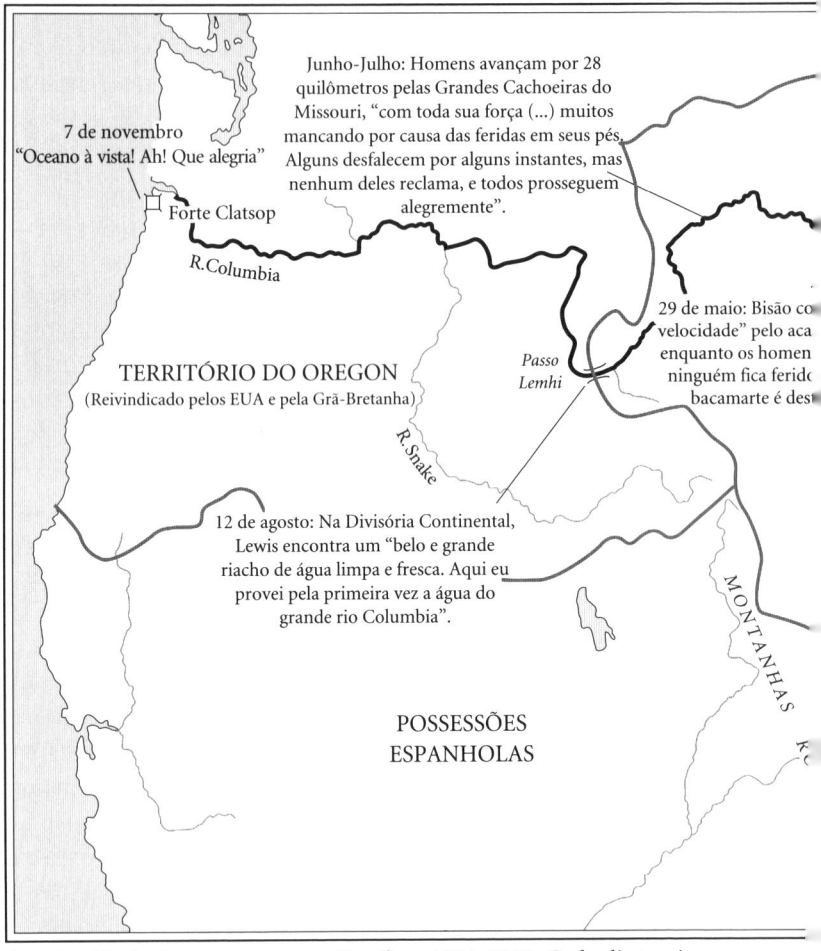

[Mapa: Lewis e Clark chegam ao oceano Pacífico, 1804-1805]

- **7 de novembro**: "Oceano à vista! Ah! Que alegria"
- **Forte Clatsop**
- **R. Columbia**
- **Junho-Julho**: Homens avançam por 28 quilômetros pelas Grandes Cachoeiras do Missouri, "com toda sua força (...) muitos mancando por causa das feridas em seus pés. Alguns desfalecem por alguns instantes, mas nenhum deles reclama, e todos prosseguem alegremente".
- **29 de maio**: Bisão co[m] velocidade" pelo aca[mpamento] enquanto os homen[s] ninguém fica ferid[o] bacamarte é des[...]
- **TERRITÓRIO DO OREGON** (Reivindicado pelos EUA e pela Grã-Bretanha)
- **Passo Lemhi**
- **R. Snake**
- **12 de agosto**: Na Divisória Continental, Lewis encontra um "belo e grande riacho de água limpa e fresca. Aqui eu provei pela primeira vez a água do grande rio Columbia".
- **POSSESSÕES ESPANHOLAS**
- **MONTANHAS R[OCHOSAS]**

Lewis e Clark chegam ao oceano Pacífico, 1804-1805. Cada dia trazia novas surpresas, alegrias, trabalho duro e suspense.

falado por escoceses espalhados pelos Apalaches, e o dialeto gullah usado por afro-americanos na costa da Carolina. Se os republicanos e os federalistas achavam difícil se entender, como uma nação repleta de tantos povos e idiomas e opiniões seria capaz de resolver suas diferenças?

1804-1805: Inverno com os índios mandans.

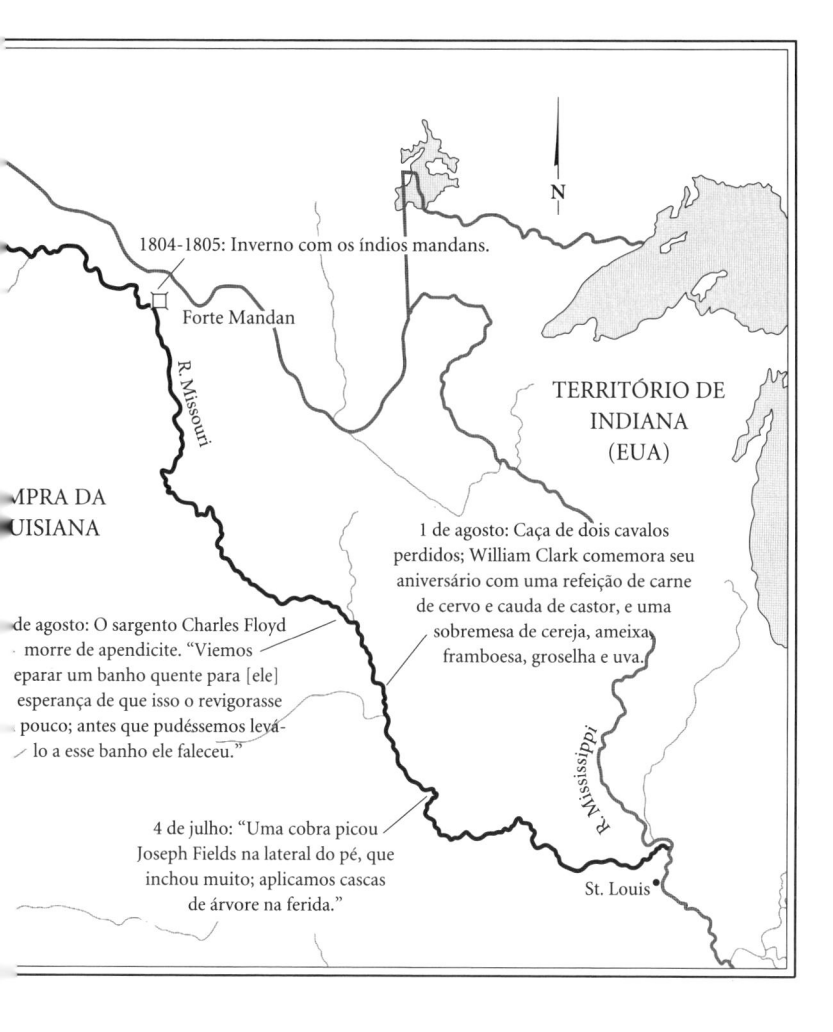

Forte Mandan

R. Missouri

~~PRA DA
~~UISIANA

TERRITÓRIO DE
INDIANA
(EUA)

1 de agosto: Caça de dois cavalos perdidos; William Clark comemora seu aniversário com uma refeição de carne de cervo e cauda de castor, e uma sobremesa de cereja, ameixa, framboesa, groselha e uva.

~~de agosto: O sargento Charles Floyd morre de apendicite. "Viemos ~~eparar um banho quente para [ele] ~~esperança de que isso o revigorasse ~~pouco; antes que pudéssemos levá-lo a esse banho ele faleceu."

4 de julho: "Uma cobra picou Joseph Fields na lateral do pé, que inchou muito; aplicamos cascas de árvore na ferida."

R. Mississippi

St. Louis

Jefferson brincou brevemente com a ideia de que os Estados Unidos poderiam se dividir em duas "confederações: a do Atlântico e a do Mississippi". Mas, na verdade, ele queria que a União se mantivesse, pois havia muito sonhara que os Estados Unidos se tornariam um "império de liberdade", semelhante ao qual nada se vira "desde a Criação". Jefferson acreditava que os ideais democráticos da União a manteriam unida. A verdadeira liberdade daria a cada voz à mesa um peso igual – exatamente do modo como ele jantava em sua velha pensão. "Estou convencido de que nunca houve uma constituição tão bem calculada como a nossa para um império vasto e o autogoverno", ele falou a Madison.

Mas incluir a compra da Louisiana fez com que fosse mais difícil, e não mais fácil, a democracia funcionar e todos encontrarem um lugar à mesa. Das Montanhas Rochosas, olhando para o leste, vendo todas aquelas terras e idiomas, índios e imigrantes, colonos e escravos, não era fácil decidir se Jefferson tinha razão em ser um otimista.

17
HOMEM DO POVO

JOHN ADAMS E THOMAS JEFFERSON morreram, ambos, em 4 de julho de 1826, cinquenta anos depois do dia em que a Declaração da Independência foi proclamada. Àquela altura, uma geração mais antiga havia falecido, e os norte-americanos estavam vivendo em um mundo transformado. O Partido Federalista se fora. E, estranhamente, também o sonho partilhado por todos os fundadores da nação, de que os partidos políticos desapareceriam. Em vez disso, os norte-americanos caíram de joelhos pelos partidos e construíram um novo estilo de democracia baseado nestes.

O último da velha ordem era James Monroe, da Virgínia, que sucedeu Madison como presidente (e também morreu em um 4 de julho, de 1831). Aos 18 anos, Monroe atravessou o Delaware com Washington e foi ferido na batalha logo depois. Alto, magro e de rosto angular, ele foi o último presidente a empoar o cabelo e atá-lo para trás e o último a usar calças que iam até os joelhos, meias brancas compridas e sapatos de fivela. Mas não só a moda estava mudando. As pessoas se comportavam de maneira diferente, com um ar mais democrático – ainda que as mudanças viessem de forma tão gradual que muitos norte-americanos não percebiam.

Os visitantes vindos da Europa notavam. E ficavam impressionados com o fato de que um completo estranho pudesse vir até eles, dar um aperto de mão e começar a fazer perguntas pessoais, como "qual é o meu negócio aqui, e se levo uma pistola comigo; e também se não considero propício jogar cartas aos domingos". Os europeus comuns só falavam com seus "*betters*" (pessoas de status social superior) se estes falassem com eles. O que é pior, os europeus tinham dificuldade de saber quem, na América, era rico ou pobre. Um simples vendedor de ostras nas ruas da Filadélfia podia usar um casaco elegante, um chapéu lustroso e luvas de pelica. Mesmo que sua vestimenta não fosse tão bem feita quanto a de um cavalheiro, era confeccionada no mesmo estilo. A bordo de um dos novos barcos a vapor que se moviam ruidosamente pelos rios, os europeus ficavam surpresos de não encontrar cabines de primeira classe. "Os ricos e os pobres, os educados e os ignorantes, os corteses e os vulgares, todos se reúnem no piso da cabine, alimentam-se à mesma mesa, sentam-se no colo uns dos outros", um deles reclamou. À mesa de jantar, os norte-americanos se apressavam em encher seus pratos e "enfiavam goela abaixo" grandes quantidades de comida em questão de minutos. Nos teatros, eles se esparramavam na poltrona, colocavam os pés para cima no assento à sua frente e não se davam ao trabalho de tirar o chapéu. Os homens mastigavam tabaco constantemente e cuspiam, ao ar livre ou em recintos fechados. "Um verdadeiro banho de saliva", queixou-se uma inglesa que visitava o país.

Os políticos eram igualmente informais. Na época de Jefferson, a maioria dos que procuravam o ofício eram aristocratas que esperavam que as pessoas comuns os escolhessem para liderar. Nos anos 1830, se um aristocrata concorresse a um cargo, ele tomava o cuidado de agir com humildade. "Se um candidato se vestir como um camponês", confidenciou um membro do Congresso, "ele é bem recebido e lembrado com afeto." Durante a campanha, Davy Crockett, homem de fronteira, não fez discursos formais. Em vez disso, confessou à sua audiência: "Há um instante havia dentro de mim um pedaço de discurso, mas eu achava que não conseguia fazê-lo sair" – o que fez todo mundo "cair na risada". Depois de mais algumas piadas, Davy admitiu que "estava seco como um polvorinho" e convidou todos os presentes a "molhar um pouco o bico" no bar. Seu pobre adversário ficou para trás, discursando para um punhado de ouvintes que restaram.

Durante os primeiros anos da República, somente homens que tivessem propriedades podiam ser candidatos ou mesmo votar. Mas, um por um, os Estados derrubaram esses requerimentos, permitindo que mais norte-americanos comuns fizessem carreira no serviço público. Martin van Buren, de Nova York, seguiu esse caminho. Filho de estalajadeiros na cidade de Kinderhook, onde se falava holandês, o jovem Martin aprendeu inglês como segunda língua. Ele avançou na política ouvindo de maneira educada, planejando com cuidado e construindo uma rede política, os Bucktails, cujos membros lhe eram firmemente leais. Van Buren tinha tanto sucesso em fazer com que as leis fossem aprovadas que foi apelidado "o Pequeno Mágico".

E ele viu o que os fundadores, apesar de toda a sua sabedoria, não viram. Os partidos políticos jamais desapareceriam, e nem deveriam. Os partidos eram "extremamente úteis para o país", insistiu. À medida que competiam ferozmente uns contra os outros, eles defendiam os interesses dos cidadãos comuns. Garantiam que seus rivais se mantivessem honestos observando-os como águias, e se tornaram especialistas em conseguir apoiadores promovendo comícios e desfiles à luz de tochas, desafiando os adversários em jornais e debates públicos, organizando churrascos, promovendo músicas de campanha e servindo bebidas. Seus esforços animaram milhares de cidadãos. Em 1824, apenas um em cada quatro homens elegíveis se ocupava de votar na eleição presidencial. Em 1840, três em cada quatro o faziam.

Nos primórdios, os líderes dos partidos escolhiam candidatos organizando uma reunião particular chamada *caucus*. Mas muitas pessoas começaram a condenar o "rei Caucus", considerando-o uma reunião de bastidores que mantinha de fora os cidadãos comuns. Então, os partidos passaram a organizar convenções políticas para fazer nomeações, o que permitia que mais pessoas participassem. Mas o novo sistema veio tarde demais para a eleição de 1824, quando nada menos que quatro candidatos – todos eles republicanos – concorreram à presidência. Nenhum obteve mais da metade dos votos no Colégio Eleitoral, então o Congresso teve de escolher um vencedor entre os três primeiros, como a Constituição especificava. John Quincy Adams, filho do segundo presidente, saiu vitorioso, embora tivesse ficado em segundo lugar tanto na votação popular quanto no Colégio Eleitoral. Ele ganhou porque Henry Clay, do

Kentucky, o candidato com menos votos, convenceu seus partidários no Congresso a apoiar Adams.

Isso deixou o homem que *havia* ficado em primeiro – o general Andrew Jackson – notadamente irritado. Durante a Guerra de 1812, os soldados de Jackson o apelidaram de Old Hickory ["Velho Castanheiro"], porque ele era duro e inflexível como a árvore. Em 1824, a maioria dos líderes políticos não o levara a sério. "Um dos homens mais inadequados que conheço" para se tornar presidente, comentou o velho Thomas Jefferson. Jackson se convenceu de que a eleição havia sido roubada por meio de uma "barganha corrupta" entre Adams e Henry Clay, especialmente depois que Adams nomeou Clay seu secretário de Estado. Quatro anos depois, os partidários de Jackson fincaram paus de castanheiro em campanários, distribuíram bengalas e vassouras feitas de castanheiro e votaram em peso em seu candidato. Jackson foi eleito encabeçando um novo partido, o Democrata. Adams e Clay se reorganizaram e renomearam seu partido de Whigs.

Os seguidores de Jackson o chamavam de "o Herói", de "Old Hickory" e de muitos outros apelidos, a maioria contendo *do povo*. O novo presidente era "um homem do povo"; ele defendia "a vontade do povo". Era ídolo do povo, servo do povo. E se comportava como alguém do povo, de uma maneira extraordinária. Os pais de Jackson haviam percorrido a Great Wagon Road da Pensilvânia, da Filadélfia aos Apalaches, a oeste, e depois para o sul, a fim de se estabelecer no interior da Carolina. Lá, o jovem Andrew estudava Direito durante o dia e ia a festas durante a noite. Brigando em bares, gracejando com moças, mudando banheiros externos de lugar durante a madrugada para pregar peças, ele era um "estrondoso galo de briga", recordou um vizinho. Ao se mudar para Nashville, no Tennessee, Jackson foi promotor público e, mais tarde, membro do Congresso. Nesse meio tempo, comprou uma fazenda de algodão e a fez crescer, chegando a usar mão de obra de cem escravos. Em março de 1829, milhares de pessoas compareceram à cerimônia de posse de Jackson, obstruindo as estradas e se apinhando na mansão presidencial, agora conhecida como Casa Branca. Barris de ponche foram derramados, vidros e porcelanas foram quebrados, e cadeiras forradas de cetim foram manchadas por botas lamacentas, já que "o povo" trepava em cada centímetro de espaço para ver seu homem. Ele havia se tornado um símbolo da nova política de igualdade da América.

O que igualdade significava para esses norte-americanos? Não que todas as pessoas fossem igualmente talentosas, igualmente educadas ou igualmente ricas. Nem mesmo que *devessem* ser iguais de tais maneiras. O que mais importava era que cada cidadão tivesse chances iguais de progredir. Ou, como afirmou um norte-americano, "Todo homem será livre para se tornar tão desigual quanto puder". As pessoas não queriam igualdade, mas igualdade de oportunidade.

Ao tentar dar a todos essa oportunidade, Jackson se tornou particularmente desconfiado dos bancos. A maior corporação no país era o Banco dos Estados Unidos, que Alexander Hamilton promovera como sendo necessário para ajudar a economia a funcionar sem percalços. O banco detinha todos os depósitos do governo federal. Emitia papel-moeda e concedia empréstimos. Tudo isso lhe conferia um poder considerável sobre a vida das pessoas. Havia irritado muita gente durante uma crise financeira conhecida como o Pânico de 1819, quando os negócios faliram e as pessoas perderam o emprego ou até mesmo a casa, se não conseguiam pagar a hipoteca. O banco havia tomado tantas casas com hipotecas em atraso que às vezes parecia ser dono de cidades inteiras. Jackson viveu isso na pele. Em certa ocasião, ele próprio quase foi à bancarrota. Quando o Congresso estendeu a vida do banco por mais quinze anos, contra sua vontade, o Old Hickory declarou guerra ao "monstro", como ele o chamava. "O Banco está tentando me matar", disse a seu aliado Martin van Buren, "mas eu o matarei." E foi o que fez, vetando a lei e ordenando que os depósitos federais fossem tirados do banco e colocados em bancos estaduais.

Por um tempo, a prosperidade continuou, mesmo sem o banco. Mas este havia realizado serviços importantes, embora às vezes agisse de maneira arbitrária. Sem sua orientação, a economia finalmente entrou em colapso: o Pânico de 1819 pareceu leve em comparação com o de 1837. Na época, Jackson já não era presidente. Martin van Buren o sucedeu e, infelizmente para o Pequeno Mágico, o povo lhe deu um novo apelido: Martin van Ruin [de "ruína"].

Uma estranha lição pode ser aprendida aqui. Ao derrotar o Banco Monstro, Jackson havia realizado o desejo do povo. E ele e o povo, como se veio a mostrar, não entendiam a importância do banco. Mas uma democracia não acontece porque as pessoas estão sempre certas. Todo governo está fadado a errar às vezes. A diferença é que reis ou tiranos podem ignorar seus erros, pois não devem satisfação a ninguém. Uma democracia acontece porque, quando se cometem erros, as pessoas os sentem e têm o poder de corrigi-los. Isso foi feito na eleição de 1840, quando o candidato whig para presidente, William Henry Harrison, massacrou o democrata, o pobre Van Ruin. Nesse sentido, o sistema funcionou. As pessoas corrigiram seus próprios erros nas urnas.

Mas o novo estilo de democracia da América continha um defeito mais profundo, um que não podia ser corrigido tão facilmente. Embora todo norte-americano devesse ter igual oportunidade de prosperar, na realidade grandes parcelas da população foram deixadas de fora do sistema. As mulheres não podiam votar. A maioria dos afro-americanos, fossem livres ou escravos, também não. Quanto aos índios, seus direitos e desejos foram quase que totalmente ignorados.

Os nativos norte-americanos ainda controlavam grande parte da América do Norte em 1820. Mesmo ao leste do rio Mississippi, bem mais de 100 mil índios viviam em suas próprias terras. Destes, muitos ainda caçavam, pescavam e cultivavam milho, mas outros haviam adotado por completo os costumes dos brancos. Viajando pela Geórgia, você poderia conhecer um chefe indígena creek chamado não Little Turtle nem Wingina, mas William McIntosh. Seu pai era um comerciante escocês, sua mãe, uma creek. Embora McIntosh vestisse mocassim e calça indígena, ele usava camisa com rufo e gravata preta, como um branco usaria. Era dono de uma fazenda e de escravos que trabalhavam nela. Lutou ao lado de Andrew Jackson durante a Guerra de 1812, contra outros índios.

Nenhum desses índios, independente de seu nome ou costume, tinha igual oportunidade na nova democracia. A própria fazenda de Andrew Jackson fora extraída de terras indígenas, e o próprio Jackson liderara a tomada dessas terras durante a Guerra de 1812. Quando terminou de forçar os índios a assinar tratados, ele foi pessoalmente responsável por acrescentar um terço do Tennessee, três quartos da Flórida e do Alabama e um quinto da Geórgia e de Mississippi aos Estados Unidos. Como presidente, ele propôs que os índios remanescentes vivendo a leste do Mississippi se mudassem para as terras do outro lado do rio, onde hoje fica o estado de Oklahoma. Alguns índios pegaram em armas para resistir; foram contidos por força militar. A nação cherokee, que tinha sua própria constituição escrita, tentou se proteger usando a lei norte--americana. Levou o Estado da Geórgia ao tribunal quando este a privou de seus direitos e de suas leis cherokees; e a Suprema Corte ficou do lado dos cherokees. Mas Jackson simplesmente ignorou a decisão da corte. Cerca de 15 mil índios foram forçados a sair de suas terras, alguns sob a mira de baioneta, e a marchar centenas de quilômetros por uma "Trilha de Lágrimas" até suas novas "reservas" – terra designada para eles. Muitas vezes despojados de seus cavalos, roupas de cama e utensílios de cozinha, e caminhando descalços em pleno inverno usando apenas roupas de verão, mais de 3 mil índios morreram no caminho.

Em sua batalha mais ousada como presidente, Jackson enfrentou o estado da Carolina do Sul. Lá, fazendeiros abastados protestaram contra as tarifas que o Congresso impôs sobre produtos manufaturados importados pelos Estados Unidos. As tarifas causaram um aumento no preço que os fazendeiros pagavam por tais produtos. Os fabricantes do Norte, por outro lado, gostaram das tarifas porque elas tornavam possível vender produtos similares de fabricação norte-americana por um preço mais barato. A Carolina do Sul ficou furiosa a ponto de realizar uma convenção especial, proclamando que qualquer Estado na União poderia anular uma lei que considerasse inconstitucional. A Carolina do Sul não só declarou que não arrecadaria a tarifa como também insistiu que, se a lei não fosse rechaçada pelo Congresso, o Estado tinha todo o direito de se separar, ou se retirar, da União.

Jackson era um grande fazendeiro sulista; portanto, seria de se esperar que apoiasse a Carolina do Sul. Mas ele recebeu a ameaça como um insulto pessoal. Fora eleito pelo povo para aplicar leis federais, e a Carolina do Sul não podia escolher quais leis queria obedecer! E tampouco podia se separar sem a permissão dos outros Estados. A União era "perpétua", alertou o Old Hickory, e, se a Carolina do Sul tentasse resistir à sua autoridade pela força, ele iria *"enforcar o primeiro de seus homens"* em que conseguisse *"colocar as mãos, na primeira árvore"* que encontrasse.

Nesse confronto, a Carolina do Sul pestanejou. Desistiu da ideia de revogar a lei, embora, nos anos seguintes, tenha continuado a considerar a secessão. Jackson tinha um pressentimento de que a Carolina do Sul realmente queria a "desunião", como contou a um amigo. Queria começar sua própria "confederação do Sul". A disputa em torno da tarifa era apenas uma desculpa. "O próximo pretexto serão os negros, ou a questão da escravidão", ele previu. Se os Estados do Norte conseguiam convencer o Congresso a aprovar tarifas, o que os impediria de interferir na escravidão?

Em um capítulo anterior, falei sobre as histórias interligadas de igualdade e desigualdade – como essas forças pareciam ser parceiros de dança pouco à vontade. Enquanto a crença na igualdade e na liberdade se disseminava no século XVIII, se disseminava também a escravidão. O mesmo se pode dizer sobre a nova política durante a época de Jackson. A maioria dos norte-americanos brancos esperavam ser tratados com igualdade, de maneiras que escandalizaram os europeus. Mas os direitos iguais dos índios foram ignorados. E os afro-americanos – fossem livres ou escravos – eram tratados de maneira mais cruel. Os norte-americanos brancos no Norte e no Sul afirmavam que a raça africana era naturalmente inferior e jamais poderia ser igual.

A dança entre escravidão e liberdade não havia acabado; só estava se tornando mais frenética. Havia uma razão para isso, como veremos no próximo capítulo.

18
Reinos de algodão

O AFLUXO DE PURITANOS QUE NAVEGARAM em direção à baía de Massachusetts veio a ser conhecido como a Grande Migração, enquanto, ao mesmo tempo, outros milhares de colonos iam atrás do tabaco na Virgínia. Mas cada uma dessas migrações não teve um décimo do tamanho da corrida por territórios depois da Guerra de 1812. Seria possível ver a enxurrada de colonos pela trilha Natchez, um caminho indígena que serpenteava desde Nashville rumo ao Sul, atravessando o Tennessee, o Alabama e o Mississippi. Os migrantes caminhavam, cavalgavam ou conduziam carroças, atravessando florestas densas, contornando pântanos de ciprestes, entrando e saindo de canaviais. Alguns eram habitantes da Virgínia cujos campos de tabaco haviam se esgotado; a maioria eram escoceses-irlandeses vindos das colinas dos Apalaches. Dezenas de milhares de escravos eram atados uns aos outros por jugos, vigiados por homens com armas e chicotes: "uma cavalgada deplorável", relatou um viajante, "obrigando mulheres seminuas e homens acorrentados a marchar". À noite, os prisioneiros eram arrebanhados em cercados ao ar livre ao lado de alojamentos rústicos conhecidos como "*stands*". Seus senhores e outros viajantes dormiam no alojamento, chegando a cinquenta homens amontoados em um quarto para passar a noite. Uma única palavra explicava essa arremetida de ricos e pobres, fazendeiros e agricultores, especuladores e escravos: *algodão*.

Durante séculos, os humanos fiaram as fibras brancas da planta e usaram os fios para tecer. Mas separar as sementes era um trabalho difícil e tedioso. Nos anos 1770, foi inventada uma máquina simples que limpava até vinte quilos de algodão por dia. Esse número saltou para mais de mil quilos por dia depois de 1793, graças às novas descaroçadoras de algodão fabricadas por Eli Whitney, de Connecticut, e outros inventores. De súbito, dois trabalhadores eram capazes de limpar cinquenta vezes mais algodão do que antes.

Observe: os agricultores na Carolina do Sul colhiam cerca de 140 quilos de algodão para cada acre que plantavam. Mas, várias centenas de quilômetros ao sul pela trilha Natchez, as condições eram totalmente diferentes. Os milhões de acres dos quais Andrew Jackson forçou os índios a abrir mão incluíam um solo tão escuro e fértil que a região ficou conhecida como Cinturão Negro. A terra produzia de 360 a 450 quilos de algodão por acre. Foi um novo *boom*. A população do Mississippi e da Louisiana dobrou entre 1810 e 1820; a do Alabama se multiplicou por doze.

E o Sul continuou crescendo: pessoas "afluíam em uma onda incessante" nos anos 1830; casas se erguiam "como que por mágica"; campos eram limpos e sementes, plantadas. Nem tudo era algodão. As plantações de arroz continuaram a florescer pela costa pantanosa da Carolina do Sul, da Geórgia e da Louisiana; na Louisiana também se cultivava cana-de-açúcar. No chamado Upper South (os estados sulistas mais ao norte), ainda se plantava tabaco, além de trigo e cânhamo. Mas o algodão era a próxima grande novidade. Em 1860, tantos campos haviam sido cultivados que três quartos do suprimento de algodão do mundo inteiro vinham do Sul. Navios a vapor paravam para carregar os fardos pesados em praticamente todo meandro de rio – as pilhas eram tão altas, e tão carregados os navios, que a água chegava a chapinhar na balaustrada. "O algodão é rei!", gabou-se o senador James Hammond, da Carolina do Sul. De fato: o algodão era rei, e o Sul era seu reino.

Era uma região repleta de contrastes gritantes. Pronuncie as palavras "Old South" ("velho sul") e imediatamente um grande fazendeiro como o coronel Daniel Jordan vem à mente. Jordan era senhor de 261 escravos em sua propriedade, Laurel Hill, na Carolina do Sul. Nos dias agradáveis, o coronel podia caminhar por seu gramado cercado de carvalho e pegar um barco para jantar à beira do rio Waccamaw no clube de pesca Hot and Hot. Truta, brema e perca eram servidas com *mint julep* – ou talvez com uma bebida ainda mais notável na época, um copo de água cintilando com gelo. (A geladeira ainda não havia sido inventada, mas os ianques da Nova Inglaterra serravam blocos congelados de seus lagos de inverno, embalavam o gelo em serragem e enviavam de navio para o sul, onde era armazenado em refrigeradores subterrâneos.)

Mas, de 8 milhões de sulistas brancos, apenas 2 mil eram ricos o bastante para possuir mais de cem escravos. (Andrew Jackson, homem do povo, era um desses poucos.) Em contraste com as mansões com colunas gregas ostentadas pelos "nababos", como era chamados os grandes fazendeiros, em muitas das fazendas mais novas havia apenas casas térreas de madeira não pintada. Às vezes, não tinham nem mesmo janelas de vidro, o que significava que mosquitos, moscas e outros insetos podiam fazer das noites de sono um verdadeiro pesadelo. E, embora o *boom* do algodão tenha trazido centenas de milhares de escravos ao novo território, três quartos das famílias brancas do Sul não possuíam nenhum. Esses pequenos fazendeiros eram mais como Ferdinand Steel de Granada, no Mississippi, que plantava basicamente milho e apenas o suficiente de algodão para vender a fim de que sua família pudesse comprar um pouco de açúcar e café, pólvora e balas, e quinino – medicamento usado para tratar a malária, tão comum por aquelas bandas.

Embora apenas uma em cada quatro famílias brancas tivesse escravos, a escravidão estava no cerne da vida e da economia do sul. Durante a Revolução, os Estados do Norte haviam começado a abolir a instituição. Vermont foi o primeiro, em 1777. Alguns anos depois, uma escrava de Massachusetts chamada Mum Bett (Mãe Betty) entrou com um processo judicial por sua liberdade após descobrir que a constituição do Estado proclamava que "todos os homens são criados livres e iguais". Ela ganhou a causa e isso levou à libertação de todos os afro-americanos em Massachusetts. Enquanto a escravidão diminuía no Norte, crescia exponencialmente no Sul, ficando conhecida como a "instituição peculiar" – porque agora era algo que dividia a região.

Em que medida a escravidão moldava o Sul? Para um terço de sua população – os próprios escravos –, isso era fácil de responder. A escravidão os forçava a tomar decisões difíceis de sol a sol. Quando o sino da fazenda tilintava às 3h30 da manhã, muito antes de o sol nascer, você se levantaria para trabalhar, sabendo que não voltaria para seu alojamento antes das 21h? Ou estaria tão exausto que dormiria até mais tarde e seria fustigado com vinte chicotadas? Talvez decidisse fugir, mesmo sabendo que o caçador soltaria os cachorros atrás de você. Foi o que fez Octave Johnson – para os pântanos da Louisiana, onde sobreviveu durante mais de um ano com outros sessenta fugitivos. Talvez, como Susan Hamlin, você se levantasse certa manhã para ver os filhos de sua amiga serem vendidos a um novo dono que vivia a centenas de quilômetros de distância. "Dava para ouvir homens e mulheres gritando a plenos pulmões quando uma mãe, um pai, uma irmã ou um irmão eram levados sem aviso prévio." Você era considerado inteligente o bastante para que seu senhor o nomeasse capataz, para administrar o trabalho de outros escravos? Nesse caso, você desempenharia sua função fielmente? Ou decidiria se apiedar dos outros escravos e, às vezes, fazer vista grossa quando eles diminuíssem o ritmo em seu trabalho exaustivo? Talvez você concluísse que a escravidão é tão cruel que Deus o convocou para acabar com ela. Nat Turner, da Virgínia, teve visões religiosas que o convenceram a fazer justiça com as próprias mãos. Em 1831, ele liderou um bando de setenta escravos que mataram 57 homens, mulheres e crianças brancos antes de serem capturados e enforcados. Dia após dia, as pessoas escravizadas tinham de decidir o que achavam da escravidão: até que ponto aceitá-la e o quanto resistir.

Os fazendeiros também tomavam suas decisões diárias. Quanto explorar sua "propriedade" humana? Você evita as punições mais severas, na esperança de que seus escravos sejam mais leais? Ou contrata um capataz imparcial que é rápido no chicote? Se você é cristão, permite que seus escravos frequentem a igreja? Se um casal quer se casar, você lhes concede uma cerimônia de casamento? (A maioria dos senhores não concedia.) Você deixa seus escravos aprenderem a ler? Os Estados escravocratas tornaram isso ilegal. Afinal, "não haveria como manter" um escravo que soubesse ler, como observou um senhor. "Ser um escravo seria eternamente inapropriado para ele." Como se revelou, esse senhor tinha razão, pois um de seus escravos mais inteligentes aprendeu a ler apesar de suas ordens e escapou para o Norte, onde se tornou um reconhecido guerreiro contra a escravidão. Esse homem foi Frederick Douglass.

Como essas questões demonstram, mesmo um senhor que quisesse tratar seus escravos com amabilidade nunca podia confiar plenamente neles, assim como os escravos nunca podiam confiar que seus senhores iriam "fazer o certo" por eles. Considere o caso do fazendeiro cujo testamento determinava que seus escravos fossem libertados depois que ele e a esposa morressem. Um compromisso viável? Não para a esposa. Depois da morte do marido, ela ficou apavorada temendo que um dos escravos a matasse, pois assim todos os outros escravos da fazenda estariam livres. Então, ela libertou a todos imediatamente. Seu nome era Martha Washington: foi o primeiro presidente que, ao escrever um testamento que libertava os escravos, tentou fazer a coisa certa por sua esposa e por eles.

Mesmo os sulistas que não possuíam escravos tinham de tomar decisões. Ao ver um escravo foragido, você o delataria? Se achasse que a escravidão é errada, ousaria expressar sua opinião? De fato, a maioria dos sulistas brancos e pobres acreditava que a escravidão deveria continuar. "Suponhamos que eles fossem livres", explicou um camponês pobre. "Todos eles achariam que são tão bons quanto nós." Um sulista branco e pobre talvez se ressentisse dos fazendeiros ricos como o coronel Jordan. Mas até mesmo os mais humildes podiam encontrar conforto no fato de que pelo menos eram livres.

O Norte, é claro, era uma terra fria demais para o cultivo do algodão. Havia se livrado da escravidão. Seu povo se expressava abertamente a favor da igualdade. Não era nem um pouco parecido com o Sul. Bem – que agradável que os habitantes do Norte acreditassem nisso! E que noção absolutamente equivocada. Pois cresceram, nos Estados Unidos, não um reino do algodão, mas dois. O reino do Sul se estendia por quilômetros e quilômetros ao longo do Cinturão Negro. O reino do Norte ficava entre quatro paredes, onde as correias – os únicos cinturões negros em vista – zuniam ao gerar energia para os teares que produziam fios brancos. Nenhum dos dois reinos podia sobreviver sem o outro. Enquanto o Sul colhia algodão, o Norte o fiava e tecia.

Os habitantes do norte tinham de trabalhar energicamente para fazer esse reino crescer. Os ianques sempre batalharam para garantir seu sustento, com seus campos rochosos e invernos gelados. Quem, senão um ianque, pensaria em coletar gelo que ninguém usava – e aproveitar a serragem desprezada nos depósitos de madeira para embalá-lo e enviá-lo para o Sul? Na época de James Madison, os ianques observaram os fazendeiros no Sul enviarem seus fardos de algodão para os fabricantes têxteis na Grã-Bretanha. Se ao menos os habitantes da Nova Inglaterra pudessem construir as mesmas máquinas inteligentes que transformavam esses fardos em tecido e os fabricantes de tecido em homens ricos! Mas os britânicos sabiam o valor de suas máquinas. O Parlamento aprovou leis proibindo qualquer pessoa de levar os projetos das máquinas para fora do país. Em toda a Grã-Bretanha, uma série de invenções estavam mudando o modo como as pessoas trabalhavam – tanto que nos referimos a essas mudanças como a Revolução Industrial. Em vez de uma pessoa fiar algodão ou lã em um tear caseiro, as fiandeiras mecânicas – chamadas "*spinning jennies*" – produziam cem fios de uma vez, operadas por trabalhadores em um grande edifício chamado fábrica. ("Jenny" provavelmente era mais um apelido para "*engine*" – "máquina", em inglês.) Os teares mecânicos ingleses transformavam os fios de algodão em tecido.

Então, em 1810, um mercador de Boston chamado Francis Lowell empreendeu uma viagem de dois anos à Inglaterra e à Escócia, visitando fábricas e estudando as máquinas para ver como funcionavam. Quando foi embora, oficiais britânicos, desconfiados, vasculharam sua bagagem – duas vezes – em busca de projetos, mas toda a informação de que Lowell necessitava estava em sua cabeça. Ele logo ergueu uma fábrica à beira do rio Charles, em Boston. Depois que Lowell morreu, seus sócios criaram uma vila operária totalmente nova e a batizaram com seu nome, à margem do rio Merrimac, no norte de Boston.

Cada uma das novas fábricas reuniu as muitas etapas de fabricar tecidos sob um único teto: de cardar e pentear (o que tornava mais fácil a fiação) a fiar e tecer o algodão. O ruído podia ser ensurdecedor: "milhares de carretéis e engrenagens girando, os pedais voando, os teares matraqueando, e centenas de moças inspecionando o maquinário que zumbia e chocalhava", lembrou uma operária.

Os proprietários contratavam essas "*mill girls*" (operárias) da zona rural próxima. Jovens e solteiras, elas geralmente estavam cansadas da vida isolada e campesina nas fazendas. As tecelagens pagavam um salário razoável e abrigavam as operárias em dormitórios onde uma mulher mais velha tomava conta delas. Na agitada Lowell, as moças podiam assistir a palestras, usar a biblioteca local e até mesmo ajudar a publicar seu próprio jornal, o *Lowell Offering*. Quando os pais de Sally Rice perguntaram se ela queria voltar para a fazenda, ela respondeu: "Preciso ter algo meu... E como vou conseguir isso se for para casa e não ganhar nada?".

Embora, no início, muitas operárias considerassem o trabalho na fábrica desafiador ou mesmo divertido, "quando você faz a mesma coisa vinte vezes – cem vezes por dia, é tão monótono!", uma delas reclamou. Outra confessou que, quando fazia frio, "muitas vezes eu não conseguia sentir o fio, de tão gelados que ficavam meus dedos". Os dias curtos do inverno também significavam que o trabalho começava e terminava no escuro. Então, cada fábrica acendia várias centenas de lamparinas à base de óleo de baleia. De fora, as janelas iluminadas produziam uma cena aconchegante, mas do lado de dentro a fumaça poluía o ar e sujava o espaço de trabalho com fio de algodão, óleo e poeira.

Assim como o *boom* do algodão no Sul determinou a vida dos escravos, a Revolução Industrial afetou diretamente as operárias do Norte. Mas o algodão também transformou a vida de milhões de norte-americanos: por meio das roupas que usavam. Um trabalhador comum podia comprar uma calça e um casaco decentes agora que os ternos manufaturados vinham em tamanhos prontos para vestir, a preços mais baixos. Já não havia necessidade de pagar um alfaiate caro para costurar suas roupas sob medida, como faziam os senhores distintos. "Todas as variedades de tecidos de algodão são hoje tão baratas que agora ninguém tem desculpas para não estar bem provido", explicava uma revista. Tornaram-se populares as colchas de retalhos, que hoje consideramos criações esquisitas e ultrapassadas. De fato, elas eram um sinal do reino do algodão moderno. Para montar uma colcha com retalhos e estampas chamativas, você precisava de camisas e vestidos velhos, ou outro tecido, para cortar. Somente quando as fábricas começaram a fazer tantos produtos de algodão é que mães e filhas conseguiram montar essas colchas.

Então, no Norte e no Sul os reinos de algodão cresceram. Milhares de pessoas avançaram para o oeste, as fábricas se multiplicaram e a escravidão floresceu. O mundo havia mudado muito desde que George Washington escrevera seu testamento; e ele teria ficado perturbado se tivesse visto as mudanças. Em 1798, um ano antes de sua morte, Washington confessou um de seus maiores temores para a República. "Posso prever claramente que somente arrancando a escravidão pela raiz poderemos perpetuar a existência da nossa união, consolidando-a em um vínculo de princípio comum". O rei algodão tornou esse futuro muito mais difícil de se imaginar – tanto no Norte quanto no Sul. Pois embora a maioria dos habitantes do Norte desaprovasse a escravidão, eles não estavam dispostos a tratar os afro-americanos como iguais. Mum Bett e outros negros do Norte podem ter feito avanços ao lutar por seus direitos como cidadãos, mas não conseguiram obter o respeito absoluto ou a igualdade absoluta. Tinham uma vida segregada dos brancos, ainda mais do que no Sul.

Nem todos os norte-americanos eram cegos para esses problemas. Nas mesmas décadas em que as plantações de algodão e as fábricas têxteis continuavam a se espalhar, alguns cidadãos sonhavam com maneiras de tornar os Estados Unidos uma união mais livre e mais perfeita.

19

Consumidos pelo fogo

A OPERÁRIA ESTAVA TRABALHANDO na sala de tecelagem quando o viu; e imediatamente seu coração começou a acelerar. Ela sabia quem ele era. E a maioria das operárias na sala também sabia, embora nunca o tivessem visto até a noite anterior. Um homem bonito em seus trinta anos, mais de um metro e oitenta de altura, ele tinha um rosto extremamente solene e olhos que não perdiam nada. O próprio dono da tecelagem, o sr. Walcott, o escoltava. A moça tentou prestar atenção em seu trabalho, pois um dos fios no tear havia arrebentado, mas suas mãos tremiam inutilmente. Quando o homem estava a três metros de distância, em vez de olhar para o maquinário, fixou os olhos diretamente *nela*, detendo seu olhar de tal maneira sagrada e terrível que ela irrompeu em lágrimas, incapaz de se controlar. De repente, o silêncio de vozes na sala era mais ensurdecedor do que o barulho das máquinas. Outra moça desabou, depois outra, e outra. O primeiro choro foi como um fósforo aceso em um barril de pólvora.

Walcott Mills, no Estado de Nova York, era uma das muitas fábricas de algodão brotando no nordeste. Ao mesmo tempo em que os sulistas avançavam para o oeste pela trilha Natchez, os habitantes da Nova Inglaterra afluíam em Nova York e na Pensilvânia e prosseguiam para Ohio e além. O novo canal Erie, que passava perto da Walcott Mills, facilitava a viagem e o comércio. Antes de o Erie ser escavado, o canal mais longo dos Estados Unidos tinha apenas 45 quilômetros de extensão. Em 1826, as águas do Erie se estendiam por 580 quilômetros, de Albany, no rio Hudson, a Buffalo, no lago Erie. Enquanto isso, a máquina a vapor – outra invenção da Revolução Industrial – melhorava o transporte nos rios. Os novos barcos a vapor de casco largo levavam bem mais de cem pessoas e cem toneladas de carga. Grandes demais para os canais, cujos barcos eram rebocados por cavalos, os barcos a vapor transportavam produtos não só rio abaixo como também rio acima, contra a correnteza. As fábricas têxteis começaram a usar motores a vapor em suas máquinas, também.

Nessa manhã de 1826, a maioria das operárias em Walcott Mills estavam tão abaladas que o dono parou as máquinas e deixou o visitante falar. Seu nome era Charles Grandison Finney, e ele estava lá em uma cruzada para reviver a religião. Como George Whitefield durante o Grande Despertar, Finney pregava de cidade em cidade. (Na noite anterior, na escola do vilarejo, muitas operárias tinham ouvido seu alerta de que precisavam mudar de vida.) Como Jonathan Edwards antes dele, Finney esperava que esses despertares religiosos se espalhassem pela América, trazendo o milênio de paz e prosperidade previsto na Bíblia. Mas ele não se contentava em seguir velhos caminhos. "O que os políticos fazem?", Finney perguntou. "Eles organizam reuniões, distribuem folhetos e panfletos, escrevendo apaixonadamente nos jornais (...) tudo para chamar atenção para sua causa." Finney estava determinado a espalhar a palavra de Deus discursando de maneira igualmente ruidosa.

Seu maior avivamento veio em Rochester, Nova York, a primeira cidade à margem do canal a ter um crescimento rápido. Os agricultores traziam seu trigo para Rochester, onde era carregado em elevadores engenhosos que o içavam até os andares superiores dos moinhos em grandes baldes, e então era limpo, separado e transformado em farinha à medida que descia pelas canaletas. De volta ao andar térreo do moinho, era colocado em barris e enviado pelo canal até a cidade de Nova York. Os operários não eram tão ordenados quanto as máquinas. Depois de uma jornada de trabalho longa e árdua, muitos corriam ao teatro, jogavam nas ruas ou bebiam em tavernas, enquanto a noite ecoava com "*assovios, uivos, berros, gritos* e praticamente todo barulho inconveniente que a garganta humana é capaz de produzir", como reclamou um morador.

Os comerciantes esperavam que Finney trouxesse não só santidade como também um pouco de ordem para a cidade, e durante um inverno inteiro ele pregou constantemente. As mulheres iam de porta em porta pregando para os vizinhos; negócios fecharam; escolas encerraram as atividades. Finney dizia aos ouvintes para não ficarem sentados, dóceis como ovelhas, à espera do espírito de Deus – *eles* tinham o poder de acreditar. "Simplesmente façam", proclamou. "Se a igreja cumprir seu dever, o milênio pode chegar a este país em três anos." Finney acreditava que a perfeição era possível, e às vezes parecia que metade da América estava em chamas com ideias de como fazer as coisas melhor e como alcançar a perfeição.

Tantos revivalistas e reformadores percorreram as estradas no oeste de Nova York que a área foi apelidada Burned-Over District ("distrito consumido pelo fogo") por causa de todas as chamas espirituais que começaram ali. Que época para viver à beira do canal Erie! Logo ao sul de Rochester, um jovem chamado Joseph Smith publicou o *Livro de Mórmon*. Joseph havia traduzido um conjunto de tábuas de ouro, falou, que lhe foram apresentadas pelo anjo Morôni. Ele usou um par de lentes mágicas para ler os caracteres "egípcios restaurados". (As lentes eram cristais que pareciam "dois diamantes triangulares polidos", segundo relatou sua mãe.) Smith e seus companheiros mórmons logo se mudaram para o oeste, como tantos outros habitantes da Nova Inglaterra, mas catorze anos depois mais almas fiéis afluíram para Rochester, incentivadas por William Miller, um pregador que previu que o próprio Jesus chegaria em 22 de outubro de 1844, para reunir os santos para o milênio. Os crentes, vestindo "trajes de ascensão" brancos, esperaram por Jesus a noite toda no ponto mais alto da cidade, a colina de Cobbs. Quando amanheceu, eles tiveram que descer, decepcionados.

Quando a Bíblia dizia, "Sê perfeitos", o que significava? Se o milênio chegasse – com ou sem Jesus na colina de Cobbs –, a América se tornaria cristã, não haveria necessidade de partidos políticos e os muitos povos da nação se uniriam em um só. Mas, nesse momento, o sonho de uma comunidade santa de João Calvino havia se fragmentado em uma centena de visões diferentes, acendendo mil chamas diferentes. Em Massachusetts, o pastor Ralph Waldo Emerson proclamou que todo indivíduo era "uma alma infinita" que podia e devia se elevar acima de, ou *transcender*, a "pregação sem vida" encontrada em tantas igrejas. As ideias "transcendentalistas" de Emerson instavam as pessoas a procurar a natureza em busca de inspiração, onde "os botões se abrem e a campina é mosqueada de fogo e ouro no matiz das flores". Alguns profetas fundaram comunidades utópicas – assentamentos de crentes que se isolavam para experimentar novas formas de viver. (A palavra grega *utopia* significa "não lugar", ou seja, essas comunidades não podiam ser encontradas em lugar algum, pelo menos não no mundo normal.) Emerson não iniciou uma, mas outros transcendentalistas fundaram a Brook Farm e a Fruitlands, comunidades onde partilhavam o alimento e os ganhos oriundos de trabalhar juntos. Joseph Smith e seus Santos dos Últimos Dias iniciaram sua própria cidade utópica em Nauvoo, Illinois. Smith afirmou que os homens podiam ter mais de uma esposa. Ele chamou isso de "casamento plural", e o ensinamento, junto com outras ideias novas que seus vizinhos consideraram estranhas, levou uma multidão a assassiná-lo. Outros reformadores utópicos rejeitavam totalmente a religião. Robert Owen projetou vilas operárias onde as pessoas tinham propriedades coletivas, e não individuais, e partilhavam igualmente o trabalho. Chamado socialismo, esse sistema pretendia melhorar a vida dura nas fábricas, que tratava os operários, como afirmou uma operária, "como se fôssemos máquinas vivas".

Sem dúvida, algumas dessas ideias reformistas pareciam inviáveis ou mesmo absurdas. É fácil zombar de tais visões. Mas então, é ainda mais fácil labutar dia após dia, convencidos de que o mundo deve funcionar do modo como funciona porque... bem, sempre foi assim. Os que buscavam a perfeição sonhavam com a ousadia necessária para reconhecer que o mundo podia ser transformado com esforço e dedicação. As chamas da reforma se espalharam.

Quando Dorothea Dix se voluntariou para dar aulas dominicais na cadeia de um condado em Massachusetts, ficou horrorizada ao descobrir que pessoas com transtornos mentais eram encarceradas junto com criminosos. Em alguns Estados, relatou, elas eram confinadas em celas, trancadas em porões escuros, "*acorrentadas, despidas, fustigadas com varas* e *açoitadas* para obedecer!". Dix fez uma campanha para melhorar o modo como os doentes mentais eram tratados. Quanto aos criminosos, em Connecticut durante muitos anos uma velha mina de cobre foi usada como prisão. Depois de trabalhar o dia todo, os prisioneiros desciam, algemados e acorrentados, por uma escada de ferro de quinze metros para se amontoar em cavernas escuras e úmidas das quatro da tarde às quatro da manhã, quando subiam de volta. Os reformadores conseguiram acabar com muitos de tais abusos.

Outros alertaram sobre os perigos do álcool. Durante a era colonial, os norte-americanos tomavam bebidas alcoólicas regularmente e com frequência. Mas o consumo aumentou muitíssimo durante a Revolução Industrial, especialmente entre os homens. De fato, entre 1790 e 1820, os norte-americanos consumiram mais álcool do que em qualquer outro período. À diferença da época colonial, quando o rum era popular, o uísque parecia estar se espalhando por toda parte. Podia ser fabricado nas casas das fazendas mais pobres e não dependia do melaço do Caribe, ao contrário do rum. Mas, com demasiada frequência, o novo hábito de beber tinha resultados trágicos: crimes cometidos, esposas agredidas ou abandonadas, filhos negligenciados. Durante uma reunião de avivamento em Rochester, os pastores falaram com tanta veemência contra o consumo de álcool que alguns comerciantes rolaram barris de uísque para as ruas e os destruíram. Em poucos anos, os norte-americanos estavam bebendo menos do que nunca.

Outros reformadores focaram na escravidão como o mal supremo da época. David Walker, um negro livre de Boston, publicou um panfleto chamando a liberdade de "*direito natural*". Os escravos deveriam se sublevar e resistir a seus donos, afirmava, pois estes eram "opressores cruéis e assassinos". Tais visões horrorizavam a maioria dos brancos, do Norte ou do Sul, e por isso Walker costurava seus panfletos no forro dos casacos que vendia a marinheiros negros. Estes, por sua vez, os contrabandeavam em portos do Sul, onde os panfletos muitas vezes eram banidos. Walker poderia ter sido mais influente se não tivesse morrido de repente – segundo disseram, envenenado por seus inimigos.

A campanha para abolir a escravidão foi levada a um novo patamar por outro agitador de Massachusetts, William Lloyd Garrison. Garrison rejeitou as soluções moderadas que muitos habitantes do Norte estavam dispostos a considerar, tais como acabar com a escravidão gradualmente ou encorajar os escravos libertos a regressarem à África. Não, disse Garrison, a escravidão deveria ser abolida imediatamente. Seu jornal, o *Liberator*, não poupou críticas. "Sobre este assunto, eu não desejo pensar, ou falar, ou escrever, com moderação. Não! Não! Digam a um homem cuja casa está em chamas para dar um alarme moderado (...) mas não me peçam para usar a moderação em uma causa como a presente. Estou falando sério – não serei ambíguo – não pedirei desculpas – não recuarei um centímetro sequer – e SEREI OUVIDO."

Garrison foi, talvez, o abolicionista mais apaixonado, mas houve muitos outros. O escravo fugitivo Frederick Douglass se tornou um orador talentoso e finalmente se mudou – para onde mais? – para Rochester, no Burned-Over District, onde publicou seu boletim contra a escravidão, o *North Star*. Esses atos requeriam coragem, porque muitos brancos norte-americanos achavam que a ideia de abolição era radical e perigosa. Uma multidão em Illinois enforcou um reformador; outra multidão arrastou William Lloyd Garrison pelas ruas de Boston e poderia tê-lo linchado também se o prefeito não o tivesse mandado para a cadeia – supostamente por "perturbar a paz", mas, na verdade, para protegê-lo. Garrison escreveu, na parede de sua cela, que fora confinado lá "por pregar a abominável e perigosa doutrina de que 'todos os homens são criados iguais'".

Garrison encorajou as mulheres a participar de sua campanha, mas o fez de forma atípica. Muitos homens abolicionistas expressavam desagrado quando mulheres pediam para participar. Mas as mulheres exerceram um papel importante nos avivamentos e nas reformas da época. Lucretia Mott viajou para Londres em 1840 como delegada da Convenção Mundial contra a Escravidão. Ela era uma quacre, e os quacres estiveram entre os primeiros a condenar a escravidão. Mott se recusava a usar roupas de algodão, a comer açúcar ou arroz e a usar qualquer outro produto produzido por trabalho escravo. Os homens contrários à escravidão em Londres disseram que as mulheres eram "ineptas" para participar e "passariam ridículo" na reunião. As delegadas foram forçadas a assistir aos procedimentos de uma seção especial separada por uma corda.

Lá, Mott fez amizade com uma jovem da América, Elizabeth Cady Stanton. Stanton havia se apaixonado por um reformador contrário à escravidão e, quando seu pai desaprovou a união, ela fugiu e se casou com ele mesmo assim. Uma mulher de pensamento independente, ela se alegrou ao ouvir Lucretia Mott dizer "que eu tinha o mesmo direito que Lutero e Calvino de pensar por mim mesma". As duas mulheres voltaram à América "decididas a organizar uma convenção" de outro tipo – desta vez, não contra a escravidão, mas pelos direitos das mulheres.

Levou tempo, mas finalmente a convenção foi convocada em 1848 em Seneca Falls, outro vilarejo no Burned-Over District. Uma centena de mulheres e homens assinaram uma "Declaração de Sentimentos" que ecoou a Declaração original de Jefferson. "Consideramos estas verdades evidentes por si mesmas", proclamava: "que todos os homens e mulheres são criados iguais (...)" Assim como a primeira Declaração listava atos injustos que levaram os norte-americanos a pegarem em armas, a Declaração de Sentimentos listava os "danos repetidos" de homens para com mulheres. As mulheres tinham de obedecer leis em cuja elaboração não tinham voz. Não tinham o direito de se tornar pastoras ou médicas ou de se dedicar a muitas outras profissões. As leis davam ao marido o poder de controlar as propriedades da esposa. A Declaração de Sentimentos exigia que as mulheres recebessem "todos os direitos e privilégios que lhes são devidos como cidadãs destes Estados Unidos", incluindo o direito a voto.

Alguns jornais elogiaram a Declaração de Sentimentos, incluindo o *North Star*, de Frederick Douglass; muitos outros zombaram das "resoluções provocadoras". O próprio marido abolicionista de Elizabeth Stanton ficou tão "atônito" diante da ideia de deixar as mulheres votarem que saiu da cidade até que as controvérsias em torno da convenção arrefecessem.

Todos os homens e mulheres são criados iguais. Que doutrina "abominável e perigosa"! Mas as chamas da perfeição e da reforma continuavam a arder. Os ideais de 1776 ainda não haviam terminado seu trabalho.

20
Fronteiras

Chegamos agora a um capítulo abrangente. No espaço de pouquíssimos anos, a nação se expande pelo continente até que chega do Atlântico ao Pacífico. Se isso parece repentino, considere toda a energia que já vimos percorrendo os Estados Unidos. Políticos desfilando, revivalistas pregando, reformadores protestando. Teares mecânicos zunindo, norte-americanos levantando acampamento e se mudando, barcos a vapor apostando corrida pelos rios ocidentais. (Sim, apostando corrida. Para vencer os barcos rivais, as tripulações atiravam toras e mais toras no fogo que produzia o vapor, muitas vezes fazendo os barcos explodir e queimar na água. Mais de 4 mil pessoas morreram nesses acidentes.) Os dois reinos do algodão continuaram a florescer, usando a energia dos milhões de homens e mulheres forçados ao trabalho pesado em plantações de algodão, arroz e tabaco. O sistema de escravidão estava se expandindo, e não se contraindo.

Nesses mesmos anos, os norte-americanos avançaram para além do rio Mississippi, conduzindo carroças cobertas das florestas do interior para as pradarias abertas, onde a grama selvagem crescia mais alta do que um homem ou uma mulher. Montando um cavalo, você tinha altura suficiente para ver a grama ondear sob a brisa, a estreita trilha da pradaria "se desenrolando como uma serpente (...) desaparecendo e reaparecendo". Melhor viajar à noite durante a temporada de moscas verdes, porque "em um dia quente de verão, os cavalos seriam literalmente picados e atormentados até a morte". Mais ao sul, um jovem chamado Stephen Austin cavalgou para a parte do México espanhol conhecida como Texas, onde recebera permissão para fundar uma colônia. Aqui, fileiras de carvalho, castanheiro e nogueira davam lugar a pequenos arbustos chamados *mesquite*. Havia bisão e cervo para caçar. Austin fundou sua colônia em 1821, exatamente quando o México venceu sua própria guerra de independência contra a Espanha.

Caçadores de peles conhecidos como homens das montanhas avançaram para ainda mais longe, atravessando as pradarias de grama alta do Meio-Oeste e então a vegetação rasteira das Grandes Planícies, até onde o terreno se elevava nas Montanhas Rochosas. Esses homens ostentavam roupas de camurça com franjas, mocassins de couro de cervo, barba densa e chapéu de abas. Eles penduravam polvorinhos no ombro, carregavam fuzis compridos e puxavam burros de carga. Ao lado de torrentes impetuosas eles capturavam castores, deleitando-se com bisão em épocas de abundância e assando grilos em épocas de escassez. Ou pior. "Eu coloquei as mãos em um formigueiro até que elas ficaram cobertas de formigas, e então as lambi com gula", relembrou Joe Meek. No meio do verão, os caçadores se reuniam em uma grande "feira" para vender suas peles de castor a comerciantes que traziam carroças pelas Planícies. Então, bebiam e jogavam e dançavam – e às vezes barganhavam por esposas indígenas. Primeiro, porque os homens eram solitários; e segundo, era importante se dar bem com as nações indígenas caso você fosse capturado em suas terras de caça. Cerca de quinhentos homens caçaram castores – até que os animais praticamente desapareceram de cada riacho. E quando os homens das montanhas regressaram para o leste, trouxeram o conhecimento das trilhas que levavam ao oeste, que foram percorridas por hordas de outros norte-americanos.

Agora, esta história foi contada tantas vezes que duas palavras simples – *fronteira oeste* – nos levam a imaginá-la de uma certa maneira. As palavras são um pouco parecidas com as lentes mágicas de Joseph Smith, que, quando colocadas, faziam coisas estranhas parecerem claras. Uma *fronteira*, sabemos, é a linha entre uma região e outra. *Oeste*, sabemos, é a direção em que essa fronteira estava se movendo. Observe a trilha Natchez, o canal Erie ou as trilhas das pradarias – todos os caminhos levando para o oeste. Mas esse modo de ver é muito simples. Tire as lentes e veja todo o continente da América do Norte. A fronteira não é uma única onda se movendo de leste a oeste, mas muitas ondas, se entrecruzando em diferentes direções. Não só pessoas, como também animais e até mesmo *coisas* se moviam com essas fronteiras.

Considere os cavalos, que os conquistadores trouxeram para a América. Alguns fugiam ou eram roubados por índios. Do México, os cavalos selvagens se espalharam por uma fronteira que se movia para o norte e para o leste, e não para o oeste. No início, os índios ficaram atônitos ao ver humanos cavalgando esses "cachorros grandes". Durante milhares de anos, bandos de nativos caçaram bisão a pé, dispersando rebanhos em direção aos penhascos. Isso era um grande desperdício de alimento, porque os índios não conseguiam comer toda a carne dos bisões antes que estragasse. Quando os índios aprenderam a cavalgar, eles se tornaram habilidosos em atirar em bisões com flechas. O cavalo tornou sua vida mais fácil e sua caçada mais proveitosa.

Considere a fronteira das *coisas*. Os produtos comerciais muitas vezes viajam à frente das pessoas, de modo que alguns índios tinham panelas de metal mesmo antes de conhecer um homem branco. Os franceses também vendiam armas para os índios, embora os espanhóis não. Assim, uma "fronteira armada" começou a se mover para o oeste e para o sul a partir do Canadá. As armas forneciam uma grande vantagem para caçar animais e guerrear. E, é claro, já vimos a fronteira das doenças em ação. Germes viajaram para o norte a partir do Novo México espanhol, presos a cobertores; e os novos barcos a vapor trouxeram a varíola rio Missouri acima, junto com os homens brancos.

Para as autoridades em Washington, no Texas a colônia de Stephen Austin estava na fronteira oeste – a 2,6 mil quilômetros de distância. Mas, para as autoridades na Cidade do México, essas mesmas terras estavam em sua fronteira norte – a 2,2 mil quilômetros de distância. O Texas parecia muito distante das avenidas amplas e civilizadas da capital do México. E também o terreno do Novo México, onde os proprietários de terras abastados colocavam índios e mexicanos pobres para trabalhar pastoreando ovelhas em suas fazendas, principalmente no vale do alto Rio Grande. Os assentamentos da Califórnia eram ainda menores e mais distantes – uma viagem de três meses da Cidade do México, por terra e por mar. Durante muitos anos, algumas dezenas de missões franciscanas usaram índios, em regime de semiescravidão, para cuidar de grandes rebanhos de cavalos, ovelhas e gado. Depois de 1833, o México tomou essas terras da igreja e as concedeu a fazendeiros poderosos, que se comportavam de maneira muito similar aos ricos donos de *plantations* no Sul para com seus escravos.

Em março de 1836, as duas fronteiras – norte-americana e mexicana – se confrontaram e entraram em guerra. Os mexicanos já estavam disputando entre si sobre quanto controle o governo central deveria ter sobre as províncias do México. O general Antonio López de Santa Anna enviou o exército do governo central para o norte a fim de subjugar a província rebelde do Texas. Nessa época, mais de 40 mil norte-americanos viviam na região, dez vezes o número de mexicanos. Muitos desses recém-chegados cultivavam algodão e tinham escravos, ao passo que o México havia proibido a escravidão. A maior parte dos texanos norte-americanos eram protestantes e preferiam sua religião aos costumes do México católico. Assim que Santa Anna chegou, um grupo de texanos norte-americanos declarou sua independência do México. Então trataram de reunir um exército para a nova República do Texas.

Seu comandante era um homem de caráter notável chamado Sam Houston. Houston era amigo de Andrew Jackson e, anos antes, fora governador do Tennessee. Na época, ele se casou com uma mulher de 19 anos que, para seu espanto, o rejeitou depois de apenas três meses. Devastado e constrangido, Houston deixou o cargo e atravessou o Mississippi para viver com os índios cherokees que o haviam adotado anos antes, quando ele fugira de casa ainda garoto. Eles lhe haviam dado um nome, Co-lo-neh, o Corvo, e o trataram como um filho. Quando retornou, estava em um estado tão deplorável que os cherokees lhe deram um novo nome, Oo-tse--tee Ardee-tah-skee: o Grande Bêbado. Novamente com a ajuda dos índios, Houston se recuperou e começou uma nova vida – desta vez no Texas, onde se uniu à colônia de Stephen Austin e liderou o exército texano. Como o general Washington nas redondezas de Boston, Houston percebeu que precisava de tempo para treinar seu bando heterogêneo de soldados.

Os texanos haviam tomado uma missão fortificada nas redondezas de San Antonio, conhecida como Álamo. Houston a queria abandonada porque tinha pouco valor militar, mas outros texanos impetuosos estavam determinados a ficar. "*Jamais vou me render ou recuar*", anunciou William Travis, um dos comandantes do Álamo. "VITÓRIA OU MORTE." O exército numeroso de Santa Anna dominou os 187 defensores da missão e então executou brutalmente os poucos sobreviventes, incluindo ninguém menos que Davy Crockett, o caçador de ursos e político do Tennessee, que havia chegado ao Álamo não muito antes da batalha.

Felizmente para a nova república, Houston manteve seu exército principal longe de Santa Anna até que conseguiu organizar e iniciar um ataque surpresa a partir das florestas onde o rio San Jacinto e o Buffalo Bayou se encontravam. (Esse é hoje o local onde fica Houston, no Texas.) Ao cair da noite, Santa Anna havia fugido da batalha de San Jacinto para se esconder na grama alta. Os rebeldes o capturaram no dia seguinte e o forçaram a conceder independência ao Texas. Houston presumiu que sua república da "Estrela Solitária" logo se uniria às outras estrelas na bandeira dos Estados Unidos, mas ele estava enganado. Dez anos se passaram até o Congresso dos Estados Unidos concordar em anexar o Texas e torná-lo um Estado.

Enquanto isso, os norte-americanos estavam descobrindo a costa do Pacífico e suas fazendas mexicanas. Ávidos comerciantes ianques contornaram a América do Sul de navio para vender aos californianos "de fogos de artifícios chineses a rodas de carroça inglesas", além de tecidos de algodão de Lowell. Mais ao norte, no condado de Oregon, a Grã-Bretanha e os Estados Unidos haviam concordado em governar em conjunto. Os primeiros colonos brancos enviaram para o leste a notícia de que a região tinha boas terras para cultivo e um clima ameno que permitia que as flores se abrissem em fevereiro. Em meados de 1840, uma nova estrada de carroças conhecida como Overland Trail trazia milhares de pessoas para Oregon e a Califórnia todo verão.

Depois que passavam as chuvas de primavera, carroças cobertas partiam de St. Joseph e Independence, no Missouri –

principalmente famílias mais jovens, porque a viagem era muito difícil. Nos anos de pico, a rota quase parecia um congestionamento na cidade de Nova York. Gado e cavalos comiam tanta grama das pradarias enquanto viajavam que passou a ser difícil encontrar bons lugares para acampar. (Pela trilha, chegavam a marchar até onze animais por pessoa.) As mulheres não só tinham de levantar cedo para cozinhar, cuidar das crianças, lavar e consertar roupas, como também se viam cuidando dos animais, consertando rodas de carroça quebradas e conduzindo bois quando os homens ficavam doentes. Os índios sofriam porque essas pessoas vindas de lugares remotos caçavam os animais de cuja carne eles dependiam. Bandos frustrados roubavam animais e até arrecadavam pedágio em cruzamentos de rios, mas raramente atacavam caravanas. Menos de quatro por cento das mortes na trilha eram causadas por índios. Os viajantes tinham de se esforçar para atravessar as montanhas antes que as neves do inverno os deixassem isolados. A maioria conseguia – havia 250 mil pessoas em Oregon e na Califórnia em 1860, bem como 40 mil em Utah, para onde os mórmons de Joseph Smith migraram depois que ele foi assassinado.

Durante anos, os norte-americanos pensaram que uma nação do tamanho de um continente jamais poderia se unir em uma única república. Mas, em 1844, Samuel Morse aperfeiçoou o telégrafo, um instrumento que enviava mensagens por meio de um fio usando pulsos elétricos. Seu "código morse" de pontos e traços tornou possível se comunicar instantaneamente a longas distâncias. Outros inventores construíram "locomotivas" a vapor para puxar vagões de passageiros por estradas de ferro. Esses trens funcionavam o ano inteiro, mesmo quando os rios congelavam. Tais avanços persuadiram mais norte-americanos de que uma república continental era não só possível como desejável. Deus ordenara que as coisas fossem assim, disse o editor de um jornal: era o "destino manifesto" dos Estados Unidos "abarcar o continente (…) para o livre desenvolvimento de nossa raça, que se multiplica aos milhões todos os anos".

Um homem determinado a concretizar essas previsões foi um político do Tennessee que seguiu os passos de Andrew Jackson. Os partidários de James K. Polk o chamavam de Young Hickory (o Jovem Castanheiro), pois ele seguia ao pé da letra os conselhos do Old Hickory, inclusive perguntando a Jackson com quem deveria se casar.

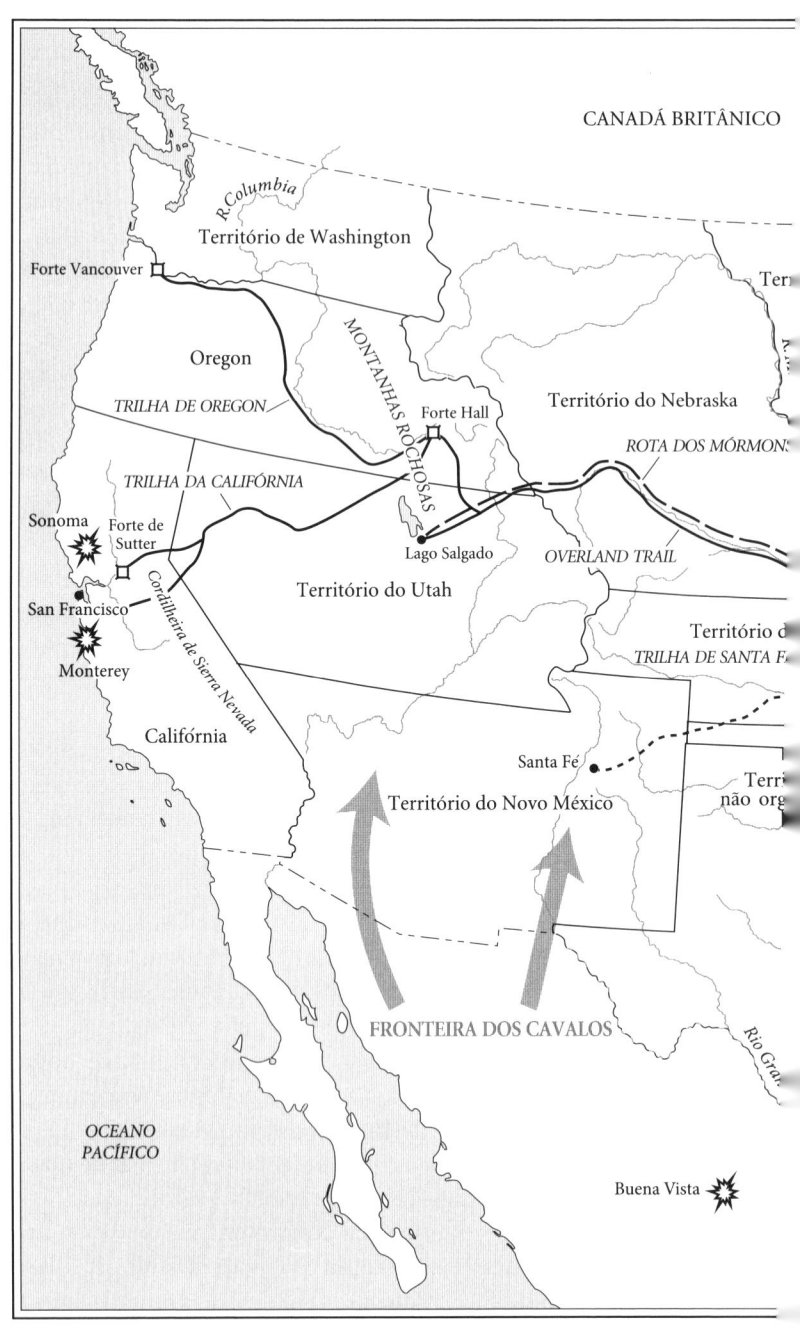

Fronteiras em movimento. As Overland Trails (estradas de diligências e carruagens) eram as mais concorridas nos anos 1840 e 1850. As fronteiras dos cavalos e das armas se expandiram para essas terras mais gradualmente, durante os anos 1600 e 1700.

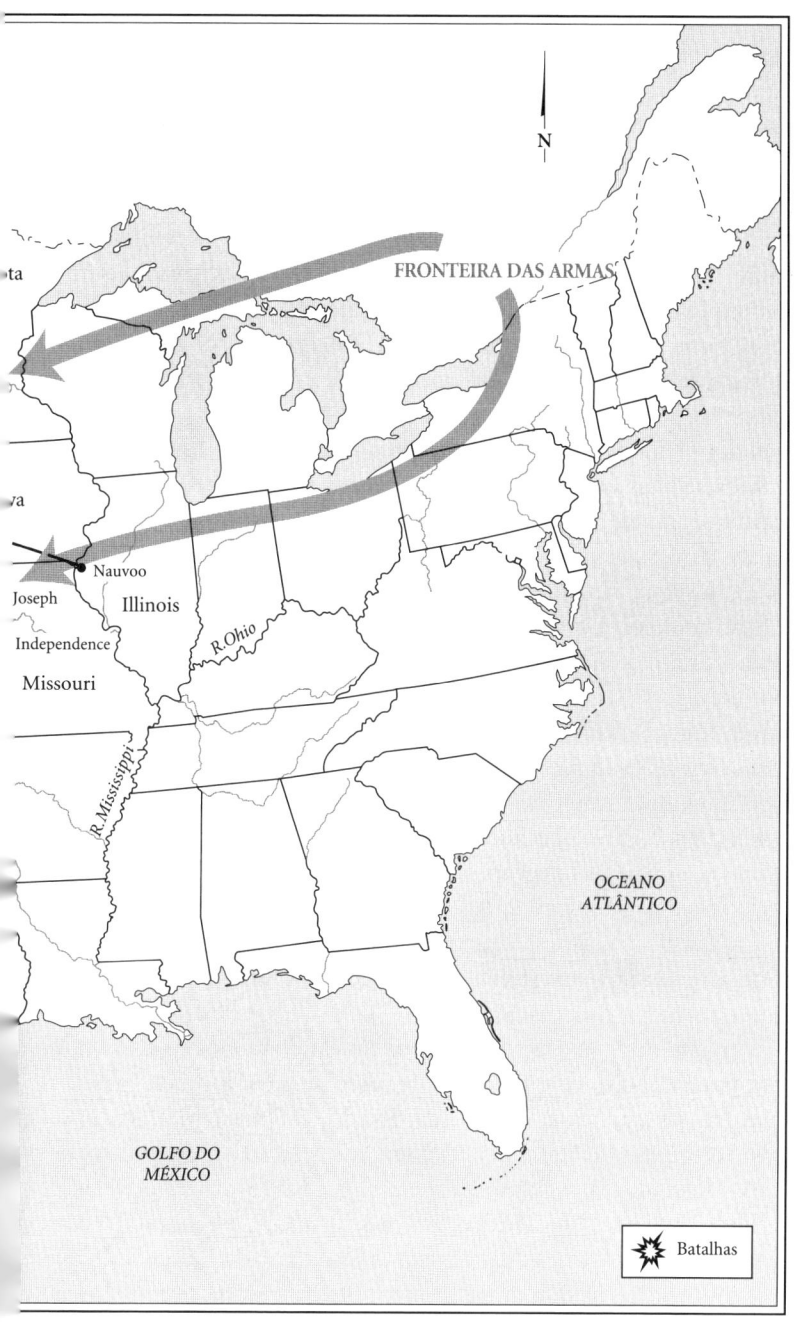

"Sarah Chidress", aconselhou Jackson – e então Polk se casou com ela. Daí em diante, marido e mulher comeram, beberam e conspiraram política tão bem que Polk foi eleito presidente em 1844. Na época de sua posse, o Congresso havia concordado em anexar o Texas à União.

Mas Polk também queria o território de Oregon, e disse aos britânicos que eles deveriam desistir de suas pretensões. As duas nações se ofenderam mutuamente e ameaçaram entrar em guerra, mas a crise terminou de maneira pacífica. Os Estados Unidos ganharam o controle da região onde hoje ficam Oregon e Washington, ao passo que os britânicos mantiveram a parte norte do território. Polk ficou aliviado, porque secretamente já havia decidido que queria tomar do México não só o Texas, como também a Califórnia. Isso significava guerra, ele tinha certeza, pois o México jamais concordaria em abrir mão dessas terras. Ele ordenou ao general Zachary Taylor que conduzisse tropas norte-americanas até o Rio Grande – terra que tanto o Texas quanto o México reivindicavam. "Não temos o menor direito de estar aqui", escreveu um soldado em seu diário. "É como se o governo enviasse um pequeno exército de propósito para causar uma guerra." Ele estava certo. Polk apresentou ao Congresso uma declaração de guerra quando chegaram notícias de que tropas mexicanas atacaram Taylor em abril de 1846. A Guerra Mexicano-Americana havia começado.

As linhas de telégrafo ainda não haviam sido levadas até o outro lado das Montanhas Rochosas, e por vários meses ninguém na Califórnia soube da guerra. Isso não impediu um grupo de norte-americanos que já estavam lá, liderado por John Frémont, de proclamar a independência da Califórnia. Frémont marchou até a cidade de Sonoma e levantou uma bandeira estampando um urso-pardo. (Na época, milhares de ursos de pelo dourado perambulavam por aquelas terras.) A marinha dos Estados Unidos chegou e, com a guerra oficialmente declarada, reivindicou a Califórnia para os Estados Unidos. A bandeira do urso foi baixada; a de estrelas e listras foi erguida. No México, em Buena Vista, o general Taylor combateu Santa Anna, que novamente foi derrotado. Mas o México só se rendeu depois que outra força norte-americana conquistou a Cidade do México. No fim da guerra, os Estados Unidos ganharam mais de meio milhão de quilômetros quadrados de novo território:

não só o Texas, como também toda a região atualmente ocupada por Nevada, Utah e Califórnia, e partes do Novo México, Colorado e Wyoming.

Desde que a França perdera a Guerra dos Sete Anos não se via uma conquista desse tipo na América do Norte. Mas o que seria desses novos territórios? A escravidão seria permitida dentro de suas fronteiras? Muitos dos habitantes da Nova Inglaterra se opuseram à guerra por medo de que a escravidão se tornasse legal nas terras recém-conquistadas. Henry David Thoreau, um transcendentalista, foi encarcerado por um breve período por se recusar a pagar impostos porque os Estados Unidos não iriam "desistir da guerra e da escravidão". O ensaio de Thoreau, *A desobediência civil,* argumentava que era correto se opor a guerras que fossem moralmente erradas.

Este capítulo falou bastante sobre fronteiras: linhas limítrofes. A linha separando o território de escravos do território dos livres também era uma fronteira; e nos anos que se seguiram à Guerra Mexicano-Americana tornou-se a linha divisória mais importante na região. Ralph Waldo Emerson, outro oponente da guerra, viu claramente o problema que adviria com uma vitória norte-americana. "Os Estados Unidos conquistarão o México", previu, "mas será como o homem que toma o arsênico que o mata. O México nos envenenará."

Uma vitória venenosa? Mas o que Emerson quis dizer deve esperar o próximo capítulo.

21
Cruzando a fronteira

"O México nos envenenará." O que Emerson quis dizer com isso?

Quando os Estados Unidos tomaram 1,2 milhão de quilômetros quadrados de terras do México, o território recém-adquirido forçou os norte-americanos a lidar com uma questão sobre a qual a maioria dos políticos preferia não falar. A escravidão e a liberdade podiam existir lado a lado? Durante anos a maioria dos norte-americanos brancos disse que sim. Eles tocavam seus negócios, conviviam com a escravidão de um jeito ou de outro e toleravam opiniões divergentes. Emerson temia que a escravidão e a liberdade fossem condições tão diferentes, tão opostas uma à outra, que o debate sobre permitir a escravidão nos novos territórios envenenaria a União, a destruiria, a dividiria. O problema de como lidar com a escravidão não era novo. Remontava à Convenção Constitucional de 1787.

James Madison, o Fundador que mais fez para dar forma à Constituição, alertou os delegados presentes na Convenção Constitucional de que o maior perigo para a União não era o conflito entre Estados grandes e pequenos, e sim "entre os do norte e os do sul (...)

sobretudo em decorrência dos efeitos de ter ou não ter escravos". Já na época, o Norte e o Sul discordavam sobre se os escravos deveriam ser contados na população de um Estado ao determinar quantos representantes este podia enviar para o Congresso. Os delegados do Sul queriam contá-los, embora os escravos não pudessem votar. Mas isso *encorajava* a escravidão, observaram os do Norte. Quanto mais escravos vivessem no Sul, mais representantes esses Estados obteriam. Os delegados do Sul cederam concordando em contar apenas três em cada cinco escravos. Mas esse era seu limite. Os do Norte deveriam aceitar esse Compromisso dos Três Quintos ou seria o fim da nova União.

O compromisso fez alguma diferença? Em certas ocasiões, sim – enorme. Na acirrada eleição presidencial de 1800, Thomas Jefferson, da Virgínia, não teria derrotado John Adams, de Massachusetts, sem os votos extras que o Sul obteve no Colégio Eleitoral com o Compromisso dos Três Quintos. Jefferson, conforme reclamou um federalista, "fez sua cavalgada ao templo da Liberdade no dorso de escravos". Em 1819, o Compromisso dos Três Quintos concedera ao Sul dezessete membros extras no Congresso.

Ainda assim, a população livre do Norte havia crescido o bastante para lhe conceder mais votos na Câmara. Então o Senado se tornou o campo de batalha crucial entre o Norte e o Sul. Com dois senadores para cada Estado, e onze Estados escravocratas e outros onze livres, os votos entre os Estados com e sem escravos estavam divididos igualmente.

Então, em 1819, o Território do Missouri solicitou sua integração à União. O clima do Missouri não era quente o bastante para cultivar algodão, mas cerca de 10 mil escravos já haviam sido levados para lá, de modo que os sulistas presumiram que se tornaria um estado escravocrata. Antes que isso pudesse acontecer, James Tallmadge, um deputado de Poughkeepsie, em Nova York, surpreendeu a Câmara. Ele propôs uma emenda ao projeto de lei do Missouri, determinando que o território só poderia entrar para a União se proibisse gradualmente a escravidão.

Na época da Revolução, muitos sulistas brancos, incluindo Jefferson, tiveram esperanças de que a escravidão desaparecesse. Mas, em vez disso, a escravidão se disseminou – e agora os sulistas (novamente, incluindo Jefferson) se opunham à emenda de Tallmadge. "Você provocou um incêndio que todas as águas do oceano não conseguem apagar, que só pode ser extinto por rios de sangue", protestou um congressista da Geórgia. "Se vier uma guerra civil", Tallmadge retrucou, "só posso dizer: que venha!" O impasse foi superado quando o Maine, originalmente parte de Massachusetts, solicitou sua integração à União. O Missouri teve permissão para entrar como Estado escravocrata, e o Maine, como Estado livre. Ao mesmo tempo, esse Compromisso do Missouri de 1820 traçou uma fronteira começando no limite sul do Estado e correndo para o oeste ao longo das terras adquiridas com a compra do território da Louisiana. Ao norte dessa linha a escravidão estava proibida, exceto no Missouri.

Traçar uma fronteira. Estabelecer um compromisso. Acabar com a disputa. Por um tempo, essa abordagem manteve a paz. Mas os afro-americanos escravizados, que não tinham voz no Compromisso dos Três Quintos nem no Compromisso do Missouri, sabiam que algumas fronteiras foram feitas para serem cruzadas. Eles não podiam votar nas urnas, mas nos quarenta anos seguintes votaram com seus pés à medida que dezenas de milhares escaparam dos Estados escravocratas e rumaram para o Norte. Eles andaram à luz da lua, atravessaram rios a nado e se esconderam sob cargas de feno sendo transportadas para Estados livres. Um escravo, Henry Brown, se escondeu em uma caixa de madeira que foi fechada com pregos e enviada para o Norte.

A fronteira entre a escravidão e a liberdade também podia ser cruzada do Norte para o Sul. Lembram de como David Walker, o escravo livre de Boston, contrabandeou seus panfletos abolicionistas para o Sul nos casacos de marinheiros negros, instando os escravos a se rebelar? Outros abolicionistas se infiltraram em território de escravos para trazer fugitivos naquela que ficou conhecida como Underground Railroad ("ferrovia subterrânea"). Na verdade, não era uma estrada de ferro, e sim uma rede de pessoas que trabalhavam juntas e, secretamente, abrigavam escravos, orientando-os em sua fuga para o norte. Harriet Tubman, a mais famosa "condutora" da ferrovia, havia trabalhado como escrava na extração de madeira, e por isso se sentia confortável no interior das florestas. Suas incríveis habilidades de atuação a salvaram de mais de um apuro. Às vezes ela carregava um par de galinhas que deixava escapar e perseguia quando precisava desviar a atenção para longe dos fugitivos.

Nunca fora fácil manter a escravidão de um lado da fronteira e a liberdade do outro, não importava os compromissos feitos. Essa foi uma razão pela qual Jefferson e Madison se empenharam em mudar a capital da nação da Filadélfia para o Distrito de Columbia. Uma lei na Filadélfia decretava que todo escravo que vivesse mais de seis meses na cidade seria livre. Isso tornava a vida difícil para as autoridades sulistas que trabalhavam no governo, porque elas muitas vezes traziam escravos à Filadélfia como criados domésticos. O próprio George Washington providenciou secretamente que seus escravos fossem levados de volta para a Virgínia depois de seis meses, "sob um pretexto que engane tanto a eles quanto ao público", conforme instruiu a seu secretário. Washington fingiu que sua esposa queria que os escravos voltassem com ela. O novo Distrito de Columbia resolveu o problema de uma capital em uma cidade que libertava escravos. A escravidão era legal em Washington, e o distrito estava cercado por Estados escravocratas.

Nos anos 1830, alguns habitantes do Norte começaram a considerar deplorável ver escravos sendo comprados e vendidos em mercados abertos na capital de uma nação dedicada à liberdade. Eles entraram com uma petição no Congresso para que a escravidão fosse proibida no Distrito de Columbia. Mais de um milhão de pessoas assinaram mais de mil petições. Os sulistas brancos ficaram indignados. Se Washington se tornasse uma cidade livre, disseram, os escravos correriam para lá, ou mesmo seriam encorajados a iniciar suas próprias rebeliões nos Estados escravocratas da vizinhança. Para evitar que as petições influenciassem o governo, os sulistas persuadiram o Congresso a aprovar resoluções conhecidas como "leis da mordaça", que proibiam a Câmara inclusive de aceitar as petições para impedir o comércio de escravos. Depois de nove anos a lei da mordaça foi finalmente revogada, mas os Estados do Sul continuaram a suprimir protestos contra a escravidão em suas próprias terras.

Então veio a guerra contra o México e o debate sobre os novos territórios. O general Zachary Taylor, venerado como um herói de guerra, foi eleito presidente em 1848. Apelidado Old Rough and Ready (algo como "Velho Curto e Grosso"), ele foi direto em seu discurso. A escravidão deveria ser permitida nos novos territórios? A resposta curta e grossa de Taylor foi simplesmente pular a etapa dos territórios e criar dois Estados enormes: o Novo México (que incluía a maior parte do atual Arizona, Colorado e Utah) e a Califórnia. Os californianos claramente não queriam a escravidão. Quanto ao Novo México, Taylor propôs proibi-la lá também. Ele considerava o clima seco demais para que a escravidão florescesse.

Os sulistas ficaram chocados. Taylor era da Louisiana, e além disso era dono de escravos! Em vez de emparelhar um Estado escravocrata e um Estado livre, ele estava propondo dar ao Norte dois Estados livres e, com isso, perturbar o equilíbrio no Senado – que tinha quinze Estados livres e quinze escravocratas. Os sulistas mais furiosos, apelidados "engolidores de fogo", convocaram uma reunião em Nashville, no Tennessee, para considerar a possibilidade de se desligar da União.

Mais uma vez, o Congresso traçou novas fronteiras e fez concessões. A Califórnia seria livre, mas as novas terras remanescentes dariam origem a dois territórios, o Novo México e Utah. E ambos teriam a chance de votar contra ou a favor da escravidão. Essa solução ficou conhecida como "soberania popular" – deixar os eleitores escolherem. Dava ao menos a possibilidade de que outros dois Estados escravocratas fossem criados. Os representantes do Sul continuavam insatisfeitos com os milhares de escravos escapando para o Norte, e por isso o Congresso aprovou uma nova – e mais rígida – Lei do Escravo Fugitivo, que requeria que o Norte ajudasse o Sul a capturar escravos foragidos. Quem se recusasse poderia ser preso ou multado em mil dólares. Finalmente, para acalmar os ânimos no Norte, o comércio de escravos foi proibido no Distrito de Columbia. A escravidão continuaria sendo legal, mas não haveria mais compra e venda de humanos na plataforma de leilão na capital do país.

Juntas, essas medidas ficaram conhecidas como o Compromisso de 1850. Elas provavelmente não teriam sido aprovadas sem a manobra de um enérgico senador do Illinois, Stephen A. Douglas. Mas, com a ajuda de Douglas, elas passaram por pouco. Parecia que a União havia sido salva.

Mas o Compromisso de 1850 se revelou mais uma pílula amarga. É verdade, muitos nortistas brancos não se opunham fortemente à escravidão. Os afro-americanos vivendo no Norte sabiam muito bem que lugares públicos como teatros e diligências eram segregados – divididos em áreas exclusivas para brancos e áreas exclusivas para negros. Ocasionalmente, agitadores hostis aos afro-americanos atacavam comunidades negras em cidades como Boston, Pittsburgh e New Haven. Apesar de tudo isso, as pessoas no Norte se ressentiam de serem forçadas a ajudar as autoridades federais a capturar escravos fugitivos. Harriet Beecher Stowe, uma reformadora, escreveu um romance chamado *A cabana do pai Tomás*, um best-seller que foi transformado em obra de teatro com cenas de caçadores de escravos e seus cães de caça perseguindo uma mãe e uma filha em fuga pelas águas geladas do rio Ohio. "Nunca vi tantos lenços de bolso sendo usados", alguém comentou. "Posso garantir que não fui a única pessoa naquela grande plateia a derramar lágrimas."

Enquanto isso, uma nova disputa em torno da escravidão irrompeu nos territórios recém-propostos de Kansas e Nebraska. Durante 34 anos, a fronteira traçada pelo Compromisso do Missouri havia decretado que essas terras permaneceriam livres. Mas a Califórnia já havia feito a balança no Senado pender a favor dos Estados livres – e aqui havia mais dois Estados livres a caminho. Os senadores do Sul se recusaram a admiti-los; e mais uma vez Stephen Douglas interveio para acalmar a briga. Douglas, que era baixo, mas espirituoso, recebera o apelido de Little Giant (Pequeno Gigante). Em sua Lei Kansas-Nebraska, ele propôs que os habitantes desses territórios tivessem o direito de votar contra ou a favor da escravidão – novamente, a ideia de "soberania popular". Para deixar perfeitamente claro que a escravidão *poderia* ser instaurada, os membros sulistas no Congresso insistiram que na Lei Kansas-Nebraska constasse claramente que o Compromisso do Missouri era revogado.

Imediatamente, colonos de Estados livres e escravocratas correram para o Território do Kansas para apoiar sua causa. Quando as primeiras eleições foram realizadas, multidões a favor da escravidão vindas do vizinho Missouri cruzaram a fronteira para o Kansas e votaram, embora não morassem ali. "Seremos compelidos a atirar, queimar e enforcar, mas isso logo estará acabado", gabou-se o senador David Rice Atchison, do Missouri, que organizou as multidões. "Se ganharmos, levaremos a escravidão até o oceano Pacífico." Os do Norte contra-atacaram, defendendo-se do "poder escravocrata", como o chamavam; e teve início uma guerra armada. Com canhões e cartazes proclamando "os direitos do Sul" e a "superioridade da raça branca", uma força civil do Missouri atacou o assentamento abolicionista de Lawrence, no Kansas, em junho de 1856. Alguns dias depois, um abolicionista do Norte chamado John Brown cobrou vingança em fazendas vizinhas pró-escravidão, executando brutalmente cinco homens. Nenhum deles tinha escravos nem havia participado do ataque em Lawrence, mas Brown não se importou. Um homem devoto, mas extremo, ele acreditava que "Deus o havia despertado de propósito para quebrar o queixo dos perversos".

A disputa em torno da escravidão estava destruindo o velho sistema de partidos políticos. Muitos whigs e democratas do Norte entraram para novas organizações – e, com a violência pró--escravidão no Kansas crescendo, o Norte prestava especial atenção a um partido novo, os republicanos. Fortemente contrário à escravidão, o partido sequer se deu ao trabalho de se organizar no Sul. Um membro, o senador Charles Sumner, de Massachusetts, fez um discurso que condenava a escravidão nos termos mais hostis. Sumner insultou particularmente Andrew Butler, um senador idoso da Carolina do Sul, a quem acusou de tomar a escravidão como sua "amante". Vários dias depois, o sobrinho de Butler, o deputado Preston Brooks, entrou a passos largos no Senado para punir Sumner de acordo com o código de honra sulista. Quando o senador se sentou, Brooks começou a atacá-lo com sua bengala, continuando a bater com tanta violência e por tanto tempo que o senador cambaleou ao se levantar. Então, cegado pelo sangue que escorria por seu rosto, ele caiu inconsciente no chão. "Cada golpe foi onde eu pretendia", Brooks disse a seu irmão. Sumner demorou quatro anos para retornar ao Senado.

As notícias da bengalada foram como um choque de "eletricidade para 30 milhões", comentou um habitante do Norte. A violência no Kansas distante era uma coisa, "mas ver um senador agredido na Câmara do Senado, ninguém pode encontrar justificativa alguma para isso", concordou um editor de Detroit. No Sul, por outro lado, Preston Brooks recebeu bengalas como suvenir e foi homenageado em jantares.

O "Kansas Sangrento" e o "Sumner Sangrento" agitaram tantos nortistas que em 1856 o candidato republicano para presidente quase ganhou as eleições. E os acontecimentos continuaram a criar adeptos do Partido Republicano. Um escravo do Missouri chamado Dred Scott viveu por muitos anos com seu senhor em território livre, e depois, de volta ao Estado escravocrata do Missouri, entrou na justiça por sua liberdade. A Suprema Corte rejeitou a reivindicação de Scott, determinando que os afro-americanos "não tinham qualquer direito que o homem branco estivesse obrigado a respeitar". O que foi ainda mais chocante para o Norte, a Suprema Corte decidiu que o Congresso não tinha o direito de proibir a escravidão em *nenhum* território. Só o próprio Estado poderia proibi-la. Dois anos depois, em 1859, os sulistas ficaram horrorizados quando o abolicionista John Brown atacou novamente. Ele e 21 seguidores se apoderaram de um depósito de armas federais em Harpers Ferry, na Virgínia. Brown esperava tomar as armas armazenadas ali e percorrer o interior encorajando os escravos a se revoltar. O plano era insensato, pois havia poucos escravos vivendo perto de Harpers Ferry; e Brown logo foi capturado, julgado e enforcado. Mas ele agiu com tal dignidade em seu julgamento que muitos nortistas concordaram com Ralph Waldo Emerson: ele era "um santo, cujo martírio tornará a forca tão gloriosa quanto a cruz".

Os compromissos haviam falhado. As fronteiras traçadas para conter a escravidão foram cruzadas repetidas vezes. Em 1860, os republicanos indicaram para presidente um homem que viu o problema com clareza. Seu nome era Abraham Lincoln. Nascido no Estado escravocrata de Kentucky, criado em cabanas rústicas nos Estados livres de Indiana e Illinois, o garoto alto e esquelético recebeu pouca educação formal. Mas leu muito por conta própria. Mesmo depois de se tornar advogado e político, nunca perdeu o sotaque de Kentucky ao discursar. Sua voz aguda às vezes parecia estranha, mas seu humor encantava os ouvintes. E suas palavras tinham lógica. Lincoln percebeu o quanto era difícil manter a escravidão em seu lugar, construir um muro à sua volta, tolerar opiniões divergentes. Em um famoso discurso intitulado "A casa dividida", ele selecionou um provérbio da Bíblia para apresentar seu argumento:

> Uma casa dividida contra si mesma não consegue se sustentar.
>
> Acredito que este governo não conseguirá subsistir permanentemente dividido entre uma metade *escrava* e uma metade *livre*.

Não espero que a União se *dissolva* – não espero que a casa *caia*. O que espero é que deixe de ser dividida.

Ela se tornará una, *toda* de uma maneira ou *toda* de outra maneira.

Ou os *opositores* da escravidão deterão seu avanço e a deixarão onde a opinião pública determinar, na crença de que ela está em vias de extinção definitiva, ou seus *defensores* a levarão em frente, até que ela se torne igualmente legal em *todos* os Estados, tanto nos *antigos* quanto nos *novos* – tanto no *Norte* quanto no *Sul*.

A eleição de 1860 mostrou o quão dividida a nação havia se tornado. Quatro candidatos concorreram, mas nem Lincoln nem seu rival mais próximo, o democrata Stephen A. Douglas, tinham apoio real no Sul. Quando os votos foram contados, Lincoln saiu vitorioso. Pela primeira vez, um presidente foi eleito somente com o apoio dos Estados livres. Pela primeira vez, ganhou um candidato comprometido em impedir que a escravidão se expandisse.

Liderados pela Carolina do Sul, os sete Estados mais ao sul se separaram da União para formar os Estados Confederados da América. Eram os Estados onde a escravidão estava mais profundamente arraigada. Os oito Estados escravocratas restantes hesitaram, esperando que se pudesse alcançar algum acordo final.

Mas não houve acordo algum. A União cujo lema fora *De muitos, um* agora se dividia a respeito da questão de quem deveria ser igual, quem deveria ser livre. A última fronteira havia sido cruzada. E o que estava por vir, ninguém sabia dizer.

22
O QUE ESTAVA POR VIR

NINGUÉM CONSEGUIA SABER AO CERTO o que estava por vir. Quando Lincoln ficou sabendo que o Deep South (o Sul Profundo) havia se separado, ele achou que fosse um blefe, para pressionar o Norte a fazer mais concessões. Tentando um diálogo, ele prometeu implementar a Lei do Escravo Fugitivo e inclusive apoiar a proposta de uma emenda à Constituição, garantindo que a escravidão jamais seria abolida nos Estados onde existia. Lincoln acreditava que a maioria dos sulistas não queria sair da União – e, na verdade, muitos não queriam. A crise fora iniciada por "nossos *Big Men*", resmungou um habitante da Geórgia. Com isso, ele se referia aos grandes senhores de escravos. Quando Lincoln fez o juramento de posse em março de 1861, os oito Estados escravocratas do Upper South ainda não haviam decidido se separar.

Mas Lincoln não iria – não poderia – se curvar demais: os republicanos haviam ganhado a eleição honestamente, com a promessa de manter a escravidão fora dos territórios. E, como Andrew Jackson, Lincoln acreditava que "nenhum Estado pode, de maneira alguma, sair da União legalmente sem o consentimento dos demais". Mas os confederados já estavam tomando fortalezas federais; e, em abril, seu novo presidente, Jefferson Davis, ordenou que canhões bombardeassem o forte Sumter, no porto de Charleston. Quando Sumter se rendeu, Lincoln declarou que uma rebelião estava se armando e convocou 75 mil soldados para contê-la. Isso empurrou a maioria dos sulistas brancos para os braços de seus *Big Men*. "Lincoln fez de nós uma unidade, para resistir", disse um homem da Carolina do Norte, "até repelir os invasores ou morrer." A Carolina do Norte, o Tennessee, o Arkansas e a Virgínia se uniram à Confederação. A Guerra Civil havia começado.

Ambos os lados se apressaram em recrutar exércitos, e a primeira grande batalha ocorreu perto de um riacho chamado Bull Run, a quarenta quilômetros de Washington. Alguns membros do Congresso saíram em carruagens para fazer um piquenique, assistir à batalha e celebrar o que tinham certeza de que seria uma vitória do Norte. No início, o mar de azuis da União avançou, mas foi impedido pelos cinzas da Virgínia, que não cederam – soldados liderados por um professor universitário, Thomas Jackson. "Lá está Jackson, parado como uma parede de pedra*!", gritou um oficial. O "Stonewall" Jackson ganhou um apelido e seguiu liderando sua brigada brilhantemente. Mais unidades de confederados logo chegaram ao campo de batalha, soltando a plenos pulmões aquilo que veio a ser chamado de grito rebelde. "Não há nada parecido com isto do lado de cá do inferno", recordou um soldado da União. "A sensação peculiar que percorre a espinha (...) é indescritível." As forças da União fugiram para Washington – e também os espectadores, em pânico.

Ao contrário de George Washington, Lincoln tinha pouco preparo militar. Então procurou um general forte com habilidade e determinação para liderar. Sua primeira escolha foi Robert E. Lee, um oficial aristocrático da Virgínia. Embora o próprio Lee possuísse escravos, ele tinha dúvidas sobre a escravidão e não estava seguro de que a secessão fosse legal. Ainda assim, ele não foi capaz de pegar em armas contra seu Estado natal, e por isso se uniu aos confederados. Lincoln então se voltou para um administrador ferroviário de 34 anos chamado George McClellan. Bonito, embora não particularmente alto, e ostentando um largo bigode, o Pequeno Mac prometeu "acabar com os rebeldes em uma única campanha". Ele planejou

---

* *Stone wall* no original. (N.E.)

fazê-lo travando uma guerra estritamente limitada. Segundo seu raciocínio, se os sulistas realmente quisessem voltar para a União, o exército não deveria pilhar suas fazendas para alimentar os soldados. E certamente não deveria libertar os escravos dos fazendeiros no Sul. Lincoln concordou. Vários Estados escravocratas ainda não haviam aderido à Confederação: Delaware, Maryland, Kentucky e Missouri. Lincoln se preocupava com esses territórios fronteiriços, principalmente Maryland. Se chegasse a se separar, Washington estaria cercada de territórios confederados e isolada do Norte. Mas, no início do segundo ano de guerra, os Estados fronteiriços pareciam não correr o menor risco de sair da União.

Infelizmente, o Pequeno Mac e seu exército também não. Mês após mês ele treinou e preparou os soldados, mas nunca deu um passo para atacar. Lincoln ficou perturbado. "Se o general McClellan não quer usar o exército", falou, "eu gostaria de tomá-lo emprestado." McClellan, por sua vez, opinou que Lincoln não passava de um "babuíno bem-intencionado". O presidente sofreu tais insultos pacientemente. "Vou aturar McClellan", declarou, "contanto que ele nos leve à vitória". Na primavera de 1862, o Exército do Potomac, da União, finalmente marchou para um local a oito quilômetros de Richmond, capital da Confederação. A vitória parecia possível. Mas então Lee assumiu o comando dos exércitos rebeldes no leste – e Lee era um homem que "agarrava mais oportunidades, e mais depressa do que qualquer outro general no país", como afirmou um amigo. As forças menores e mais ágeis de Lee ferroaram as tropas da União por vários lados. O Pequeno Mac recuou, tendo sido levado a acreditar que o exército de Lee era duas vezes o tamanho do seu.

A cautela de McClellan frustrou Lincoln, sobretudo porque o presidente estava começando a pensar que uma guerra limitada jamais poderia trazer vitória. Muitos republicanos estavam fazendo pressão para atacar imediatamente, como uma forma de vencer a guerra. Libertar os escravos seria mais do que um ato moral. Seria roubar mão de obra valiosa dos rebeldes, já que os afro-americanos eram mais de metade de todos os trabalhadores do Sul. Lincoln, ainda preocupado em perder os Estados escravocratas fronteiriços para a Confederação, tentou, por duas vezes, persuadir os parlamentares a aprovar uma lei que libertasse seus escravos aos poucos. Deixem-no acontecer ao longo dos próximos trinta anos, propôs. Ele inclusive prometeu que o Congresso pagaria aos fazendeiros pela libertação de seus escravos. Mas os Estados fronteiriços se recusaram a agir. Na noite de sua última reunião com os parlamentares, Lincoln saiu decidido a emitir uma proclamação. "Precisamos libertar os escravos, ou seremos nós os subjugados."

Entretanto, seria simplista demais afirmar que Lincoln libertou os escravos. Sua Proclamação de Emancipação, que entrou em vigor em 1º de janeiro de 1863, só libertou os escravos que viviam além das fronteiras, em território confederado. Isso significou, como reclamaram os críticos, que *nenhum* escravo foi libertado, exceto aqueles que a União não tinha poder para libertar. Mas as notícias da lei de Lincoln se espalharam como fogo. Milhares de escravos haviam libertado a si mesmos muito antes de a proclamação ser emitida. Ao fazer isso, eles estavam forçando Lincoln, a União e até mesmo os sulistas brancos a decidir o que fazer a respeito da escravidão.

No início, muitos confederados acreditaram que seus escravos se mostrariam "um baluarte" no combate. Estavam errados. Desde o começo, os escravos se empenharam em tirar vantagem da guerra. Eles ouviam conversas na mesa de jantar de seus senhores, passavam as notícias de amigo em amigo e corriam para a liberdade assim que a oportunidade se apresentasse. Escravos conduziram as tropas da União pelas estradas secundárias do Sul, revelaram onde as tropas confederadas estavam paradas e forçaram os confederados a dedicar soldados valiosos a vigiar escravos em vez de combater ianques. No fim da guerra, 180 mil afro-americanos haviam entrado para o exército da União, "lutando tão bravamente quanto qualquer soldado", conforme testemunhou um oficial ianque.

A sorte da União começou a mudar no terceiro verão da guerra – mas não facilmente. Lincoln demitiu McClellan e experimentou uma série de outros generais, alguns igualmente cautelosos, outros determinados, porém imprudentes. O presidente estava "tomado de angústia" por suas derrotas. Mas a esperança veio de exércitos da União no oeste, que avançaram pelo Tennessee até o rio Mississippi. Enquanto isso, navios de guerra da União capturaram Nova Orleans na foz do Mississippi e avançaram para o norte. Se o Norte não podia controlar o rio inteiro, dividiria o território rebelde em dois.

O astro improvável entre os generais ocidentais foi Ulysses S. Grant. Embora tivesse se graduado em West Point, Grant estava trabalhando como um simples balconista em Illinois quando a guerra irrompeu. Um homem de poucas palavras, parco no vestir, quase sempre um charuto enfiado entre os dentes, ele era determinado e calmo em combate. Memorizou os mapas em um piscar de olhos, então galopou por estradas secundárias e atravessou campos para coordenar um ataque. "A arte da guerra é simples", explicou. "Descubra onde está o inimigo, vá até ele o mais rápido que puder, ataque o mais duramente que puder e continue avançando." Na primavera de 1863, a União controlava a maior parte do Mississippi – mas não a estratégica cidade de Vicksburg. Em uma ação ousada, Grant deixou para trás seus barcos de suprimentos e marchou para o interior, vivendo do alimento das fazendas do Sul. Ele cercou Vicksburg e a deixou sem comida, até que a cidade se rendeu em 4 de julho. "Não posso poupar esse homem", disse Lincoln. "Ele luta."

Durante aqueles mesmos dias de julho, uma guinada veio do leste. Surpreendendo a todos, Lee conduziu seu exército para a Pensilvânia, ao norte – território da União. Ele estava convencido de que o Sul precisava tomar a ofensiva se quisesse vencer. Em uma intensa batalha perto do vilarejo de Gettysburg, na Pensilvânia, rebeldes atacaram as linhas da União por dois dias seguidos. No terceiro dia, Lee ordenou que o major-general George Pickett atacasse o centro das defesas da União, convencido de que os ianques, exaustos, cederiam. Mas eles não se renderam. Valentemente, os homens de Pickett avançaram para o alto da colina sob uma chuva de balas avassaladora. Metade deles morreu; os outros foram capturados ou forçados a recuar. Desanimado, Lee cavalgou em meio aos sobreviventes, consolando-os. "É tudo culpa minha (...) Vocês precisam me ajudar (...) Todos os homens bons devem se unir." Então se retirou para o Sul. Não houve mais campanhas rebeldes em território da União.

Lincoln considerou a vitória de Grant em Vicksburg "uma das mais brilhantes do mundo". Quando o quarto ano de guerra começou, ele colocou Grant no comando de todos os Estados do

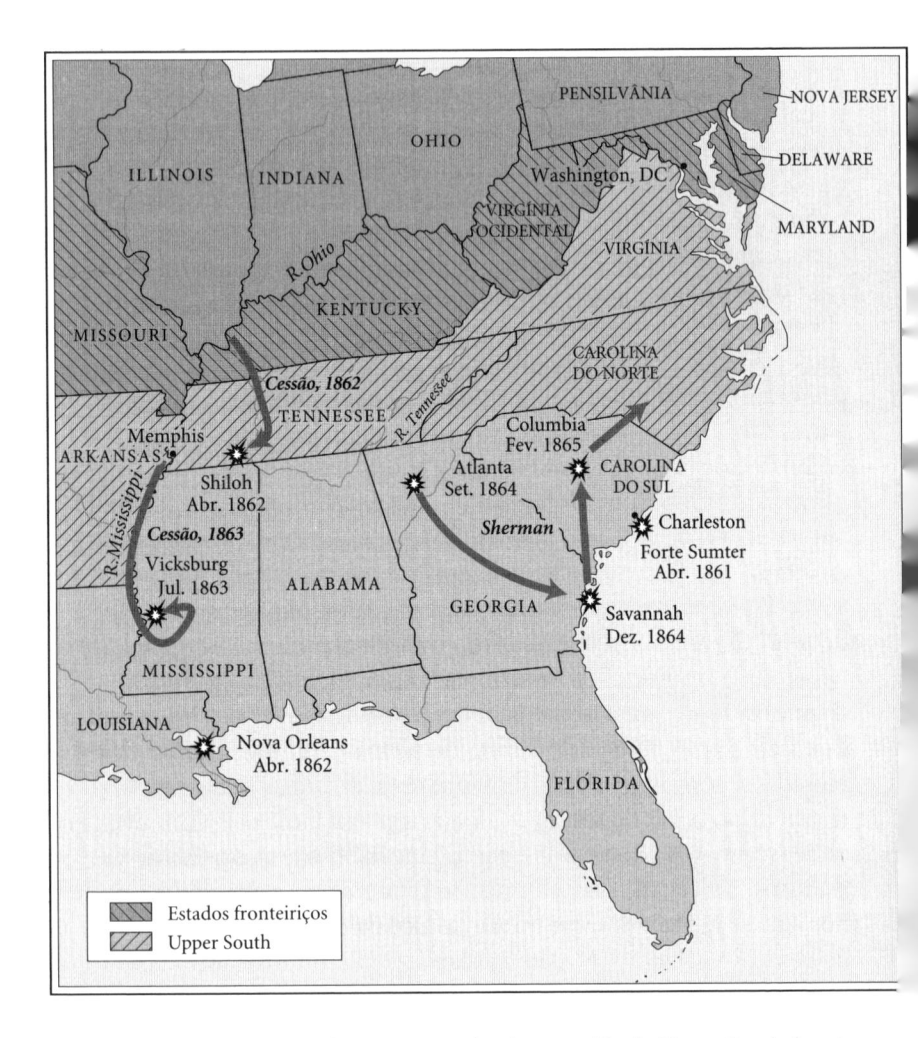

A Guerra Civil. O Deep South se separou primeiro, seguido do Upper South depois que a batalha começou no forte Sumter. Lincoln conseguiu manter os Estados fronteiriços na União, bem como a parte oeste da Virgínia, que se tornou o novo Estado da Virgínia Ocidental. Enquanto isso, o general da União, Grant, logrou êxito nas batalhas ocidentais da guerra durante 1862 e 1863. Depois que Lincoln o colocou no comando de todas as forças da União, ele perseguiu o general confederado, Lee, em 1864 e 1865, até que Lee foi encurralado e se rendeu no vilarejo de Appomattox Courthouse.

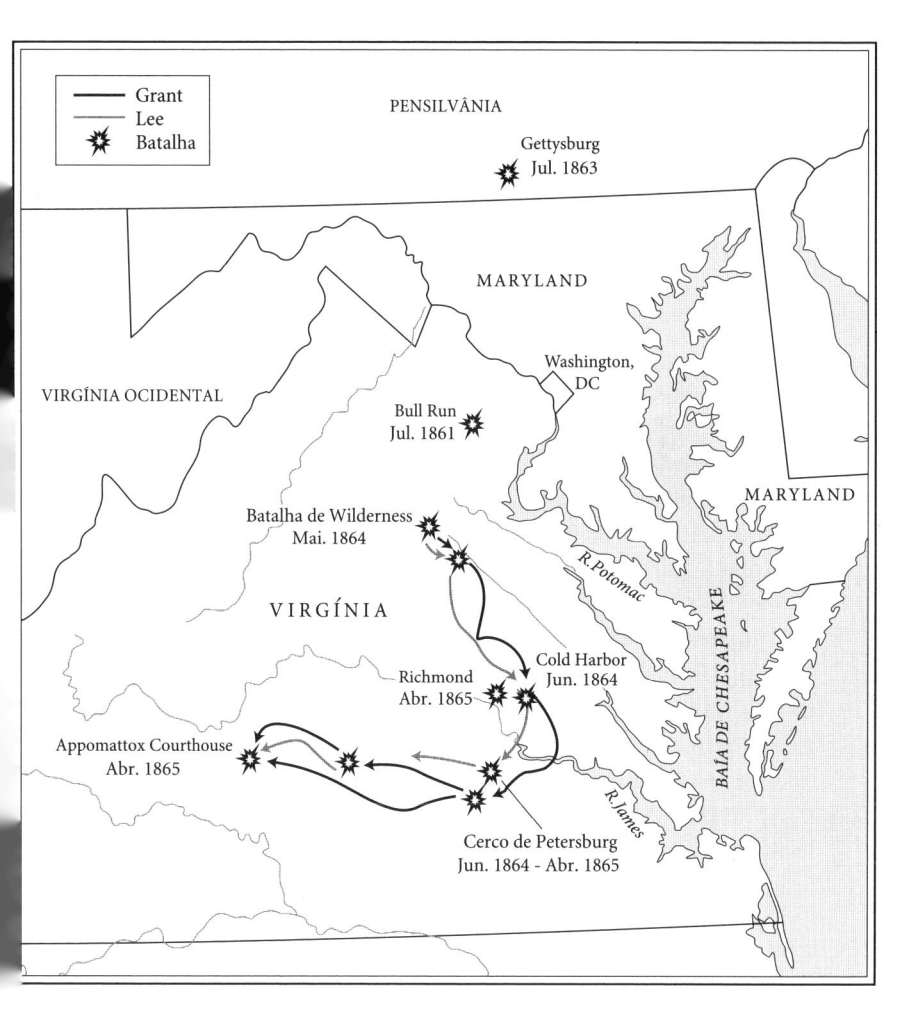

Norte. Ambos os homens concordavam que, para salvar a União, já não podiam travar uma guerra limitada. Para derrotar o exército confederado, os alimentos e as provisões que o mantinham também teriam de ser destruídos. Enquanto Grant atacava Lee mês após mês, o general William Tecumseh Sherman avançou para a Geórgia, cujas fazendas férteis até então haviam sofrido poucos danos. Invadam "as terras do inimigo o mais rápido que puderem", ordenou Grant, "causando o máximo de dano possível a seus recursos de guerra".

Mas mesmo com a Confederação na defensiva, o Norte quase perdeu a guerra por causa de política. Lincoln estava planejando a reeleição em 1864 e seu adversário democrata era George McClellan. McClellan queria negociar a paz e acabar com a guerra rapidamente, mesmo que isso significasse permitir a sobrevivência da escravidão. Lincoln se recusava a pagar o preço. Mais de 130 mil ex-escravos já estavam lutando em defesa do Norte. Com uma paz alcançada nesses termos, eles se tornariam escravos novamente – e, por fazer uma barganha como essa, Lincoln seria "condenado, no presente e por toda a eternidade". Mas, se ele não buscasse a paz, sua derrota na eleição parecia certa. Quatro anos de guerra deixaram os nortistas deprimidos com a morte de milhares de filhos. Grant ainda estava preso em uma campanha opressiva contra Lee, enquanto, na Geórgia, o exército de Sherman acampava do lado de fora da cidade bem fortificada de Atlanta. "Lincoln está morto e enterrado", regozijou-se um jornal democrata.

Então, em setembro, Sherman, ruivo e de barba grisalha, telegrafou a notícia: "Atlanta é nossa, e foi conquistada justamente". Com os soldados em campo entre seus maiores defensores, Lincoln, o "babuíno bem-intencionado", derrotou facilmente seu ex-general.

O general Sherman empreendeu uma campanha de Atlanta ao oceano Atlântico concebida para "fazer a Geórgia urrar", como ele colocou. "Estamos não só combatendo exércitos hostis, como também um povo hostil." O exército abriu um caminho de destruição com oitenta quilômetros de largura em sua "marcha para o mar", o que intensificou os graves sofrimentos da Confederação. A comida já havia se tornado tão escassa que em várias cidades do Sul as mulheres se rebelaram, exigindo pão. Para financiar a guerra, a Confederação acabou simplesmente emitindo papel-moeda, que, com o tempo, ficou praticamente sem valor. Em 1865, um barril de farinha em Richmond custava mil dólares na moeda da Confederação. "Não temos nada para comer em casa além de um pouco de farinha de aveia", escreveu uma mulher do Alabama para seu marido soldado: se ele não voltasse logo para casa, encontraria a esposa e os filhos "no cemitério". Jefferson Davis estava tão desesperado que propôs recrutar 300 mil escravos para lutar pelos confederados. Uma ideia "monstruosa", protestou mais de um sulista. "O Sul entrou na guerra para derrotar os planos dos abolicionistas e pasmem! No meio da guerra nos tornamos também abolicionistas!"

A proposta de Davis chegou tarde demais para ser colocada em prática. E, àquela altura, Lincoln havia convencido o Congresso a aprovar a Décima Terceira Emenda à Constituição, abolindo a escravidão para sempre no interior da União. Os republicanos celebraram quando a medida foi aprovada, enquanto os afro-americanos observaram das galerias e choraram de alegria.

Lincoln ficou aliviado com a notícia, mas a guerra cobrou dele um preço altíssimo: as cartas incessantes a serem lidas e respondidas, os oficiais que o procuravam o dia todo, a agência dos telégrafos que o presidente visitava à noite em busca de notícias sobre as batalhas do dia. Os homens o importunavam por cargos no governo, mães que perderam vários filhos chegavam aos prantos, implorando que o filho que lhes restava fosse poupado do serviço militar. Os secretários de Lincoln tentavam conter a torrente, mas o presidente quase sempre os ignorava, dizendo: "Elas não querem muito e obtêm pouco, e eu preciso vê-las". Perto do fim da guerra, alguém observou os "grandes círculos escuros" de fadiga sob seus olhos; outros notaram que ele mudava de assunto de repente e disparava uma das incontáveis histórias engraçadas que parecia ter na manga. Quando um amigo reclamou de seu senso de humor em tempos sombrios, Lincoln desabou, as lágrimas rolando em suas bochechas. "Eu vou morrer" sem conseguir qualquer alívio "para o fardo insuportável que estou sempre carregando", explicou.

Setecentos e cinquenta mil soldados morreram, 1,5 milhão de cavalos pereceram, vinte bilhões de dólares foram gastos na guerra. Essa soma foi mais de onze vezes todo o dinheiro desembolsado pelo governo federal entre 1789 e 1861. Quem poderia ter previsto o custo ou adivinhado o que viria? Esse pensamento estava na cabeça de Lincoln quando ele se pronunciou em sua segunda posse, em março de 1865, talvez o discurso mais memorável já feito por um presidente norte-americano. A guerra estava praticamente acabada, com o Norte vitorioso. Mas o presidente não afirmou que a justiça estava do seu lado nem que Deus havia abençoado a vitória. A escravidão estava no centro do conflito, falou. Todos sabiam disso. Mas

> Nenhuma das partes esperava que a guerra tivesse a magnitude ou a duração que já alcançou (...) Cada parte previa uma vitória mais fácil e um resultado menos fundamental e desconcertante. Ambas as partes leem a mesma Bíblia e rezam ao mesmo Deus, e cada uma delas evoca Seu auxílio contra a outra. Pode parecer estranho que alguns homens ousem pedir a ajuda de um Deus justo para arrancar seu pão do suor de outros homens; mas não julguemos para não ser julgados. Seria impossível atender às preces de ambas as partes, e nenhuma delas foi plenamente atendida. O Todo-Poderoso tem seus próprios desígnios.*

Quais eram eles? Lincoln não diria, não poderia dizer. Mas a escravidão era uma ofensa aos olhos de Deus, nisso ele acreditava. E se, para eliminá-la, Deus deu "ao Norte e ao Sul esta guerra terrível", quem poderia negar a justiça? Durante séculos a escravidão norte-americana crescera lado a lado com a liberdade norte-americana. Se deus desejava que

> esse poderoso flagelo de guerra prossiga, até que todas as riquezas acumuladas por duzentos e cinquenta anos de trabalho forçado do escravo desapareçam e que cada gota de sangue arrancada pelo açoite seja paga por outra arrancada pela espada, como foi dito três mil anos atrás, ainda assim deve-se dizer que "verdadeiros e justos são os juízos do Senhor".

---

* LINCOLN, Abraham. *Discursos de Lincoln*. Tradução de Denise Bottmann. São Paulo: Penguin Companhia, 2013. (N.T.)

Sem malevolência dirigida a ninguém, com caridade para todos, com firmeza na retidão, como Deus nos dá a ver o que é reto, empenhemo-nos em terminar a tarefa em que estamos, em curar as feridas da nação, em cuidar daquele que enfrentou a batalha, de sua viúva e de seu órfão – em fazer tudo o que possa alcançar e alimentar uma paz justa e duradoura, entre nós mesmos e com todas as nações.*

Apenas um mês se passou do momento em que Lincoln pronunciou essas palavras até o momento em que Ulysses Grant encurralou um exército confederado exausto perto do vilarejo de Appomattox Courthouse, na Virgínia. Lá, Robert E. Lee se rendeu, quase quatro anos depois do dia em que a Guerra Civil começara.

Quem poderia ter previsto o custo, ou saber que havia ainda mais a ser pago? Lincoln não pôde, e não soube. Mas mais de uma vez ele vislumbrou, como que por um espelho em enigma, que um último sacrifício talvez fosse necessário.

---

* LINCOLN, Abraham. *Discursos de Lincoln*. Tradução de Denise Bottmann. São Paulo: Penguin Companhia, 2013. (N.T.)

23
Como reconstruir?

Lincoln havia sido alertado de uma tentativa de assassinato mesmo antes da guerra, quando estava a caminho de Washington como presidente eleito. O detetive a cargo da segurança, Allan Pinkerton, aconselhou Lincoln a tomar um trem noturno especial por Baltimore, uma cidade com muitos secessionistas que desprezavam esse "republicano negro", como o chamavam. Embora duvidasse do relato de uma conspiração, Lincoln concordou em vestir um sobretudo, um chapéu de pano e um cachecol que escondesse seu rosto. Mais tarde, o novo presidente foi alvo de zombaria por se infiltrar em Washington como "um ladrão na calada da noite". Dali em diante, ele decidiu tocar a vida normalmente, apesar das cartas ameaçadoras que recebia. Certa noite em 1864, enquanto andava a cavalo sozinho, ouviu-se um tiro e sua cartola voou. Posteriormente, soldados a recuperaram com um buraco de bala na copa. "Sei que corro perigo", ele disse ao editor de um jornal, mas acrescentou que, em sua opinião, nenhuma precaução deteria um assassino determinado.

Em 14 de abril – Sexta-Feira Santa –, Lincoln assistia a uma peça no teatro Ford. O público aplaudiu quando ele e sua esposa,

Mary, apareceram em seu camarote, pois fazia apenas cinco dias que o general Lee se rendera. No meio do espetáculo, um simpatizante dos confederados e ator, John Wilkes Booth, se infiltrou no camarote do presidente e atirou na parte de trás da cabeça de Lincoln com uma pistola Derringer. Booth então pulou do camarote para o palco e fugiu por uma porta lateral. Ele finalmente foi perseguido até um depósito de tabaco na Virgínia, onde foi baleado e morto depois de se recusar a se render. Do teatro, o presidente foi levado às pressas para uma residência particular, mas a ferida foi fatal. Ele morreu às 7h22 da manhã seguinte.

Dois anos antes, Lincoln homenageara os homens que sucumbiram no campo de batalha em Gettysburg como cidadãos que dedicaram à nação "toda a sua devoção". Agora, era a vez do presidente. Milhares de enlutados foram prestar sua última homenagem quando o trem funerário o levou de volta a Illinois; muitos devem ter se lembrado de suas últimas palavras em Gettysburg: "Aqui declaramos solenemente que estes mortos não morreram em vão, que esta nação, sob a proteção de Deus, terá um renascimento da liberdade e que o governo do povo, pelo povo, para o povo, não desaparecerá da Terra"*.

Mas como conseguir esse renascimento? Como remendar uma nação tão dilacerada? Onze Estados se separaram, e gastaram muito sangue e fortuna combatendo os Estados Unidos. O que se deveria exigir dos Estados rebeldes antes de aceitá-los de volta na União? Como os oficiais da Confederação deveriam ser tratados? Que sulistas teriam direito a votar nas novas eleições? De que modo a vida mudaria para 4 milhões de ex-escravos, que se tornaram conhecidos como *freedpeople* (pessoas libertas)? (O termo original era *freedmen* – homens libertos –, mas hoje os historiadores usam *freedpeople*, para incluir também as mulheres.)

O processo de reagrupar a União foi chamado de Reconstrução; e foi a tarefa mais difícil que a nação encarou em tempos de paz. Dias antes da morte de Lincoln, um general da União perguntara ao presidente como o Sul conquistado deveria ser tratado. "Eu os deixaria tranquilos", ele aconselhou; "deixe-os tranquilos." Lincoln tinha jeito com as pessoas. Ele era disposto a conversar, pronto para

---

* AMEUR, Farid. *Guerra de Secessão*. Tradução de Denise Bottmann. Porto Alegre: L&PM, 2010. (N.T.)

fazer concessões sobre muitos assuntos, mas tinha clareza sobre quando se manter firme. Agora ele se fora; e o presidente que o substituiu era um homem muito diferente.

Antes de entrar para a política, Andrew Johnson fora um alfaiate modesto do Tennessee que mal sabia ler. Por muito tempo, ele se ressentira dos fazendeiros ricos do Sul. "Algum dia eu vou mostrar para esses aristocratas arrogantes quem é que dirige o país", prometeu. Quando o Tennessee se separou, Johnson continuou firmemente um homem da União. Inclusive tomou um tiro quando fugia do Estado. Como presidente, seu programa para a Reconstrução requeria que os sulistas jurassem lealdade aos Estados Unidos se quisessem votar. Altos oficiais confederados e sulistas ricos teriam de fazer ainda mais. Teriam de solicitar indultos especiais ao presidente.

Na época em que a guerra terminou, alguns fazendeiros haviam passado a entender que a escravidão "era errada, e que a Declaração da Independência significava mais do que eles foram capazes de entender antes", como afirmou um capitão de cavalaria dos confederados. Mas a guerra atroz deixou muita ira. Um dono de hospedaria da Carolina do Norte comentou que os ianques haviam roubado seus escravos, queimado sua casa, matado seus filhos e lhe deixado um único privilégio: "Odiá-los. Eu acordo às 4h30 da manhã, e fico acordado até a meia-noite, para odiá-los". Os sulistas reconheceram que a escravidão precisava acabar, mas ainda assim, seus novos governos estaduais aprovaram "decretos negros", leis restringindo os ex-escravos. Embora os afro-americanos agora pudessem ter propriedades, casar-se legalmente e entrar com processos na Justiça, os decretos negros os proibiam de testemunhar contra brancos ou de servir no júri. Os códigos também permitiam que os libertos fossem presos sob acusações vagas, como não ter casa ou trabalho regular. Uma vez presos, eles podiam ser alugados para fazendeiros e obrigados a trabalhar. Para os nortistas, isso não passava de escravidão sob um nome diferente. Os eleitores do Sul também elegeram ao Congresso altos oficiais rebeldes, incluindo o ex-vice-presidente confederado, Alexander Stephens.

O presidente Johnson poderia ter rejeitado as ações dos novos governos do Sul. Mas uma vez que ele havia aprovado esses governos, isso significaria admitir que avaliara mal a situação, e Johnson era teimoso. Ele queria a Reconstrução concluída. Quando ex-confederados afluíram para a Casa Branca, solicitando indultos especiais, ele mudou seu tom sobre "aristocratas arrogantes" e emitiu mais de 13 mil indultos em dois anos. Muitos nortistas ficaram chocados ao saber que ex-generais confederados foram eleitos ao Congresso. O que é pior, quando os republicanos fizeram objeções, Johnson começou a acusar a *eles* de traidores, por dar aos cidadãos negros direitos demais. Enquanto isso, multidões brancas atacavam afro-americanos em importantes cidades do Sul, incluindo Memphis e Nova Orleans.

Sob protestos de Johnson, o Congresso criou uma abordagem mais estrita para trazer o Sul de volta à União. Insistiu em uma Décima Quarta Emenda à Constituição garantindo que nenhum cidadão, incluindo os afro-americanos, poderia ser privado da "vida, liberdade ou propriedade sem o devido processo legal". Todo cidadão merecia "igual proteção" da lei – o que significava que os "decretos negros" ou outras leis dirigidas a apenas alguns cidadãos eram inconstitucionais. Em segundo lugar, o Congresso rejeitou os novos governos estaduais do sul e dividiu a região em cinco distritos militares supervisionados por oficiais da União. Nessa nova ordem, apenas os homens brancos que fizessem um voto de lealdade aos Estados Unidos podiam votar e assumir cargos. Assim como os libertos.

A guerra política que se seguiu foi violenta. O presidente Johnson vetou todas as leis da Reconstrução que o Congresso aprovou, mas os republicanos anularam facilmente seus vetos. Ele tentou demitir seu secretário de Guerra, Edwin Stanton, que ficou do lado do Congresso, mas Stanton se entrincheirou em seu gabinete dia e noite durante dois meses para evitar que Johnson o impedisse de exercer a função. O Congresso apoiou Stanton. Finalmente, a Câmara dos Deputados votou a favor de um impeachment do presidente – o processo estipulado na Constituição para destituir alguém do cargo. No julgamento de Johnson perante o Senado, um número suficiente de senadores concordou que ele não havia cometido nenhum "crime supremo" nem infringido a lei, de modo que tinha o direito de cumprir os poucos meses que restavam de seu mandato.

Quando as coisas saem tão mal, é natural se perguntar *e se*? E se Lincoln não tivesse sido assassinado? A Reconstrução teria prosseguido sem tantos percalços? E se os sulistas não tivessem aprovado os decretos negros? E se os nortistas não tivessem exigido tantas mudanças? Mas tais perguntas passavam despercebidas diante das verdadeiras dificuldades da Reconstrução, que envolveram mais do que disputas políticas em Washington. A Reconstrução mudou praticamente tudo e todos no Sul – não só vidas pessoais, casamentos e famílias, como também trabalho e diversão e até mesmo coisas físicas, como casas, igrejas e escolas. Imagine: por mais de duzentos anos, pessoas livres e escravos haviam vivido lado a lado, enquanto se desenvolviam costumes sobre como cada grupo tratava o outro. Reconstruir a União significava formar um mundo sem escravidão – um "renascimento da liberdade", como Lincoln colocou, de maneiras grandes e pequenas.

Como reconstruir o trabalho? Os grandes fazendeiros brancos enfrentaram mudanças enormes no modo como administravam seus campos. Eles estavam acostumados a dizer aos escravos o que fazer – e não a barganhar sobre quanto pagar aos trabalhadores ou quando lhes dar folga. Agora, os fazendeiros já não podiam usar o chicote para manter a mão de obra na linha. Mas o tabaco ainda precisava ser plantado, e o algodão, colhido em tempo, e as pessoas libertas podiam ficar ou ir quando quisessem. Milhares deixaram seus antigos lares, "*sem avisar*, simplesmente quando lhes dava na telha", reclamou um fazendeiro no Alabama. Que irresponsáveis! Ou pelo menos é o que parecia para os ex-senhores, desesperados porque suas colheitas corriam o risco de fracassar.

Agora consideremos os libertos, reconstruindo a própria vida. Sob o regime de escravidão, milhões de maridos foram vendidos pra longe das esposas. Crianças foram separadas dos pais. Depois da guerra, as estradas estavam entupidas de ex-escravos em busca de seus entes queridos. Era irresponsável deixar uma fazenda para sair à procura do marido ou da filha há muito perdidos? Certamente liberdade significava o direito de abandonar um senhor que o tratava com crueldade.

Pode parecer absurdo falar sobre reconstruir casas, igrejas e escolas, mas não é. Na maioria das fazendas, os alojamentos de escravos haviam sido construídos em um ponto central, onde os senhores podiam vigiar os escravos. Os libertos queriam se espalhar, ter suas próprias cabanas com um pouco de privacidade para sua família. Quanto ao culto, pela primeira vez os libertos tiveram o direito de escolher seu próprio pregador e sua própria igreja. A Igreja Batista da Beale Street, no Memphis, era, no início, apenas um "caramanchão" – um abrigo rústico na esquina da Beale Street com a Lauderdale, feito de galhos e arbustos. Mas a igreja cresceu rapidamente para mais de 2 mil membros, que oravam em uma grande igreja de pedra com torres gêmeas. Quanto às escolas, antes da guerra os escravos podiam ser açoitados se fossem pegos lendo. Durante a Reconstrução, professores e missionários do norte vieram para o Sul para fundar escolas e até faculdades. Os negros não estavam meramente "ansiosos para aprender", segundo relatou o funcionário de uma escola na Virgínia, como estavam "loucos para aprender". Muitos dos que o fizeram também se tornaram professores.

Falar de reconstruir calçadas parece ainda mais absurdo, mas os efeitos da Reconstrução mudaram os mínimos detalhes. Antes da guerra, os escravos tinham de sair de uma calçada depressa se uma pessoa branca aparecesse; eles também tinham de abaixar a cabeça e tirar o chapéu. (Lembram-se de como os estudantes coloniais tinham de tirar o chapéu para seus superiores?) A Reconstrução significou o direito de caminhar pelas calçadas, e muitos brancos ficavam furiosos quando soldados negros que haviam lutado pela União se recusavam a saltar para a rua lamacenta.

Por um tempo, a Reconstrução foi verdadeiramente uma revolução que virou o mundo de cabeça para baixo. Nas votações, os afro-americanos libertos se uniram aos republicanos brancos para eleger governos e ocupar cargos públicos em todo o Sul. Os libertos tinham de quinze a vinte por cento dos gabinetes estaduais, e enviaram dois senadores e quinze deputados ao Congresso. Os novos governos ajudaram a reconstruir as estradas de ferro destruídas durante a guerra. Eles começaram o primeiro sistema estadual de escolas públicas no Sul e construíram novas estradas e pontes. Muitas vezes, se não sempre, as eleições seguiam de maneira pacífica, sem "o menor ressentimento entre negros e brancos", conforme comentou uma mulher branca da Geórgia.

Infelizmente, a revolução não durou. Uma guerra civil cheia de morte e destruição fizera com que muitos norte-americanos se cansassem de reformas e de ideais elevados. Com demasiada facilidade, políticos em toda a nação usavam atalhos, faziam favores aos amigos, roubavam dos fundos públicos. Esse comportamento também infectou os governos da Reconstrução. "Há rios de dinheiro por trás disso, ou sou um idiota", comentou um republicano da Carolina do Sul. A corrupção tornou os democratas mais determinados a derrubar as autoridades republicanas. O que é ainda mais importante, a Reconstrução fracassou porque era imensamente difícil superar dois séculos de extrema desigualdade. Os sulistas brancos que se recusavam a tratar os afro-americanos como iguais começaram a opor resistência. Eles iniciaram uma batalha para, pode-se dizer, reconstruir a noite.

Nos tempos da escravidão, os senhores organizavam patrulhas para evitar que os escravos saíssem às escondidas durante a noite para caçar, visitar familiares em fazendas próximas ou fugir. Durante a Reconstrução, os libertos se apropriaram novamente da noite. Nas campanhas eleitorais, eles marchavam em desfiles políticos iluminados por tochas, exatamente como os brancos faziam. Frequentavam reuniões à noite e visitavam amigos conforme sua vontade. Mas, ainda em 1866, alguns brancos organizaram grupos paramilitares para pôr um fim a essas liberdades. Um desses grupos, a Ku Klux Klan, usava vários disfarces, como lençóis brancos e capuzes que escondiam seu rosto. Nas rondas noturnas, eles tomavam as armas de cidadãos negros, invadiam reuniões políticas republicanas e inclusive assassinavam líderes políticos.

No início, tais ataques enfureceram os habitantes do Norte. Em 1868 e novamente em 1872, o general Ulysses Grant foi eleito presidente, e ele conduziu tropas federais para prender membros da Ku Klux Klan e outros que tentassem impor "a supremacia branca". Mas, com o passar do tempo, os nortistas começaram a se cansar da Reconstrução – até mesmo os abolicionistas mais ferrenhos. "Já tentamos o bastante", reclamou um. "Agora deixemos o Sul por sua conta." Os democratas do Sul se tornaram bastante francos sobre seus planos de conquistar o poder – por meio de eleições, se possível; mas à força, se necessário. Rebeliões e mais terror impediram uns 250 mil republicanos de votar na eleição de 1876, na qual o republicano Rutherford B. Hayes, de Ohio, concorreu com o democrata Samuel Tilden, de Nova York.

A essa altura, os democratas haviam chegado ao poder em todos os Estados do Sul, com a exceção de três. Nesses Estados – Carolina do Sul, Louisiana e Flórida –, democratas e republicanos reivindicavam a vitória. Para resolver a disputa, o Congresso nomeou uma comissão especial, mas o acordo final foi selado em uma reunião particular no hotel Wormley, em Washington. Os democratas, relutantes, concordaram em deixar Hayes se tornar presidente – desde que a Reconstrução fosse encerrada. E assim foi, em 1877. A nação voltou a se unir, mas à custa dos direitos dos libertos.

A guerra civil destroçou a nação, como advertira Lincoln, porque 250 anos de escravidão não podiam ser apagados facilmente. A Reconstrução foi um esforço corajoso de subverter esses anos de desigualdade. Mais um século se passaria até que a marcha para a igualdade ressurgisse.

24

A PRÓXIMA FEBRE

Um dos conquistadores que explorou a América espanhola em busca de tesouros gostava de exibir um lema abaixo de seu retrato. Dizia: "Pela bússola e pela espada: mais e mais e mais e mais". Às vezes parece que toda a história norte-americana foi uma corrida por mais e mais, de um polo econômico ao seguinte. A busca por ouro e prata. Plantações de açúcar no Caribe. Tabaco na Virgínia, arroz nas Carolinas. Comerciantes de peles nas Rochosas. Reinos de algodão e fábricas têxteis. Cada *boom* aparentemente maior do que o anterior. Maior, quanto? Em 1860, uma grande fazenda no Sul colocava mais de 250 escravos para trabalhar. No Maine, a fábrica têxtil Pepperell Cotton Mills contratava cerca de oitocentas pessoas, de operárias e imigrantes irlandesas a garotos pagos para lancear as enguias que obstruíam as rodas d'água dos moinhos. Em 1860, oitocentos trabalhadores parecia um número enorme para uma única empresa.

Mas, apenas 25 anos depois, a companhia ferroviária Pennsylvania Railroad listou 50 mil pessoas em sua folha de pagamento. Perto de Pittsburgh, não longe de onde George Washington tentara impedir os franceses de construir um pequeno forte de dois acres, a companhia siderúrgica Homestead Steel Works, ocupando sessenta acres, expelia fumaça no céu enquanto suas fornalhas produziam duzentas toneladas de trilhos de aço *diariamente*. As ferrovias os devoravam tão rápido quanto conseguiam obtê-los. O aço transformou também as cidades norte-americanas. Durante séculos, as igrejas foram os edifícios mais altos, seus campanários se projetando em direção ao firmamento. Agora, as novas vigas de aço tornaram possível construir edifícios com dez, vinte, até trinta andares – "residências arranha-céus", como os chamou um jornal.

Mas grandeza não significava apenas tornar-se maior. Não se podia simplesmente triplicar o tamanho de uma estrada de ferro. Para se tornar realmente grandes, os norte-americanos precisaram criar novos *sistemas*. Esses sistemas foram cruciais para dominar os mil e um detalhes que tornar-se grande envolve.

Considere a diferença entre um barco a vapor e uma locomotiva. Alguém que quisesse entrar no ramo de barcos a vapor poderia muito bem simplesmente comprar um barco e se lançar rio abaixo, parando em uma cidade ou em 22. Uma companhia ferroviária, por outro lado, necessitava não só uma locomotiva e vagões; tinha de comprar as terras por onde suas vias passariam, abrir um caminho por entre árvores, aterrar pântanos, construir pontes sobre rios, assentar cascalho e trilhos e construir estações ferroviárias. Tudo isso e mais era necessário antes que a empresa pudesse ganhar dinheiro transportando carga ou passageiros. Nos anos 1850, muitas pequenas ferrovias já atravessavam o leste dos Estados Unidos, de modo que companhias ferroviárias como a New York Central Railroad começaram a comprá-las para fazer "linhas-tronco" que conectavam grandes cidades como Nova York, Filadélfia e Chicago. Ainda assim, nenhuma havia resolvido a questão de qual deveria ser a medida da bitola, isto é, a largura da via férrea. Muitas empresas adotavam bitolas de 1.435 milímetros. Outras preferiam bitolas entre 1.524 e 1.676 milímetros. Havia pelo menos meia dúzia de tamanhos em uso. Para que uma estrada de ferro enviasse carga para tantos destinos diferentes, milhares de vias tiveram de ser ajustadas a fim de que os sistemas funcionassem em conjunto. Uma das maiores mudanças aconteceu num domingo, 30 de maio de 1886, quando milhares de operários no Sul levantaram os trilhos de suas vias de 1.524 milímetros e os recolocaram 76,2 milímetros mais próximos entre si. Com as equipes apostando corrida para ver quem ajustava mais vias, cerca de 21 mil quilômetros foram estreitados em aproximadamente 36 horas. Daí em diante, os trens do Sul puderam percorrer as linhas do Norte.

O maior sonho ferroviário era uma rota que atravessasse o continente. Nenhuma empresa era grande o bastante para construir tal linha transcontinental, muito menos para bancá-la. Então o governo federal interveio. O Congresso deu à Union Pacific Railroad o direito de avançar para o oeste pelas Grandes Planícies e permitiu que a Central Pacific Railroad construísse desde a Califórnia rumo ao leste. Para ajudar a pagar o trabalho, o governo também deu a essas corporações 45 milhões de acres de terras federais que as empresas venderam a pessoas interessadas em se estabelecer ao longo da rota. À procura de operários, a Union Pacific contratou veteranos da Guerra Civil e imigrantes irlandeses. As equipes assentavam mais de três quilômetros de via por dia nas Planícies quentes e secas. Do lado do Pacífico, nove em cada dez operários eram chineses, muitos deles recém-chegados aos Estados Unidos. Eles enfrentaram a difícil tarefa de assentar trilhos nas montanhas de Sierra Nevada, onde, no inverno, os montes de neve acumulada chegavam a quase vinte metros de altura. Isso interrompeu a maior parte do trabalho, mas a dinamitação de túneis continuou. Não foram poucos os operários mortos por avalanches, deslizamentos e explosões, e alguns corpos só foram encontrados quando a neve derreteu na primavera. Mas, em 1869, as vias férreas da Central Pacific e da Union Pacific finalmente se uniram em Promontory Point, Utah.

Com os trens percorrendo centenas e até milhares de quilômetros, pense na dificuldade de programar horários. Para controlar o tempo, os vilarejos ajustavam seu relógio para o meio-dia quando o sol estava a pino no céu. Mas "meio-dia" variava de uma cidade para outra. Quando o sol estava a pino em Chicago, eram apenas 11h50 em St. Louis, mas já 12h31 em Pittsburgh. Para alguém viajando a cavalo, tais diferenças dificilmente importavam. Mas para trens parando em dezenas de cidades em um único dia, seguir uma grade horária era um pesadelo. Cada linha tinha de escolher seu próprio horário "padrão", diferente do horário local dos vilarejos. Algumas estações de trem colocavam vários relógios na parede para ajudar os passageiros a não se confundir. (A estação principal de

Pittsburgh tinha seis.) Finalmente, em 1883, as companhias ferroviárias se reuniram e criaram fusos horários, dividindo o país em quatro seções, cada uma com seu próprio horário padrão. O novo sistema ajudou as ferrovias a crescer.

De fato, as ferrovias cresceram tanto que contrataram administradores cuja única função era organizar milhares de engenheiros, guarda-freios, locomotivas, estações, oficinas, rotundas, carregadores, condutores e agentes nas estações. Os administradores desenvolveram organogramas no formato de uma grande árvore, com o presidente e as autoridades da via férrea no tronco e os diferentes departamentos e trabalhadores se espalhando como ramos com mil folhas.

Invenções de todo tipo contribuíram para esses novos sistemas industriais. Os norte-americanos patentearam mais de meio milhão de novos projetos e máquinas nos trinta anos que se seguiram à Guerra Civil. O maior inventor da época foi um jovem operador de telégrafo, Thomas Alva Edison. Edison concebeu como enviar mais de uma mensagem por vez através de uma linha de telégrafo, e fez tanto dinheiro com sua ideia que ficou livre para dedicar a vida a criar novas invenções – do fonógrafo, que gravava e reproduzia sons, à lâmpada elétrica, que transformou a noite em dia em cidades por todo o país. Na mesma época, Alexander Graham Bell descobriu como transmitir vozes por fio. Seu sistema era muito melhor do que os traços e pontos do código morse usado pelo telégrafo. A maior ideia de Edison foi criar um *sistema* para inventar coisas, em vez de simplesmente conceber uma ideia por vez. Se era possível ter fábricas de algodão e de aço, por que não abrir uma fábrica de invenções? Edison comprou geradores elétricos e suprimentos químicos e contratou técnicos e fabricantes de ferramentas para trabalhar no que ficou conhecido como "laboratório de pesquisa". Sua intenção era colocar novos conhecimentos em prática. Grandes empresas rapidamente copiaram a ideia.

As invenções ajudaram a superar problemas técnicos, como carregar corrente elétrica entre bairros vizinhos ou frear vagões sem solavancos. Mas havia problemas mais práticos a resolver. Muitas pequenas empresas competiam umas com as outras tentando crescer;

e essa competição muitas vezes foi dura. Companhias ferroviárias competiam para construir mais vias a fim de seduzir os clientes de suas concorrentes. Elas davam descontos secretos, chamados *rebates* (abatimentos), a seus melhores e maiores clientes, enquanto cobravam mais dos pequenos. Outras empresas subornavam membros de legislaturas estaduais para aprovar leis que lhes favorecessem. As pessoas falavam de uma "guerra das ferrovias" – e, de fato, companhias ferroviárias rivais às vezes contratavam guardas armados e até mesmo gangues de rua para proteger seus interesses. Cornelius Vanderbilt, dono da New York Central Railroad, sabia que seu concorrente Jay Gould, da Erie Railroad, cobrava 125 dólares para enviar um vagão cheio de gado da cidade de Buffalo para a cidade de Nova York. Então Vanderbilt baixou seu preço para 100 dólares. Gould revidou, cobrando 75 dólares. Vanderbilt baixou para 50, Gould para 25. Furioso, Vanderbilt finalmente estipulou seu preço em um dólar para um vagão cheio de gado. Ele estava perdendo uma quantia considerável de dinheiro, mas pelo menos a Erie Railroad não ficaria com o negócio! Seus vagões de carga estavam cheios. Gould foi mais esperto: saiu comprando todos os bovinos em Buffalo. Quando Vanderbilt soube que "estava carregando o gado de seus inimigos a um grande custo para si e grandes lucros" para eles, "quase perdeu a razão", como recordou um amigo. Competições desse tipo arruinaram muitos negócios.

 Os que sobreviveram aprenderam formas de eliminar a concorrência. John D. Rockefeller entrou no novo negócio do petróleo. As pessoas haviam começado a perfurar poços que jorravam do solo um líquido espesso e escorregadio conhecido como petróleo. Podia ser refinado para produzir querosene, que abastecia lâmpadas, ou óleo lubrificante, que ajudava os motores das máquinas a funcionar sem percalços. O petróleo se tornou ainda mais valioso quando os próprios motores foram projetados para queimá-lo como combustível. Rockefeller viu nisso uma oportunidade e a agarrou. Seu pai, presbiteriano, lhe havia ensinado a trabalhar duro e a não confiar em ninguém. "Engano meus filhos sempre que posso", o pai se gabava. "Quero afiá-los." O jovem Rockefeller era muito mais que afiado. Ele levava seus concorrentes à bancarrota baixando preços, abria empresas "fantasma" que pareciam pertencer a outra pessoa ou simplesmente subornava os concorrentes para que vendessem sua empresa. Ele usava de qualquer estratégia para vencer. Mas sua

Standard Oil Company também produzia derivados de petróleo de alta qualidade porque seu proprietário inspecionava cada detalhe do negócio como uma águia. Rockefeller era o primeiro a chegar ao escritório de manhã e o último a sair à noite. Mesmo no dia de seu casamento, trabalhou a manhã inteira. Se podia economizar até mesmo um décimo de um centavo em cada galão de petróleo, ele o fazia. Pode não parecer muito, mas a Standard Oil refinava 700 milhões de galões por ano. Economizar um décimo de um centavo gerava um lucro adicional de 600 mil dólares.

Em 1880, Rockefeller controlava noventa por cento de todo o petróleo refinado nos Estados Unidos. Como o único grande fornecedor restante, ele obteve um monopólio e pôde aumentar os preços sem se preocupar em perder o negócio para um concorrente que cobrasse menos. Praticamente todo mundo que queria derivados do petróleo tinha de negociar com ele. E outras grandes corporações seguiram seus passos, tentando eliminar os concorrentes e construir monopólios.

O aço foi outro negócio que se tornou grande. Foi levado a novos patamares por um jovem escocês norte-americano, Andrew Carnegie. Durante anos, as linhas de trem usaram trilhos de ferro para suas vias, mas quando o ferro foi purificado em aço, tornou-se mais forte e passou a durar mais. As fornalhas de aço de Carnegie usavam as tecnologias mais avançadas para transformar o ferro em aço. Carnegie não seguiu a estratégia de Rockefeller, comprando todas as grandes companhias siderúrgicas (embora tenha comprado muitas). Em vez disso, ele se protegeu comprando os *outros* negócios de que uma siderúrgica precisava para sobreviver: as minas que abasteciam suas fornalhas com minério de ferro, as ferrovias que transportavam o minério até ele. Assim, ninguém podia interferir cortando seus suprimentos ou cobrando preços altos por coisas que ele necessitava.

A febre das ferrovias, a febre do petróleo, a febre do aço. E, por fim, mas não menos importante, a febre do capital. As grandes corporações precisavam de dinheiro para seus projetos. Então os banqueiros criaram mercados onde o "capital" – o dinheiro usado para investimento – era comprado e vendido. Milhares de pessoas comuns podiam comprar uma parte de uma grande empresa investindo em ações disponíveis em mercados financeiros como a Bolsa de Valores de Nova York. A antiga rua holandesa chamada

Wall Street se tornou o centro do capital da nação. E os banqueiros no centro desse negócio eram mestres em comprar e vender ações, levantando milhões de dólares para comprar corporações e unificando-as em negócios ainda mais poderosos. O maior de todos os banqueiros foi J. Pierpont Morgan, um grandalhão que quase sempre conseguia o que queria. "Encontrar seus olhos escuros flamejantes era como confrontar os faróis de um trem expresso vindo para cima de você", recordou um fotógrafo que fez um retrato de Morgan. Em 1901, o banqueiro unificou a produtora de aço de Carnegie com as outras oito maiores siderúrgicas no país para criar a United States Steel Corporation, a primeira empresa bilionária da nação. Ao fazer isso, ele abocanhou duzentas empresas, 1,6 mil quilômetros de ferrovias, a maior reserva de minério de ferro do Minnesota e 170 mil trabalhadores. Mais e mais e mais e mais. "Eu gosto de um pouco de competição", disse Morgan, "mas gosto mais de unificação".

Os jornais aclamavam pessoas como Carnegie, Rockefeller e Morgan como capitães da indústria. Eles não haviam unido o continente com ferrovias? Forjado aço para construir pontes e arranha-céus? Ao ser reconstruída, a nação estava sendo transformada em um mundo que era mais grandioso do que tudo que existiu antes da Guerra Civil. E ainda assim...

Onde estavam os norte-americanos comuns nessa história? Falamos sobre alguns dos gigantes daqueles anos. E quanto às pessoas comuns – os milhares de trabalhadores que eram apenas folhas minúsculas na ponta de tantos ramos nos complicados organogramas empresariais? Eles também tiveram de se adaptar ao mundo industrial – às vezes era uma questão de vida ou morte. Considere um sujeito de meia-idade, de aspecto rude, que aparece um dia no escritório da Pennsylvania Railroad pedindo um emprego como guarda-chaves. O administrador olha para ele e pergunta se ele tem experiência. É bem provável que o homem consiga o emprego simplesmente levantando a mão.

A razão para tal é história para o próximo capítulo. E ilustra, na era das grandes febres, por que motivo as pessoas comuns também tiveram de encontrar uma forma de tornar-se grandes.

25
A COR DO SEU COLARINHO

QUANDO O RAPAZ DE APARÊNCIA GROSSEIRA se candidatou a um emprego como guarda-chaves ferroviário, o diretor perguntou se ele tinha experiência. O operário fez que sim com a cabeça e levantou a mão. Faltavam dois dedos.

Dedos faltantes eram um sinal de experiência nas ferrovias. O novo mundo da indústria era não só cintilante e glamoroso, como também perigoso e letal. Para um passageiro de trem em 1885, uma viagem atravessando o país não era nada parecida com o que havia sido nas primeiras ferrovias, onde um percurso significava "uma boa dose de solavancos, uma boa dose de ruído (...) pouca janela, um motor de locomotiva, um chiado e um sino". Agora, os trens serviam refeições em vagões-restaurante revestidos de madeira. O desjejum podia incluir bacon, linguiça, truta, ostras, frutas, pães quentes, chocolate e mais – tudo isso por 75 centavos. Ainda mais incrível é o fato de que George Pullman, de Illinois, havia fabricado vagões-leitos, nos quais camas desciam do teto e eram arrumadas com lençóis sofisticados. Os carregadores de Pullman – afro-americanos – armazenavam os chapéus das damas em caixas, espantavam moscas dos corredores e posicionavam escarradeiras ao lado da cama para os homens que fumavam tabaco. George Pullman chamou suas criações de "vagões-palácios" e pretendia que seus passageiros fossem tratados como membros da realeza.

Os operários ferroviários, por outro lado, tinham uma vida muito diferente. Não importavam a chuva, a neve ou as mãos congelando: o trabalho tinha de ser feito. Um guarda-chaves que baixasse a guarda no momento errado podia facilmente ter um dedo esmagado ou decepado. Ser guarda-freios era ainda mais perigoso. Quando um trem se aproximava da estação, o engenheiro fazia soar o apito de "baixar freios", e todos os guarda-freios subiam pelas escadas até o topo dos vagões para girar as rodas dos freios. Se uma roda fosse apertada depressa demais, o trem podia dar solavancos, lançando um dos guarda-freios para a morte. Mil guarda-freios por ano morriam em acidentes. E não só eles: engenheiros, foguistas, maquinistas, carpinteiros, engraxadores e sinaleiros, todos arriscavam a vida. Estes são alguns dos 198 ferimentos relatados em um único ano por uma companhia ferroviária, a Chicago, Burlington & Quincy: *peito do pé quebrado, crânio fraturado, mão e polegar esmagados, perna amputada, maxilar quebrado, pé esmagado, mão atropelada por vagões, dedos decepados, perna e braço escaldados, perna esmagada.* Pelo menos esses homens sobreviveram. Outros trinta morreram naquele mesmo ano: *foi atingido por trem, foi esmagado entre vagões, caiu do trem, caiu da escada, caiu da ponte, caiu da chaminé, foi morto quando os trens descarrilharam, foi esmagado entre vagão e plataforma, morreu afogado.*

O perigo era parte do novo mundo do trabalho. Os homens que entravam na Homestead Steel Works de Andrew Carnegie se deparavam com um violento golpe de calor. As fornalhas eram "caldeirões gigantes", como um homem colocou, "grandes o suficiente para todos os demônios do inferno prepararem seu caldo neles, cheios de uma substância branca e ofuscante, borbulhando e respingando, rugindo como se fossem vulcões em erupção". Os corpos suados dos trabalhadores eram rapidamente cobertos com poeira e grãos minúsculos de aço. As serras rangiam tão ruidosamente que o barulho ensurdecia os operários. Para manter a Homestead funcionando 24 horas por dia, duas equipes se revezavam em seus turnos, trabalhando doze horas por dia em uma semana e doze horas por noite na semana seguinte. As fornalhas só paravam no Quatro de Julho e no Natal. Na troca de turno, a equipe do sábado à noite, exausta, tirava o domingo de folga, enquanto a equipe seguinte trabalhava 24 horas seguidas. "Minha casa é só o lugar onde como e durmo", explicou um operário. "Eu vivo na fábrica."

Outra coisa estranha aconteceu quando as fábricas ficaram maiores. Os trabalhos ficaram menores. Na época de Thomas Jefferson, um sapateiro fazia um par de sapatos do começo ao fim, escolhendo o couro apropriado, cortando os moldes do sapato, costurando e colando as partes... cerca de quarenta etapas diferentes. As fábricas cresceram dividindo o trabalho de um sapateiro em tarefas menores, cada uma delas realizada por uma pessoa diferente, que podia aprender a função com pouco treinamento. Mulheres e meninas costuravam as partes superiores do sapato, homens e meninos colocavam as solas, as máquinas tornavam as tarefas mais simples. Em uma fábrica de lâmpadas, algumas mulheres inseriam filamentos nas lâmpadas, um a um: isso era tudo o que elas faziam o dia todo. Outras usavam uma máquina a vácuo para sugar o ar e selar cada lâmpada.

Um sapateiro à moda antiga se orgulhava de suas habilidades. Mas esses trabalhos? Quem poderia sentir orgulho de realizar a mesma pequena tarefa mil vezes? Um sapateiro era remunerado com o que ganhava da venda de seus sapatos. Os operários recebiam salários por hora, um costume que só se tornou comum depois da Guerra Civil. Tais operários geralmente eram maltratados pelo contramestre que os supervisionava. As mulheres que trabalhassem em uma fábrica de luvas ou de camisas sabiam que as portas das fábricas estavam trancadas, para que ninguém saísse sem ser visto. As operárias tinham de pedir permissão até mesmo para ir ao banheiro.

As crianças também trabalhavam: em fábricas têxteis, onde as fibras enchiam o ar e prejudicavam seus pulmões. Crianças pequenas consertavam teares quebrados porque eram menores e conseguiam se enfiar debaixo das máquinas barulhentas. Os meninos iam para as minas de carvão com os pais e ficavam felizes ao voltar com nada mais do que um rosto enegrecido: havia um sem-número de explosões de gás, desmoronamentos e máquinas cortantes e pesadas. Em uma fábrica de conservas, Phoebe Thomas, de oito anos, cortou o polegar ao descabeçar sardinhas com uma faca de açougueiro. Ela foi enviada para casa sozinha gritando, a mão ensanguentada, "sua mãe ocupada" em outro lugar. Nas lavanderias a vapor, os produtos químicos fortes presentes na água deixavam feridas nos braços das trabalhadoras. Apesar desses riscos, as mulheres recebiam apenas metade do salário dos homens para funções similares. Esperava-se que os maridos ganhassem o que a família necessitava; as mulheres só ganhavam "mesada".

Nem todos os empregos em fábricas eram tão exaustivos. A fabricação de charutos podia ser um trabalho deprimente, feito em pequenos apartamentos sujos e escuros onde um pai, uma mãe e seus filhos dormiam à noite e, durante o dia, produziam 3 mil charutos por semana. Mas, nas fábricas de charutos maiores, onde trabalhavam muitos porto-riquenhos e cubanos, os homens tinham o direito de contratar um *lector*, ou leitor, que se sentava sobre uma mesa e lia jornais ou romances para os trabalhadores, para ajudar a passar o tempo de maneira agradável. Nas fábricas de colarinhos de Troy, em Nova York, as mulheres tinham permissão para cantar.

Havia tantas fábricas de colarinhos em Troy que essa ficou conhecida como Collar City (Cidade do Colarinho), o que assinala outra mudança. Mais homens e mulheres estavam trabalhando em cargos que não requeriam trabalho físico pesado – um emprego que não "sujava as roupas nem as mãos", como uma mulher explicou. As mulheres que trabalhavam como secretárias ou telefonistas tinham de usar uma saia e uma "*shirtwaist*" (uma blusa que mais parecia uma camisa masculina) apropriadas quando iam para o serviço. Para os homens nos novos edifícios de escritórios, a indumentária de trabalho significava um casaco, uma gravata e uma camisa com um colarinho branco limpo. O colarinho era separado para que a camisa pudesse ser usada por vários dias: todas as manhãs eles vestiam um novo colarinho, firme, branco e engomado. Pela primeira vez, as pessoas em tais empregos eram chamadas de membros da "classe média" ou "trabalhadores de colarinho branco". Isso contrastava com os empregos de "colarinho azul", em que o trabalho requeria vestimentas mais rústicas.

Os novos homens de colarinho branco começaram a falar sobre ter não simplesmente um emprego, mas uma "carreira". Nos velhos tempos, um jovem que quisesse ser advogado "estudava Direito" com um advogado mais velho que lhe ensinava o ofício. Agora, faculdades de Direito se espalharam nas universidades, e outras faculdades foram criadas para ensinar aos alunos os conhecimentos especiais necessários para carreiras como médicos, dentistas, engenheiros e outras profissões. As mulheres não eram bem-vindas em muitos desses empregos. Mas elas trabalhavam como administradoras de agências de correios, professoras e secretárias, apesar das advertências de alguns homens de que o cérebro das mulheres poderia sofrer ataques nervosos por pensar demais! A reformista Elizabeth Cady Stanton repudiava tal absurdo. "A discussão sobre proteger as mulheres das violentas tempestades da vida é a mais pura gozação", protestou. Toda mulher deveria ter o direito de "usar todas as suas faculdades para sua própria segurança e felicidade".

Quando os tempos eram bons, as pessoas nesse novo mundo de trabalho conseguiam sobreviver ou até mesmo prosperar. Mas os tempos nem sempre eram bons. Mais cedo ou mais tarde, quase todo polo econômico se exaure. Os colonos da Virgínia enriqueceram cultivando tabaco... até que venderam tanto que seu preço despencou. Os comerciantes de peles fizeram fortunas... até que todos os castores desapareceram. E quando as coisas mudavam do crescimento para a recessão tão de repente, os mercadores perdiam negócios, os fazendeiros perdiam terras e as pessoas comuns perdiam o emprego e até mesmo a casa. Não é de admirar que as pessoas se referissem a essas épocas difíceis como "pânicos" – o Pânico de 1819, o Pânico de 1837, o Pânico de 1857. Tais altos e baixos sempre aconteceram. Mas na época das grandes febres, à medida que os *booms* ficavam maiores e os ricos ficavam mais ricos, os tempos ruins ficavam ainda piores e os pobres, ainda mais pobres. Três grandes pânicos, ou depressões, atingiram a América durante esses anos: de 1873 a 1879, de 1882 a 1885 e de 1893 a 1897.

Se você fosse um John D. Rockefeller com um império de petróleo ou um Jay Gould com várias ferrovias em seu nome, podia cortar despesas e seguir em frente. Mas a maneira de os negócios cortarem custos era pagar menos a seus empregados. Ou fazê-los acelerar a fim de produzir mais por menos dinheiro. Um guarda-freios era responsável por frear dois vagões? Faça-o cuidar de três ou quatro. Ele não pode se mover um pouco mais depressa pelo topo dos vagões? Quando o negócio estava mesmo ruim, os donos simplesmente demitiam trabalhadores – milhares, se necessário. Durante o Pânico de 1873, Andrew Carnegie comentou que havia tantas pessoas sem trabalho e dormindo nas ruas de Nova York que ele tinha de passar por cima delas para chegar ao escritório.

Em um mundo como esse, o que os trabalhadores comuns poderiam fazer? Que poder tinha uma caseadora em uma fábrica de colarinhos, se ela podia ser substituída tão facilmente? Se dissessem aos guarda-freios que eles receberiam um salário menor, como eles poderiam convencer o presidente da empresa de que morreriam de fome com tal remuneração?

Às vezes a ira transbordava. Em 1877, 1,2 mil guarda-freios e foguistas tomaram uma estação ferroviária em Martinsburg, na Virgínia Ocidental. As autoridades enviaram a milícia estadual para controlar a ferrovia, mas a milícia se uniu aos manifestantes. Em Pittsburgh, vinte ferroviários desempregados foram assassinados a tiros quando uma multidão marchou para a Pennsylvania Railroad a fim de protestar contra os salários de fome. ("Dê-lhes uma dieta de fuzis e veja se eles gostam desse tipo de pão", propôs Thomas Scott, o presidente da companhia ferroviária.) Furiosos, os trabalhadores revidaram, destruindo mais de uma centena de locomotivas e 2 mil vagões. Finalmente, o presidente Rutherford B. Hayes enviou soldados federais para reprimir os protestos. Os trabalhadores ganharam pouco e perderam muito.

Se tornar-se grande era fundamental para ter sucesso, como as pessoas comuns se tornavam grandes? Assim como os grandes negócios precisavam de sistemas para crescer, os operários também precisavam. Mesmo antes da Guerra Civil, alguns haviam se reunido em sindicatos de trabalhadores – organizações que eles formaram para se proteger e melhorar sua vida. Os primeiros sindicatos, na maioria das vezes, uniam trabalhadores qualificados, como carpinteiros, alfaiates ou tipógrafos. Eles faziam campanha a favor da educação pública, do fim das jornadas laborais de doze horas e da prisão de devedores. Mas a cada vez que o crescimento econômico era seguido de uma recessão, os sindicatos se saíam mal. Os tempos difíceis tornavam mais difícil enfrentar os patrões, que podiam contratar outra pessoa igualmente desesperada por um emprego.

Alguns sindicatos tentaram se tornar maiores reunindo diferentes tipos de trabalhadores em uma única organização – carpinteiros, fabricantes de charutos, ferroviários, metalúrgicos – qualificados ou não, de colarinho branco ou azul, todos falando com uma só voz. "Oito horas para trabalhar; oito horas para descansar; oito horas para o que desejar!", exigia o National Labor Union, o sindicato trabalhista nacional. Os Cavaleiros do Trabalho experimentaram a mesma estratégia para reunir os "milhões de trabalhadores explorados". Por que não permitir que os trabalhadores possuíssem fábricas, ferrovias e minas para que pudessem dividir os lucros nos bons tempos e ajudar uns aos outros em épocas ruins? Por que não se unir para eleger autoridades que protegessem os trabalhadores? Tornar ilegal colocar crianças para trabalhar? Mas isso era mais fácil dizer do que fazer, porque nem todos os trabalhadores tinham os mesmos interesses. Um grupo entrava em greve – impedindo a fábrica de funcionar a fim de conquistar suas demandas. Mas outros trabalhadores não concordavam, e o público condenava o sindicato se a greve se tornava violenta. Os Cavaleiros conquistaram algumas vitórias. Mas eram tantos os tipos de trabalhadores e tão variados os seus interesses que dificilmente eles conseguiam se unir e tornar-se grandes de uma forma duradoura.

Samuel Gompers, filho de um judeu fabricante de charutos, tentou uma tática diferente. Ele não tinha um plano grandioso para reformar a sociedade, como os Cavaleiros do Trabalho. Acreditava que os sindicatos deveriam aderir a demandas simples e tornar-se grandes reunindo apenas trabalhadores qualificados, como os fabricantes de charutos que ele conhecia. Esses trabalhadores formaram a Federação Americana do Trabalho (AFL, na sigla em inglês) e tinham objetivos simples: salários maiores, jornadas de trabalho menores, empregos mais seguros. Em 1900 – o começo do século XX –, a AFL tinha um milhão de membros. Mas o progresso veio lentamente. E Gompers não quis tentar organizar trabalhadores não qualificados, como os metalúrgicos.

Os sindicatos de trabalhadores eram uma forma de os trabalhadores se tornarem grandes. E não havia como voltar atrás. A nação crescera, para melhor e para pior. As mudanças podiam ser vistas não só no tamanho das fábricas e ferrovias, como também naquela que, talvez, tenha sido a maior maravilha de todas: a nova cidade norte-americana.

26
Um conto de duas cidades

Tornar-se grande, como vimos, significava mais do que simplesmente ficar maior. Significava criar novos sistemas para acelerar trens por diferentes fusos horários e manter as siderúrgicas funcionando 24 horas por dia. Sistemas para fazer o dinheiro entrar e sair das bolsas de valores. Sindicatos para lutar pelos direitos dos trabalhadores. E é por isso que precisamos, agora, observar o modo como as cidades estavam crescendo – porque era nas cidades que tantos sistemas se encontravam. De fato, podemos pensar nas próprias cidades como sistemas gigantes – vivendo e respirando, gemendo e suspirando – que reuniam pessoas e mercados e indústrias.

As cidades dos anos 1880 eram muito diferentes daquelas de cem anos antes. Em 1789, quando George Washington fez o juramento de posse na cidade de Nova York, apenas 33 mil pessoas viviam lá, e era possível caminhar de uma ponta à outra em uma hora. (Compare-a com a capital asteca de Tenochtitlán, onde, um dia, viveram mais de 150 mil pessoas.) Mas as cidades norte-americanas estavam crescendo. Em 1840, tantas pessoas afluíram para Nova York que a cidade passou a ter mais que o dobro do tamanho da antiga Tenochtitlán. E a pressão começou a se revelar – o que ficou bastante claro para um repórter de jornal que gostava de caminhar pela cidade: um rapaz elegante e despreocupado chamado Walt Whitman.

Quando o jovem Whitman passeava pelas avenidas barulhentas de Nova York, seus olhos viam carroças, carruagens e pedestres, todos se acotovelando por espaço. Aqui, um leiloeiro subiu em uma mesa para vender uma pilha de cadeiras e camas a uma multidão reunida. Lá, jovens açougueiros com um pouco de tempo livre tiravam suas "roupas de matadouro" respingadas de sangue para dançar uma *jiga*. Whitman também tinha os ouvidos a postos, para ouvir "o blá-blá-blá das ruas" quando as pessoas conversavam, ou as "rodas de carros e o baque das botas"*. As botas nessas ruas tinham de pisar com cuidado, porque em toda parte havia excremento deixado pelos cavalos que puxavam carroças, por cachorros perdidos e até mesmo por manadas de porcos vagando pelas avenidas. Os porcos, pelo menos, faziam algo de bom, porque comiam o lixo que as pessoas jogavam pelas janelas.

E as pessoas, assim como os animais, eram desordenadas. Whitman visitou cenas de crimes para seu jornal: "súbito insulto, socos e quedas (...) o policial e sua estrela" realizando uma prisão. Gangues de rua como os Bowery Boys eram comuns. Esses "b'hoys" (como se autodenominavam) ostentavam costeletas com brilhantina, camisa vermelha, cartola e botas de couro até os joelhos. Eles caminhavam de braços dados com suas "g'hals" [garotas] e brigavam violentamente com gangues rivais, entre as quais a Shirt Tails, a Roach Guards e a Dead Rabbits. Incêndios eram um perigo constante. Bombeiros voluntários corriam para as chamas, mas com frequência brigadas rivais se enfrentavam mutuamente em vez de jogar água – e podiam inclusive deixar um edifício arder, se não gostavam do proprietário.

Para complicar, nos anos 1840 e 1850 uma onda de imigrantes afluiu para as cidades. Entre eles havia alemães, mas o maior número vinha da Irlanda, onde uma praga havia infectado as batatas, causando "a Grande Fome". As batatas eram uma parte importante da dieta irlandesa – às vezes, o único alimento que os pobres podiam pagar. Quando as colheitas apodreceram nos campos, um milhão de pessoas

---

* WHITMAN, Walt. *Folhas de relva*. Tradução de Rodrigo Garcia Lopes. São Paulo: Iluminuras, 2015. (N.T.)

morreram de fome. Outro milhão e meio fugiu do país. "Todos eles se foram – sem deixar vestígio", escreveu um padre irlandês. Em 1855, um em cada quatro nova-iorquinos era irlandês. O tumulto, os perigos e a superpopulação nas cidades preocupavam os norte-americanos. Muitos também temiam os irlandeses, que eram não só pobres como também católicos, uma religião desacreditada pelos protestantes.

Walt Whitman às vezes reclamava do "populacho irlandês" da cidade. Mas seus anos nas ruas e sua maneira otimista de encarar a vida o ajudaram a ver que o caos das cidades era, na verdade, uma parte importante do que significava ser norte-americano. Em algum momento ele começou a pensar menos em suas reportagens e mais em sonhos maiores. Andando aqui e ali, foi "absorvendo um milhão de pessoas, durante quinze anos". E então verteu suas memórias e sentimentos no mais notável livro de poesia já escrito por um norte-americano. Intitulado *Folhas de relva*, foi uma espécie de Canção da América, celebrando seu povo, seus humores e suas cores:

> Sou dos velhos e dos jovens, dos sábios e dos idiotas [...]
> Sou de cada raça e cor e classe, sou de cada casta e religião,
> Não só do Novo Mundo mas de África Europa ou Ásia... um nômade selvagem,
> Fazendeiro, mecânico ou artista... cavalheiro, marinheiro, amante ou quacre,
> Prisioneiro, gigolô, desordeiro, advogado, médico ou padre.*

As cenas francas do poema chocaram alguns leitores. "Whitman é um rude, um bruto de Nova York, frequentador de lugares baixos, amigo de condutores de charrete!", resmungou o próprio poeta de Boston, James Russell Lowell. Mas Whitman percebeu que, em se tratando de cidades – e mesmo da própria América –, ele não podia separar "os brancos dos negros, ou os nativos dos imigrantes que acabaram de desembarcar no cais". Essa mistura era o que fazia dos Estados Unidos o que eram: "não só uma nação,

---

* WHITMAN, Walt. *Folhas de relva*. Tradução de Rodrigo Garcia Lopes. São Paulo: Iluminuras, 2015. (N.T.)

mas uma nação proliferante de nações"*. Thomas Jefferson sempre desconfiara das "multidões das grandes cidades", comparando-as a "feridas" no corpo humano. Não Whitman. Ele colocou as cidades no centro do espírito norte-americano.

E, ao longo de seus 72 anos de vida, as cidades realmente se tornaram esse centro vital. Quando *Folhas de relva* foi publicado em 1855, apenas um em cada seis norte-americanos vivia em cidades. Em cinquenta anos, praticamente metade dos norte-americanos eram habitantes urbanos. Esse movimento de milhões – do campo para a cidade – aconteceu não só nos Estados Unidos, mas em todo o mundo. Navios oceânicos a vapor tornavam mais fácil e mais barato começar uma vida nova em qualquer parte do globo.

Por um tempo, um lugar improvável nos Estados Unidos se tornou a cidade de crescimento mais rápido no planeta. Improvável porque apenas duas pessoas viviam lá quando George Washington assumiu o cargo: um comerciante de peles francês chamado Jean--Baptiste-Point du Sable e sua esposa potawatomi, Kitihawa. Sua cabana de cinco cômodos ficava onde o rio Chicago desembocava no lago Michigan. Os norte-americanos do leste só se mudaram para o assentamento em grandes números depois que a política de remoção indígena de Andrew Jackson expulsou os potawatomis para o outro lado do Mississippi. O crescimento da cidade foi interrompido pelo fogo em 1871, enquanto um vento cortante soprou chamas e fagulhas de um telhado a outro. Cem mil pessoas ficaram sem ter onde morar, mas Chicago reagiu e se reconstruiu. Em 1890, lá viviam mais de um milhão de pessoas. Era um exemplo perfeito da nova cidade que estava reconstruindo a América.

Quão nova? Em uma cidade se expandindo tão rapidamente, a resposta pode ser encontrada considerando-se uma série de direções: *para cima e para baixo; para dentro e para fora; alta, média e baixa.*

Para cima e para baixo. Primeiro, Chicago se expandiu não só para fora como também para cima, pois foi pioneira ao construir os novos arranha-céus. E, se você quer transportar pessoas a uma altura suficiente para arranhar os céus, precisa de uma solução mais inteligente do que escadas. Quando Potter Palmer, de Chicago,

---

* WHITMAN, Walt. *Folhas de relva.* Tradução de Rodrigo Garcia Lopes. São Paulo: Iluminuras, 2015. (N.T.)

anunciou seu novo hotel de luxo, ele não sabia muito bem como chamar o novo sistema de transporte. Era uma espécie de "conexão ferroviária perpendicular, andar com andar, tornando a passagem pelas escadas desnecessária". Em outras palavras, um elevador! E enquanto os arranha-céus empurravam Chicago para cima, as autoridades da cidade também a escavavam para baixo. Chicago foi a primeira a construir um sistema de esgoto subterrâneo por toda a cidade para levar embora os dejetos gerados por centenas de milhares de habitantes. Outros canos traziam água potável do lago Michigan. O novo sistema significava menos doenças do que os poços insalubres usados em cidades mais antigas. Ao construir para baixo, a nova cidade se tornou mais saudável e mais segura.

Para dentro e para fora. Conforme as cidades cresciam, os habitantes já não podiam caminhar facilmente de uma ponta da cidade à outra. No início, para que as pessoas se locomovessem mais depressa, cavalos puxavam bondes por trilhos de ferro. Mas em uma cidade do tamanho de Chicago, isso requeria mais de 6 mil animais que precisavam ser alimentados e cuidados. (Infelizmente, o grande incêndio de 1871 matou muitos deles.) Pequenas locomotivas a vapor chamadas "*dummies*" foram testadas como substitutas, mas elas expeliam fumaça e fagulhas. Finalmente, os bondes elétricos foram a salvação, pois seus motores não emitiam fumaça. E, como Nova York e outras cidades grandes, Chicago começou a construir estradas de ferro sobre as ruas, para transportar as pessoas pela cidade. A via férrea elevada reduziu as aglomerações em avenidas movimentadas. Então escavaram-se linhas subterrâneas, já que os motores elétricos não entupiam os túneis.

As ferrovias transportavam mais do que pessoas para dentro e para fora das novas cidades. Nos termos mais simples, as cidades cresceram ao atuar como intermediárias. Vá buscar alguma matéria-prima – árvores, por exemplo. Ou trigo, ou vacas. Traga-as para a cidade e transforme-as em algo mais valioso: farinha ou lenha, por exemplo. Então, envie os produtos para pessoas que deles necessitam. Para dentro e para fora. A localização de Chicago a tornava uma intermediária ideal. Ficava na ponta dos Grandes Lagos, onde navios podiam partir dos portos de Chicago rumo ao vibrante leste. Linhas ferroviárias se espalharam como raios em uma roda, conectando as duas metades do país. Seus vagões traziam gado aos milhões; estes eram abatidos, cortados, e a carne enviada para o leste, graças aos vagões refrigerados inventados por Gustavus Swift. Trigo, aveia e centeio afluíam para Chicago e eram classificados em tipos e qualidades diferentes usando elevadores de grãos. (Pois, de fato, a cidade precisava de elevadores para transportar grãos, assim como pessoas.) Ao norte de Chicago, em Michigan e Wisconsin, pinheiros brancos majestosos eram derrubados e então "deslizados" em trenós por caminhos gelados pela floresta e então desciam a correnteza até o lago Michigan; lá, serrarias cortavam as toras e as enviavam para Chicago. Chicago zunia, dia e noite.

Como sempre, as pessoas abasteciam os sistemas. Nos anos 1880, uma nova onda de imigrantes veio à América. A maioria acabou indo parar nas cidades. Aos alemães e irlandeses anteriores somaram-se recém-chegados do sul e do leste da Europa. Judeus perseguidos na Rússia e na Polônia fugiram de seus vilarejos. Tempos difíceis levaram muitos chineses a atravessar o Pacífico; eles desembarcaram em Angel Island, na costa de San Francisco. Essa cidade logo teve sua própria "*Chinatown*", com "hortaliças e outros gêneros alimentícios transbordando nas calçadas", como relatou um imigrante chinês. Lá, os norte-americanos se admiravam dos longos rabos de cavalo dos homens e de suas "calças e casacos soltos similares a pijamas". Muitas vezes, a surpresa se transformava em suspeita e discriminação, quando os imigrantes chineses se viam barrados dos empregos mais desejáveis. Na costa leste, os imigrantes europeus passavam por uma triagem em Castle Garden, em Nova York, e depois em Ellis Island, a partir de 1892. Para muitos desses recém-chegados, os únicos empregos disponíveis eram no trabalho braçal, construindo arranha-céus, pontes e ruas. "Na Itália, eles me diziam que as ruas eram pavimentadas com ouro", recordou um imigrante. "Quando cheguei aqui, descobri que as ruas não eram pavimentadas com ouro, que nem sequer eram pavimentadas, e que esperavam que eu as pavimentasse." No distrito de "Packingtown", em Chicago, onde açougueiros abatiam vacas e enlatavam a carne, o rosto e as roupas dos homens ficavam tão cheios de sangue e sebo que os açougueiros pareciam "não ter nem corpo nem rosto de humanos", disse um visitante italiano. Em 1890, três em cada quatro moradores de Chicago eram imigrantes ou filhos de imigrantes.

Finalmente – *alta, média e baixa*. Assim como a distância entre uma ponta e outra da cidade continuava a crescer, também crescia a distância entre as classes mais altas e mais baixas de pessoas que a habitavam. Os norte-americanos mais ricos haviam se tornado tão ricos, e os trabalhadores mais pobres tinham salários tão baixos, que ricos e pobres quase não pareciam viver no mesmo universo. Os trabalhadores de Chicago se amontoavam em barracos sujos perto das aciarias e dos abatedouros em um bairro conhecido como Back of the Yards. Em Nova York, prédios residenciais de seis ou sete andares concentravam uma dúzia de pessoas em um único quarto à noite – e nestes não havia elevadores. Esses "alojamentos", como eram chamados, eram úmidos e imundos. Em certa ocasião, alguns papéis e panos pendurados na parede de um apartamento pegaram fogo, e um visitante, assustado, correu para um policial em busca de ajuda. O oficial apenas riu. "Você não sabe que se trata do Dirty Spoon? Pegou fogo seis vezes no inverno passado, mas não se incendiou. A sujeira nas paredes é tanta que abafou o fogo."

Quão diferentes, as casas dos ricos! Onde um dia ficava a cabana de Jean-Baptiste-Point du Sable, ergueram-se mansões ao longo da estrada Lakeshore Drive, construídas no estilo de palácios italianos ou feitas para parecer castelos da Idade Média. Talvez um aposento fosse decorado para lembrar um esconderijo em um salão turco ou chinês. "Tudo grita histericamente", reclamou um visitante; "dragões se contorcem, figuras de bronze floreiam espadas; e dançarinas pintadas agitam tamborins (...) Quanto mais dinheiro por centímetro quadrado, melhor." Potter Palmer, que construiu o hotel com elevadores, tinha sua própria mansão, cheia de criados e coroada com pequenas torres. Nos tempos coloniais, quando alguém batia à porta, o costume era dizer: "Entre". Potter Palmer determinou que nenhuma das portas em sua mansão tivesse maçanetas do lado de fora. Para ver o Sr. Palmer, era preciso apresentar ao humilde porteiro um cartão de visita com seu nome gravado. Ele o passava a outro criado, que o passava a outro – seu cartão podia passar pelas mãos de bem mais de vinte criados até que se tomasse uma decisão sobre admitir ou não a sua entrada.

Entre a classe alta e a classe baixa, ricos e pobres, estava a crescente "classe média" – de gerentes e secretárias, médicos e engenheiros, professores e balconistas. Eles não podiam ter mansões, mas adotavam alguns costumes dos ricos, como cartões de visita. As salas de jantar da classe média não eram abarrotadas de estátuas, mas as refeições podiam incluir novos alimentos exóticos, como bananas importadas da América Central e levadas de trem até as cidades. Um negociante podia exibir sua compra de um dos esplêndidos novos gramofones de Edison, reproduzindo gravações de solos de ópera ou baladas populares. A dona da casa podia ter a sorte de ter uma geladeira, embora ainda dependesse dos vendedores de gelo da região para obter blocos de gelo e assim manter a comida fria.

Enquanto essas novas cidades se expandiam para cima e para baixo, para dentro e para fora, alta, média e baixa, Walt Whitman observava. Ele se admirava da "energia a vapor, grandes linhas expressas, gás, petróleo (…) este mundo todo expandido com ferrovias"*. Na época em que era um jovem repórter, ele às vezes se preocupava com a distância crescente entre ricos e pobres. Continuaria se preocupando? Se sim, deixou o problema para uma nova geração resolver. Em março de 1892, o defensor das cidades brutas e bardo da América deu seu último suspiro. Quatro mil pessoas compareceram para ver seu caixão ser levado para seu descanso final – inclusive crianças desabrigadas, atraídas pelas bandas tocando e pelos vendedores de rua vendendo frutas e guloseimas. Whitman teria adorado – o blá-blá-blá das ruas, o baque das botas, o alvoroço incessante de uma cidade cheia de vida, mesmo em meio à morte.

---

* WHITMAN, Walt. *Folhas de relva*. Tradução de Rodrigo Garcia Lopes. São Paulo: Iluminuras, 2015. (N.T.)

27
O novo Oeste

No CAPÍTULO 5, falei do espaço em branco nos livros de história entre a época em que Hernando de Soto explorou a América, por volta de 1542, e a viagem do explorador francês La Salle seguindo o rio Mississippi, em 1682. Durante essa lacuna de 140 anos, a América do Norte parece ter sido refeita. Onde De Soto viu muitos reinos indígenas lotando o Mississippi, La Salle só viu um vilarejo aqui e ali. Onde De Soto não viu um bisão sequer vagando pelo território, La Salle relatou centenas. As doenças europeias parecem ter criado um novo mundo do nada. Os historiadores e os arqueólogos só agora estão começando a descobrir de que modo essas mudanças ocorreram.

Por outro lado, temos uma boa ideia do que aconteceu no grande Oeste durante os anos 1800. Nas terras além do rio Mississippi, outro novo mundo passou a existir. E dessa vez demorou apenas meio século para ser criado, aproximadamente de 1840 a 1890.

Considere essas terras mais ou menos na época em que Walt Whitman veio à cidade de Nova York. Carroças cobertas haviam começado a atravessar as Planícies, dirigindo-se a Oregon e à Califórnia. Promovida pelo presidente Polk, a guerra contra o México redesenhou o mapa dos Estados Unidos. As mudanças contavam uma história simples: a nação agora se estendia de um oceano a outro. Ou pelo menos é o que parecia. Mas, na verdade, as nações indígenas ainda controlavam grande parte desse território. Os comanches eram o povo mais poderoso nas Grandes Planícies, no sul, enquanto, mais ao norte, os cheyennes e os sioux caçavam bisões em grandes campinas. Possivelmente lá viviam 30 milhões dessas feras desgovernadas, e no fim do verão, conforme relatou um visitante, as manadas se reuniam "formando, em alguns lugares, tamanha massa (...) que literalmente enegrecia as pradarias por quilômetros", os animais "urrando (...) em sons profundos e ocos".

Então o mundo começou a mudar. O primeiro sinal não foi a chegada de colonos brancos, e sim de seus cavalos. Já vimos como os índios valorizavam os cavalos da Europa, porque, cavalgando, os caçadores conseguiam matar muito mais bisões do que a pé. Mesmo a mais pobre das famílias comanches tinha meia dúzia de cavalos ou mais. Esses animais também ameaçavam os bisões: competiam pelo pasto que tanto os bisões quanto os cavalos comiam. Esse problema se agravou nos anos 1850, quando começou nas Grandes Planícies um longo período de estiagem. E, nessa mesma época, os pioneiros começaram a afluir para o território, com seus cavalos, bois e ovelhas comendo mais pasto, especialmente nos vales de rios, onde no inverno os índios se abrigavam das nevascas. Em 1857, a região à margem do rio Platte havia se tornado "um deserto sem grama, sem árvores, sem vida", abarrotado de "centenas de animais congelados e mortos", como relatou um soldado norte-americano.

Então as ferrovias começaram a avançar para o oeste. E o bisão, já caçado por milhares de índios, passou a ser caçado também por homens brancos em busca de aventura e diversão. Quando um trem passava por uma manada, alguns passageiros, "por esporte", abriam uma janela e atiravam sem sequer sair. O que é pior, em 1870 mercadores do leste descobriram uma maneira de tratar pele de bisão para torná-la macia e atraente para os habitantes das cidades. Com dinheiro a ser ganho, irromperam caçadores profissionais para atirar no maior número de animais possível. Quatro milhões morreram em poucos anos, deixando "um sem-número de carcaças (...). O ar foi tomado por um mau cheiro nauseante". Nos anos

1880, uma população de 30 milhões de bisões havia sido reduzida a apenas cerca de 5 mil.

Além dessas mudanças, alguns dos pontos mais isolados no oeste foram transformados em mais um polo econômico. Em 1848, pepitas de ouro foram descobertas em uma serraria à margem do rio Americano, na Califórnia. No forte Sutter, o assentamento mais próximo, o capitão John Sutter não sabia exatamente o que fazer com a notícia. Ele estava endividado havia muito, e a descoberta de ouro poderia significar grandes riquezas. Mas também poderia significar hordas de recém-chegados e caos. Os índios colomas que viviam nessas terras contaram a Sutter uma lenda segundo a qual "o ouro era um mau remédio porque pertencia a um demônio ciumento em um lago montanhoso margeado de ouro". Para os índios, o ouro de fato se mostrou um mau remédio. Para o homem branco, fez muitos agirem como demônios. Na pacata cidade de San Francisco, um mercador correu pela rua agitando uma garrafa de vidro cheia de pepitas brilhantes e gritando: "Ouro! Ouro! Ouro do rio Americano!". Em poucos dias, a maioria dos homens deixou a cidade rumo à serraria de Sutter. Quando a notícia chegou ao leste, em 1849, milhares de pessoas partiram para a Califórnia atrás de ouro.

E esses "Forty-Niners", os pioneiros de 1849, foram só o começo. Uma década depois, não só se encontrou ouro, como também prata. Vinte mil garimpeiros afluíram para Idaho, outros 20 mil para Montana e cerca de 100 mil para as escavações no Colorado. As maiores riquezas vinham do monte Davidson, em Nevada, onde as tendas, as cabanas de barro e pedra e os barracos da cidade de Virgínia brotaram ao lado da nova mina de prata conhecida como Comstock Lode.

Em todos esses lugares, apenas uns poucos garimpeiros ficaram ricos. A maioria teve o mesmo azar que um principiante do leste chamado Sam Clemens, que comprou uma camisa de flanela e um grande chapéu de feltro, deixou crescer a barba e o bigode e começou a escavar. A região, brincava, era "fabulosamente rica em ouro, prata, cobre, chumbo, carvão, ferro, mercúrio, mármore, granito, giz, gesso (gipsita), ladrões, assassinos, desesperados, mulheres, crianças, advogados, cristãos, índios, chineses, espanhóis, apostadores, trapaceiros, coiotes (...), poetas, pregadores e lebres". Durante cinco meses Sam saltitou de um lado a outro como uma lebre. Ele vivia em uma cabana mal vedada, padecendo noites frias, comida ruim e sorte ainda pior. "Mande-me cinquenta ou cem dólares, tudo que você puder", ele escreveu ao irmão. "Quero fazer fortuna, ou falir de uma vez (...) minhas costas estão doendo e minhas mãos, cheias de bolhas." Ele faliu, e acabou aceitando um trabalho exaustivo em um fábrica que triturava os minérios vindos das minas. Pagava míseros dez dólares por semana. Depois de receber seu primeiro pagamento, Sam disse ao seu patrão que queria um aumento: 400 mil dólares por mês. Foi demitido no mesmo instante.

Os garimpeiros haviam aprendido que a única maneira de gerar lucros duradouros era expandindo suas atividades. O sucesso vinha para os negócios que podiam bancar máquinas de estampagem para triturar prata ou grandes mangueiras de alta pressão cujos jatos d'água abriam encostas de montanha inteiras para soltar o minério. Quanto a Sam Clemens, ele acabou por enriquecer – mas só mudando de emprego. O garimpeiro fracassado começou a escrever sobre suas aventuras usando o pseudônimo de Mark Twain. Ele voltou para o leste e criou o livro mais celebrado da literatura norte-americana, *As aventuras de Huckleberry Finn*.

Enquanto o mundo do oeste era virado de cabeça para baixo por cavalos, colonos, mineiros e doenças, os índios eram os mais atingidos. O bisão estava desaparecendo. Os vales de rios resguardados haviam se exaurido. Os brancos se assentaram em terras indígenas, quase sempre sem permissão. O Estado da Califórnia aprovou uma lei que parecia decente, a Lei para o Governo e a Proteção dos Índios. Mas a lei "protegia" os índios vendendo-os a quem desse o lance mais alto e colocando-os para trabalhar. Sequestrar crianças indígenas "se tornou uma prática um tanto comum", como relatou um jornal da Califórnia. "Praticamente todas as crianças pertencentes a alguma das tribos indígenas na parte norte do Estado foram roubadas" para serem vendidas na parte sul. O governo inclusive pagou um grupo chamado "Eel River Rangers" [algo como "guardas do rio Eel"] para capturar ou matar índios que se desviassem de suas reservas. "Por mais cruel que possa ser", insistiu seu líder, "a exterminação é a única forma de o país se livrar deles." Em vinte anos, a população indígena da Califórnia caiu de aproximadamente 150 mil para cerca de 30 mil.

Por todo o oeste, os índios se defenderam, muitas vezes em pequenos bandos que atacavam a casa de um fazendeiro ou o acampamento de um mineiro. Mas nos anos 1860 e 1870, nações indígenas inteiras estavam entrando em guerra contra os brancos. Os rumores de novas jazidas de ouro nas Black Hills, na Dakota do Sul, levaram garimpeiros para terras que um tratado dos Estados Unidos havia reservado para os sioux. Aqui, os animais eram abundantes, e a madeira para os alojamentos podia ser cortada de árvores, que nas Planícies eram tão escassas. As Black Hills eram sagradas para os sioux. Um general do exército vaidoso e ávido por publicidade liderou uma expedição a essas terras que só aumentou os rumores sobre o ouro. Os brancos o conheciam como general George Armstrong Custer. Os sioux o chamavam de Long Hair ["Cabeludo"] por causa de seus cachos loiros à altura do ombro; também o chamavam de "Chefe de Todos os Ladrões". O governo federal tentou comprar a terra por tratado; quando os sioux se recusaram, os Estados Unidos ordenaram que eles deixassem a reserva. Custer partiu com sua cavalaria para cercar os índios, gabando-se de que podia conquistar toda a nação sioux com apenas seiscentos soldados. Ele subestimou os 7 mil sioux e seu chefe, "Touro Sentado". Custer avançou sobre eles à margem do rio Little Bighorn. Ele e todos os seus homens estavam perdidos. "Aqueles homens que vieram com o 'Long Hair' estavam entre os melhores que já lutaram", admitiu Touro Sentado posteriormente. Mas o orgulho de Custer lhes custou a vida – e também a dele.

A vitória de Touro Sentado foi uma grande conquista para os índios. Eles não podiam dar as costas para as forças que estavam transformando sua terra. E tampouco o exército podia controlar os ávidos colonos e garimpeiros, embora alguns assim desejassem. O general George Crook, um dos mais rígidos e inteligentes combatentes dos índios, foi um deles. "O problema com o exército", disse Crook, "era que os índios confiavam em nós como amigos, e tivemos de testemunhar esse tratamento injusto para com eles sem poder ajudá-los. Então, quando eles foram pressionados além do que podiam suportar e estavam tomando o caminho da guerra, tivemos de lutar quando nossa empatia estava com os índios." O exército norte-americano perseguiu os sioux até que, exaustos e morrendo de fome, a maioria deles se rendeu. Histórias similares foram contadas em todo o oeste: nas florestas do Minnesota e de Washington e no território do Arizona, onde os apaches, sob seu líder Gerônimo, resistiram até 1886. Mesmo os nez-percés de Idaho, que não haviam pego em armas, foram expulsos de suas terras, sendo obrigados a recuar 1,6 mil quilômetros por Oregon, Idaho, Wyoming e Montana antes de finalmente se render. "Ouçam, meus chefes", disse seu líder, o Chefe Joseph. "Estou cansado, meu coração está triste e doente. De onde o sol se encontra agora eu não vou lutar nunca mais." Seu povo foi transportado em vagões ferroviários sem aquecimento e levado para um lugar sombrio em território indígena (na Oklahoma de nossos dias), longe de casa.

Por mais maltratados que fossem, os índios não foram "exterminados", como desejavam os Eel River Rangers. Eles resistiram a situações difíceis nas reservas durante anos, ou foram levados para missões onde seu cabelo comprido era cortado e eles eram encorajados a aprender os costumes dos brancos. Gradualmente, seu número começou a aumentar.

Enquanto isso, o oeste estava sendo ocupado por novas famílias e novos animais. Durante anos, os habitantes do leste se referiram às Grandes Planícies como o Grande Deserto Americano. Quem poderia viver em uma terra tão seca? Mas, à medida que os bisões eram exterminados, o gado dos colonos brancos tomava seu lugar. Colombo havia trazido as primeiras vacas ao Caribe em 1493, e com o passar dos séculos elas se espalharam por todo o México e chegaram ao Texas, ao norte. Esse gado sobrevivia com pouca água e se defendia com chifres que chegavam a medir 2,4 ou até 2,8 metros de uma ponta à outra. Os *vaqueros* mexicanos desenvolveram o equipamento necessário para arrebanhar os animais, assim como ferro em brasas para marcar uma vaca com o símbolo do dono, laços para laçar os bois, chapéus de aba larga – os *sombreros* – para proteger do sol escaldante e botas de couro com salto alto, esporas e bico pontiagudo para entrar confortavelmente nos estribos da sela. Os norte-americanos do leste – *gringos*, como os mexicanos os chamavam – adotaram essas técnicas, e muitos mexicanos também continuaram a pastorear gado. Jesús Lavarro foi um deles. Nascido no México, Jesús se mudou com a família para Idaho quando garoto e cresceu passando a maior parte do tempo montado a cavalo. Havia "poucos iguais a ele", disse um vaqueiro que o conhecia, e certo ano ele foi contratado para conduzir um rebanho de 3 mil cabeças para casa. Os gringos "não gostaram de trabalhar para um mexicano", especialmente quando Lavarro trouxe consigo sua mulher indígena, chamada Quase Uma Mulher-Coruja, e seu filho de nove anos, Joe. Mas ele conduziu o gado em segurança e, no processo, ensinou novas técnicas aos caubóis.

O gado jamais tornaria ricos os criadores, a não ser que eles encontrassem uma forma de vendê-lo. Somente quando as ferrovias avançaram o suficiente para o oeste os criadores de gado começaram a reunir seus rebanhos para a "Longa Viagem", transportando-os por mais de 160 quilômetros para cidades pecuaristas como Abilene, Dodge City e Kansas City. Lá, vagões ferroviários os levavam para Chicago, onde eram abatidos no distrito de Packingtown.

Agricultores também se lançaram às Planícies a fim de cultivar novas variedades de trigo e de milho. Quase imediatamente surgiram problemas. Os criadores estavam acostumados a deixar o gado vagar livremente antes da contagem anual. Os agricultores cercavam suas terras. Com poucas árvores para construir cercas de madeira nas Planícies, os colonos dependiam de uma nova invenção, o arame farpado, para proteger seus cultivos. Quando mais agricultores cercaram suas terras, eclodiram guerras por pastagens, com vaqueiros cortando cercas no meio da noite. E nem os agricultores nem os criadores de gado gostavam de outra importação mexicana: as ovelhas. Esses animais mordiscavam o pasto tão rente ao chão que o gado e os cavalos não conseguiam comer.

O oeste de 1890 era realmente um novo mundo. Onde um dia a pradaria de pasto alto se estendera por quilômetros nos Estados de Illinois e Indiana, agora cresciam milho e trigo em grandes fazendas cercadas. Onde milhares de índios perseguiram 30 milhões de bisões pelas Planícies de campina baixa, agora havia gado e plantações de trigo, e os índios remanescentes tiveram de ser levados para reservas.

À primeira vista, pode parecer como se esse mundo de grandes espaços abertos não tivesse nada a ver com as cidades lotadas e as chaminés da Homestead Steel. Mas, na verdade, ambas as regiões eram parte de um vasto sistema transformando a América. "Sem agricultores não poderia haver cidades", admitiu um habitante de Chicago. E tampouco os frigoríficos de Packingtown poderiam sobreviver sem o gado que lhes era enviado. Cidade e campo dependiam um do outro, nos bons tempos e nos ruins.

28
SORTE OU CORAGEM?

Não é exagero dizer que nos últimos quatro capítulos vimos os Estados Unidos serem remodelados dos pés à cabeça. Ainda que o processo tenha levado algumas décadas em vez de alguns anos, dificilmente seria um exagero chamá-lo de revolução.

Contemplando esse alvoroço de cidades em expansão, altos fornos flamejantes e rebanhos de gado dispersos, você notou o que está faltando? Não falamos quase nada sobre governo, eleições e campanhas políticas. Não que essas atividades tenham parado. Mas nenhum dos presidentes ou Congressos escolhidos pelos eleitores contribuiu muito para essas mudanças. O presidente Rutherford Hayes deixou o gabinete em 1881 após um único mandato, aliviado por ter se livrado de "um apuro". James Garfield foi baleado e morto depois de apenas cem dias no cargo, por um homem furioso porque o presidente não lhe dera um emprego no governo. Dos que se seguiram – Chester Arthur, Grover Cleveland, Benjamin Harrison –, nenhum parecia estar à altura de Washington, Jefferson, Jackson ou Lincoln.

Mas houve outra razão pela qual o governo federal exerceu um papel um tanto pequeno na transformação do país. A maioria dos norte-americanos não considerava que o governo *devesse* se envolver em tais questões. Certamente, Alexander Hamilton e os federalistas queriam que o governo encorajasse a manufatura em uma terra onde existiam poucas fábricas. E os whigs que se opunham a Andrew Jackson acreditavam que o governo devia apoiar ativamente a construção de estradas, canais e ferrovias. (A ferrovia transcontinental, afinal, não poderia ter sido construída sem o auxílio do governo.) Mas, logo no início, Jefferson deu um tom diferente. Ele argumentou que os cidadãos deveriam ser deixados "livres para regular suas próprias atividades de produção e progresso". A ideia de manter o governo fora das questões econômicas tinha um nome francês: *laissez-faire*. Isso porque um famoso ministro das Finanças francês perguntou a alguns empresários o que o governo poderia fazer para ajudá-los. "Deixe-nos fazer!", eles responderam. "*Laissez-nous faire.*"

Mais tarde, os partidários de Andrew Jackson também insistiram que, quando a Declaração da Independência dizia que *todos os homens são criados iguais*, significava que todos deveriam ter igualdade de oportunidades, e não que o governo deveria intervir para ajudar a torná-los iguais. Contanto que todos começassem a corrida da vida na mesma linha de largada, os indivíduos deveriam ser livres para correr a corrida por conta própria. Empenhe-se e terá sucesso, se poderia dizer: *Strive and succeed*. Pelo menos, esse era o título de um livro infantil popular que promoveu a ideia. Foi publicado em 1872 e escrito por um ex-professor e pastor, Horatio Alger.

Alger foi um defensor entusiasta da ideia de que o esforço e a dedicação trazem sucesso. Ele escreveu dezenas de livros infantis, todos recomendando as mesmas lições de sucesso. Os heróis de Alger eram principalmente meninos sem teto, "à deriva nas ruas", com apelidos como Ragged Dick [algo como "Dick Maltrapilho"] e Tattered Tom ["Tom Esfarrapado"]. Dick, um garoto de 14 anos, dormia em uma caixa forrada com palha, usava calças largas e rasgadas, uma camisa "que parecia ter sido usada por um mês" e um colete imundo com apenas dois botões. Dick era engraxate; ele engraxava sapatos e ficava entusiasmado quando meros cinquenta centavos iam parar em seu bolso. "Acho que vou ao Barnum's esta noite", ele dizia quando se saía bem, "e ver a mulher barbada, o gigante de dois metros e meio, o anão de sessenta centímetros e outras curiosidades, numerosas demais para mencionar." Essa era a ideia de Dick de uma noite divertida. Mas os heróis de Alger pretendiam progredir, graças à *Sorte e coragem*, para usar o título de outra história. "Quero virar uma página e tentar me tornar respeitável", jurou Ragged Dick. Certo dia, quando conduzia uma balsa até o Brooklyn – assim imaginou Alger –, ele viu um menino de seis anos andar perto demais da beira do convés e cair no rio. "Meu filho!", exclamou o pai, horrorizado. "Quem vai salvar o meu filho?" Dick pulou na água, é claro, sem pensar; e, embora pudesse ter se afogado, alcançou o Pequeno Johnny e o manteve boiando até que os dois foram tirados da água por pessoas em um barco a remo. "Você é um rapaz corajoso", disse um dos remadores, para o caso de os leitores não terem notado. O que é ainda melhor, o pai do Pequeno Johnny era um comerciante que deu a Dick uma nova muda de roupa e um emprego como balconista. "Agora minhas estrelas da sorte estão brilhando muito", exclamou Dick. "Pular na água compensa mais do que engraxar botas." Quem precisava do governo quando se era sortudo e corajoso?

Outros norte-americanos se voltaram para a ciência a fim de explicar por que o governo não deveria intervir. Em 1859, o naturalista britânico Charles Darwin propôs uma nova teoria científica: a evolução. Darwin derrubou a ideia até então aceita de que as espécies animais nunca mudavam – que girafas e pica-paus e trutas-das-fontes sempre haviam sido como eram, desde o início da criação. Darwin demonstrou que as espécies mudavam, evoluindo por milhares e até mesmo milhões de anos. Se uma determinada espécie de tentilhão nascia com um bico atipicamente comprido, que, por acaso, o ajudava a escavar mais larvas de insetos, com o passar do tempo os tentilhões de bico comprido, por serem mais eficazes, substituiriam os de bico curto. A competição na natureza selecionava os mais aptos e lhes permitia sobreviver.

Porém, na verdade, Darwin nunca associou "a sobrevivência dos mais aptos" com as sociedades *humanas*. Mas outros pensadores aplicaram suas ideias sobre a evolução à política e ao governo. Eles afirmaram que, dia após dia, os indivíduos competiam por riqueza e sucesso, assim como os tentilhões competiam por larvas de insetos. "O crescimento de um grande negócio é meramente a sobrevivência dos mais aptos", disse John D. Rockefeller, o ricaço do petróleo. "Esta não é uma tendência perversa dos negócios. É meramente a atuação de uma lei da natureza e de uma lei de Deus." Para algumas pessoas, conhecidas como darwinistas sociais, a teoria da evolução era um indício de que os governos não deveriam interferir nos negócios. Bastaria deixar os mais aptos sobreviverem e a sociedade só melhoraria.

O inglês mais famoso que escreveu sobre evolução e política foi um homem um tanto estranho chamado Herbert Spencer. Spencer era careca, mas tinha costeletas volumosas que paravam logo acima de seu queixo. Ele não se parecia nem um pouco com um dos mais aptos da natureza. Sofria de ataques de nervos, tinha dificuldade para dormir e uma tendência a se distrair por causa do ruído em lugares públicos. Às vezes ele inclusive levava sua própria rede em viagens de trem, que dois criados armavam para que ele pudesse se deitar enquanto viajava, como se estivesse em seu próprio vagão-palácio Pullman particular. Os livros de Spencer sobre a evolução se tornaram populares na América, e ele não tinha maior fã do que o capitão da indústria do aço, Andrew Carnegie.

O pai de Andrew fora um pobre tecelão em um vilarejo escocês, mas o filho era cheio de entusiasmo, mesmo quando bebê. No café da manhã, o Pequeno Andrew comia seu mingau de farinha de aveia com duas colheres, uma em cada mão, e então gritava em seu sotaque escocês pedindo "*Mair*! *Mair*!" ["Mais! Mais!"]. Quando menino, ele tirava água do poço do vilarejo, o que às vezes significava esperar em fila por uma hora. Andrew considerava injusto que algumas das mulheres enfileirassem seus baldes na noite anterior, reservando um lugar no começo da fila. Cansado disso, ele, num ato desafiador, chutou os baldes e foi para o começo da fila. As mulheres o chamaram de Daft Andrew – querendo dizer tolo e maluco. Mas, assim como Ragged Dick, Daft Andrew pretendia se tornar "respeitável" quando ele e sua família se mudaram para a América. Embora no início tenha trabalhado como um simples operário em uma fábrica têxtil de Pittsburgh, ele logo conseguiu um emprego como entregador de telegramas. Daí, foi promovido a telegrafista e, mais tarde, foi contratado como alto oficial da Pennsylvania Railroad. Finalmente, seu trabalho duro e suas longas jornadas o levaram ao negócio do aço. Para Carnegie, os livros de Herbert Spencer explicavam como as nações melhoravam por meio da competição e do esforço, assim como meninos como ele haviam competido para ser os melhores. "*Tudo está bem, posto que tudo melhora* se tornou o meu lema", disse Carnegie. "Antes de Spencer, tudo para mim fora escuridão."

Depois que ficou rico e famoso, Carnegie decidiu conhecer o grande filósofo. Isso não era tarefa fácil, pois Herbert Spencer odiava viajar. Mas finalmente ele anunciou uma ida à América para promover seus livros. Carnegie imediatamente tratou de estar no transatlântico que o levaria. Então, persuadiu o gerente do restaurante a designar um lugar para ele na mesa de jantar de Spencer, para que os dois pudessem conversar. Venha a Pittsburgh, Carnegie implorou. Veja as aciarias mais avançadas do mundo! Que melhor demonstração da evolução dos Estados Unidos? Relutante, Spencer concordou. Infelizmente, as pancadas, os rangidos e os clangores nas fábricas deixaram o nervoso pensador em um estado à beira do colapso. O que é pior, ele ficou chocado com a "repugnância de Pittsburgh". Os pobres se apinhavam em barracos cobertos de sujeira. O rio Ohio estava poluído. Não se viam parques públicos verdes e agradáveis em parte alguma. Pittsburgh, o ápice da evolução? "Uma estadia de seis meses aqui justificaria o suicídio", Spencer anunciou.

Carnegie superou essas críticas feitas por seu herói; mas elas eram um sinal de que o esforço e a dedicação não podiam resolver todos os problemas do mundo. E quanto aos milhares de trabalhadores que se esforçavam e mal conseguiam sobreviver? Os guarda-freios mostravam muita coragem ao se locomover sobre os tetos dos vagões. Mas, se a sorte faltasse e um homem despencasse para a morte, seria de alguma ajuda para seus filhos se sua esposa lesse para eles mais uma história de Horatio Alger? Quando uma lavadeira ficava tão cansada que baixava a guarda por apenas alguns segundos e os cilindros da lavadora puxavam sua mão e a esmagavam, o lema *Tudo está bem, posto que tudo melhora* não parecia servir de consolo.

Em todo caso, os capitães da indústria como Carnegie não gostavam quando os sindicatos tentavam ajudar as pessoas comuns a competir com corporações milionárias. Na planta da Homestead Steel, de Carnegie, o sindicato se recusou a aceitar um novo contrato que reduzia os salários dos trabalhadores. Os empregados entraram em greve no verão de 1892. O sindicato sabia que o administrador de Carnegie, Henry Frick, tentaria reabrir a Homestead Steel trazendo vários "Pinkertons" – detetives particulares – armados para combater os grevistas. (Os detetives receberam esse nome porque sua empresa fora fundada pelo mesmo Allan Pinkerton que, anos antes, havia protegido Lincoln, o presidente eleito, em sua viagem a Washington.)

Dia e noite, os guardas do sindicato esperavam Frick agir. Finalmente, duas barcas foram vistas entrando no rio Monongahela às escondidas em uma noite quente e úmida de julho. Os sindicalistas soaram o alarme com apitos e sirenes de fábrica – e instantaneamente toda a cidade de Homestead afluiu para a batalha. Durante doze horas eles combateram os "Pinks", atirando a esmo com fuzis, disparando um canhão e lançando dinamites. As esposas dos trabalhadores estavam ainda mais desesperadas. Elas encheram meias com sucata de ferro e golpearam os Pinks enquanto estes recuavam. Infelizmente, os detetives eram, em sua maioria, operários pobres, sem emprego e desesperados o bastante para aceitar um dólar por dia para lutar por Henry Frick. Frick teria concordado com uma observação feita pelo manda-chuva ferroviário Jay Gould durante outra greve: "Posso contratar metade da classe trabalhadora para matar a outra metade", ele declarou.

Onde estava o governo? Ficou de fora até que a luta irrompeu. Então, o governador da Pensilvânia convocou a milícia para defender os empresários. Os soldados tomaram o controle da Homestead Steel, deixaram Frick voltar e a greve foi controlada. Naquele mesmo mês de julho, em Coeur d'Alene, Idaho, tropas federais reprimiram um protesto de mineiros depois que seu pagamento foi cortado ao mesmo tempo em que eles foram obrigados a trabalhar dez horas por dia em vez de nove. Nas disputas entre operários e empresas, o governo geralmente ignorava os problemas dos operários até que surgiam greves e protestos. Então, deixava para trás o *laissez-faire* e intervinha para ajudar as empresas.

O pior estava por vir. Quando uma grande companhia ferroviária foi à bancarrota seis meses depois, eclodiu um pânico financeiro. Quinhentos bancos faliram; 15 mil negócios foram à bancarrota. Em cidades por todo o país, pessoas desesperadas perambulavam sem casa, sem emprego, sem dinheiro, sem sorte. Uma coisa era dormir na rua quando o clima era quente, como fez Ragged Dick. Mas agora os jornais falavam de pessoas morrendo congeladas no inverno e de fome no verão. Os tempos eram igualmente difíceis no interior. "O sofrimento é terrível", relatou um banqueiro do Nebraska. "Muitas mulheres e crianças têm de ficar descalças em seus casebres, por falta de algo para cobrir os pés. Tudo isso foi causado a essas pessoas não por culpa delas." Onde estava o governo? O governador John Altgeld, de Illinois, alertou os trabalhadores sobre "um dia longo e sombrio pela frente. Será um dia de sofrimento e agonia, e devo dizer a vocês que parece não haver forma de escapar a ele e, portanto, aconselho que o encarem de frente". O governo não podia fazer nada. *Laissez-faire* – deixe fazer.

Jacob Coxey, um empresário de Ohio, acreditava que o governo podia e devia fazer alguma coisa. Convencido de que as coisas precisavam mudar, ele organizou sua primeira manifestação em Washington, com o objetivo de propor que o governo contratasse os desempregados para melhorar as estradas do país. Cerca de cem apoiadores começaram sua jornada em uma manhã gelada de Páscoa, liderados por um homem negro com uma bandeira norte-americana. Eles se autodenominavam a Comunidade de Cristo, mas os jornais os apelidaram de Exército de Coxey. Passaram por Homestead, onde uma banda de música e centenas de apoiadores os saudaram. Em outros lugares, cidadãos amistosos lhes deram alimento e um lugar para dormir. Por todo o país, outros "exércitos" se formaram e começaram a marchar. Chegando em Washington, quinhentos integrantes do Exército de Coxey marcharam até a escadaria do Capitólio, enquanto 15 mil espectadores assistiam. Coxey liderava a marcha, acompanhado de sua esposa e seu bebê – chamado Legal Tender ["Moeda de Curso Legal"], por incrível que pareça. Mas no momento em que Coxey tirou o chapéu para falar com a multidão, dois policiais o atacaram e outros oficiais começaram a dar cacetadas nos manifestantes. Em vez de conseguir uma audiência com os líderes do governo, Coxey foi preso por pisar na grama, a única lei em que a polícia conseguiu pensar como desculpa para prendê-lo. Aliviar o desemprego? Absurdo, exclamou um congressista de Massachusetts. Isso seria "imoral, pois o desemprego era um ato de Deus".

Quatrocentos anos depois de Colombo desembarcar na América, os Estados Unidos haviam se tornado um colosso, uma terra completamente remodelada. Mas essa nação poderosa enfrentava uma depressão mais grave do que qualquer outra em sua história. Os sistemas da indústria não eram fortes o bastante para enfrentar tempos difíceis. A nação precisava de mais do que sorte e coragem, mais do que da sobrevivência dos mais aptos, se quisesse ser realmente grande.

29
Os progressistas

O Exército de Coxey se autodenominava Comunidade de Cristo. E a palavra *comunidade* nos remete à ideia de comunidade santa defendida por John Winthrop e os puritanos. Seus pensamentos sobre o governo eram um tanto diferentes dos chamados do novo mundo industrial a se esforçar para ter sucesso e deixar os mais aptos sobreviverem.

Winthrop queria que sua "cidade no alto da colina" fosse mais do que indivíduos seguindo seu próprio caminho. Em uma comunidade, as pessoas eram "unidas nesse trabalho como um só homem. Devemos nos deleitar na companhia uns dos outros", ele insistia; "fazer nossas as condições dos outros; exultar juntos, chorar juntos, trabalhar e sofrer juntos". Como Winthrop, Jacob Coxey queria um governo que agisse em prol do bem comum, "para ajudar as pessoas em seu dia de agonia. Estamos todos aqui para dizer a nossos representantes (...) que a luta pela existência se tornou demasiado cruel e implacável. Nós aqui estamos e levantamos nossas mãos indefesas e dizemos: 'Ajudem-nos, ou nós, e nossos entes queridos, pereceremos'".

Coxey foi preso por proclamar tal ideia estranha. O presidente Grover Cleveland esclareceu as coisas: "Embora as pessoas devam, com patriotismo e alegria, apoiar seu governo, não está entre as funções do governo apoiar as pessoas". Mas quando a depressão espalhou desespero e ruína, os reformadores pressionaram o governo por medidas.

Os fazendeiros no sul e no oeste foram os primeiros. Durante décadas, eles sofreram com a chegada de cada nova febre. Tomavam dinheiro emprestado de grandes bancos para construir suas fazendas. Transportavam suas colheitas por grandes ferrovias, que cobravam mais dos pequenos fazendeiros do que das grandes corporações. E, quando um verão seco arruinava suas safras ou o preço do trigo caía, muitos não tinham dinheiro suficiente para quitar os empréstimos. E então pegavam mais dinheiro emprestado – precisavam fazer isso, simplesmente para comprar sementes para as colheitas do ano seguinte. Quando finalmente estavam tão afundados em dívidas que já não conseguiam obter novos empréstimos, os bancos tomavam suas fazendas e os expulsavam de suas terras.

No início, os fazendeiros se uniam em grupos locais conhecidos como *granges*. Lá, os produtores rurais se encontravam em palestras, feiras e jantares comunitários para conversar sobre seus problemas. Os *granges* também os ajudavam a reunir seu dinheiro para comprar suprimentos e armazenar suas colheitas por um valor mais baixo. Quando a depressão eclodiu em 1892, fazendeiros do sul e do oeste formaram um "Partido do Povo". Os populistas, como eram chamados, fizeram campanha para dissolver os grandes bancos e fazer o governo assumir o controle das ferrovias. Na eleição de 1896, os populistas se saíram tão bem que os democratas concluíram que era melhor abandonar a ideia de Grover Cleveland de que o governo pouco podia fazer. Em vez disso, nomearam o enérgico William Jennings Bryan, um candidato que os populistas também apoiavam. Bryan inflamava multidões, fazendo até vinte discursos por dia em favor de um governo que tomasse medidas. O republicano William McKinley, por outro lado, não tinha talento para discursos. Então ele só falava para pequenos grupos, da varanda de sua residência em Canton, Ohio, prometendo prosperidade e "uma marmita completa" para os trabalhadores se fosse eleito. McKinley podia ser maçante, mas muitos norte-americanos de classe média se preocupavam com os populistas exaltados e com os democratas furiosos e sem emprego. Os pobres queriam principalmente "a oportunidade de obter algo em troca de nada", alertavam os republicanos. McKinley ganhou a eleição, e o partido populista desapareceu.

Greves e revoltas, desabrigados vagando pelas ruas, cidades enxameando com imigrantes estranhos... Tais cenas assustavam muitos norte-americanos. A América deveria ser *americana*, protestavam. Deveria ser mais pura – que era outra maneira de dizer mais como eles. A nação se tornaria uma, em vez de muitas, separando as pessoas com aparência diferente, ideias diferentes e atitudes diferentes. Durante os anos 1890, grupos de norte-americanos que pareciam estrangeiros começaram a ser encarados com desprezo e segregados. Faculdades, clubes sociais e estâncias decidiram não admitir judeus, ainda que antes os aceitassem. Grupos como a Associação Protetora Americana trabalhavam para aprovar leis mantendo os imigrantes de fora. (Alegavam falsamente que o papa estava encorajando imigrantes católicos a assassinar americanos.) De inúmeras maneiras, a vida nos Estados Unidos passou a ser segregada na esperança de torná-la mais "pura". As grandes e pequenas ligas de beisebol excluíram os jogadores negros depois de 1898, levando-os a formar suas próprias "ligas negras". As escolas eram segregadas, separando dos brancos não só os negros como também os norte-americanos de origem mexicana. No sul, as legislaturas estaduais aprovaram leis para completar o processo de segregação, inclusive separando os bebedouros para indivíduos "brancos" e "de cor". O que é pior, as novas leis tornaram praticamente impossível para os afro-americanos do sul votarem. Quando os negros desafiaram a ideia de segregação, a Suprema Corte determinou, no caso de *Plessy contra Ferguson*, que, contanto que os Estados tratassem cada grupo da mesma forma, a segregação era legal. Essa política foi chamada de "separados, mas iguais".

Na verdade, *separados, mas iguais* nunca significou iguais. Os vagões ferroviários para os afro-americanos não eram tão confortáveis, as escolas para negros recebiam muito menos dinheiro para educação, e os cidadãos negros eram mantidos de fora dos melhores restaurantes e hotéis. Ao isolar as chamadas pessoas inferiores, a segregação encorajou mais desprezo, ódio e violência para com elas. No oeste, imigrantes chineses foram espancados e expulsos do trabalho nas fazendas. No leste, mineiros poloneses desarmados receberam tiros da polícia quando a tensão com relação às greves aumentou. No sul, mercadores judeus tiveram suas lojas destruídas por agressores durante a madrugada. De longe, os mais atingidos pela violência foram os afro-americanos. Cerca de 3 mil foram linchados nos anos seguintes – enforcados, torturados e queimados vivos por multidões de brancos, sobretudo no sul, mas também em outros Estados. As multidões geralmente não faziam segredo de seus planos, e grandes aglomerações se reuniam para assistir, incluindo mães e até mesmo filhos dispensados da escola, como se fosse feriado. No ímpeto de manter a América "americana", muitos norte-americanos se esqueceram dos ideais de sua nação: o de que todos são criados iguais e de que "devemos nos unir neste trabalho".

A classe média crescente era tão culpada de discriminação quanto os ricos contentes ou os pobres furiosos. Mas, estranhamente, essa mesma classe média inspirou um novo movimento reformista que energizou o governo e o pôs para trabalhar em prol de objetivos melhores. Enquanto os populistas haviam fracassado totalmente em seus esforços para provocar mudança, o movimento progressista prosperou.

Quem eram os progressistas? Eles não falavam com uma só voz nem vinham de um único partido. Mas todos concordavam que o governo deveria fazer mais pelo bem comum. Questionavam a ideia de que, no mundo real, cada indivíduo realmente tivesse igual oportunidade na vida. O filho de pais abastados realmente começava na mesma linha de largada que a filha de alguém que vivia em um alojamento sujo e trabalhava longas jornadas? Era comum, então, culpar os pobres por serem pobres. "Nenhum homem nesta terra sofre de pobreza, a menos que seja mais do que sua culpa", insistia um pastor, "a menos que seja sua sina." Os progressistas discordavam. As pessoas eram determinadas pelas condições em que viviam. Se você mudasse essas condições, dava às pessoas uma chance de se sair melhor. Os progressistas acreditavam firmemente que a pobreza não era uma sina, e sim um problema com o modo como a sociedade funcionava. Para ajudar, a sociedade tinha de ser transformada.

Os reformadores começaram atuando localmente. Jane Addams comprou um edifício deteriorado em Chicago, o batizou de Hull House e abriu suas portas para os vizinhos necessitados. Quando a Hull House cresceu, passou a oferecer um jardim de infância para crianças pequenas, um café para adultos, uma biblioteca, uma academia de ginástica e apartamentos. Vinha todo tipo de gente. Uma moça de quinze anos, recém-casada, surgiu à procura de um abrigo. O marido batera nela todas as noites durante uma semana inteira porque ela perdera a aliança de casamento no trabalho. Uma mulher de noventa anos, perdendo a memória, havia sido expulsa de vários apartamentos porque arrancava gesso da parede o dia todo, sem motivo. A filha não podia vigiá-la porque precisava trabalhar. O pessoal da Hull House ensinou a senhora a fazer correntes de papel, decorando as paredes em vez de destruí-las. Um vizinho pobre morreu; a Hull House ajudou a preparar o corpo para o enterro. Lixo se acumulava nas ruas; Jane Addams se tornou inspetora de lixo para pressionar a cidade a fazer seu trabalho. A Hull House realizava muitas tarefas, muitas missões; a lista do que era necessário parecia interminável. Mas agora um bairro deteriorado tinha um centro comunitário que lhe dava esperança. A Hull House foi a primeira "casa de abrigo" nos Estados Unidos. Em 1910, os progressistas haviam fundado mais de quatrocentas em todo o país.

Addams era apenas uma das muitas mulheres reformistas. Talvez sua campanha mais determinada tenha sido conquistar o sufrágio – o direito de votar. As mulheres vinham pressionando por isso desde a Convenção pelos Direitos da Mulher em Seneca Falls, em 1848. Nos anos 1890, alguns estados ocidentais permitiam que as mulheres votassem. Onde a vida era mais informal, as mulheres eram tratadas de maneira mais igualitária. Mas os homens no leste e no sul resistiam. Uma nova geração de mulheres mais jovens protestava dia após dia em frente à Casa Branca, montando guarda como "Sentinelas Silenciosas". A quacre Alice Paul e suas seguidoras ganharam simpatia depois que a polícia de Washington as prendeu, tirou suas roupas e as jogou nuas em uma cela. Pouco a pouco, a opinião pública mudou, até que finalmente, em 1920, a Décima Nona Emenda à Constituição concedeu às mulheres o direito de votar em todas as eleições. Das mulheres que participaram da convenção em Seneca Falls, 72 anos antes, somente uma continuava viva: Charlotte Woodward Pierce.

Enquanto isso, homens e mulheres progressistas estavam reformando o governo da cidade. Eles estavam cansados de ruas sujas, bondes que cobravam muito caro, contas altas de água, luz e gás. As cidades geralmente concediam a uma única empresa o direito de administrar tais serviços, porque não fazia sentido ter três empresas de água, cada uma delas escavando seus próprios canos, ou várias empresas de energia elétrica rivais passando cabos. Mas isso significava que, se você quisesse água ou eletricidade, só tinha uma escolha e era obrigado a pagar o que a empresa cobrasse. Os prefeitos progressistas levaram suas cidades a assumir o controle dessas empresas e a cobrar preços justos. Também confiaram em especialistas para administrar os serviços da cidade, em vez de confiar nos amigos de chefes políticos, que conseguiam emprego porque conheciam alguém ou porque alguém lhes devia um favor.

Se as cidades podiam ser reformadas, por que não Estados inteiros? Os progressistas concorreram à legislatura e ao governo, ganhando principalmente no Meio-Oeste. O governador Robert La Follette, de Wisconsin, conhecido como "Fighting Bob" ["Bob Combatente"], promoveu reformas que foram copiadas em toda parte. Os Estados começaram a regular tarifas ferroviárias injustas. Eles formaram comissões para realizar audiências sobre fraudes bancárias ou acidentes no ambiente de trabalho. As comissões, então, usaram essas informações para criar leis regulamentando bancos, ferrovias e outras corporações.

Em 1898, um republicano impetuoso de 42 anos chamado Theodore Roosevelt se tornou governador de Nova York. Quando garoto, Teddy tinha uma saúde frágil, com problemas de visão, pernas magras e uma asma que lhe dificultava a respiração. Mas com sorte (ele vinha de uma família abastada) e muita coragem, Roosevelt se fortaleceu. Por um tempo ele viveu nas Dakotas, caçando, cavalgando e criando gado. Escalou Matternhorn, uma montanha coberta de neve na Europa, e boxeava ou praticava luta livre com qualquer um que estivesse disposto. Criando uma família na mansão do governador, ele brincava de "urso com as crianças quase todas as noites" e inclusive as descia com uma corda por uma janela do segundo andar. Thomas Platt, o chefe do Partido Republicano que cuidava de assuntos em Nova York, suspeitava desse novo governador – um reformador imprevisível que poderia frustrar seus planos! Apesar das objeções de Platt, Teddy pressionou pela aprovação de uma lei que obrigava os bondes e as companhias telefônicas a pagar impostos. Tais empresas, afinal, haviam recebido um monopólio do governo do Estado – o direito de fornecer serviços públicos sem ter de enfrentar qualquer concorrente. Assim que essa reforma foi aprovada, Roosevelt se livrou do comissário de seguros do Estado, um homem escolhido a dedo por Platt. Esse oficial havia recebido 400 mil dólares de uma das empresas que deveria inspecionar. O chefe Platt ficou furioso: Teddy estava começando a agir como um populista! E o que era pior, as pessoas já haviam começado a falar em reelegê-lo para um segundo mandato.

Platt, querendo evitá-lo, concebeu um plano brilhante. O presidente McKinley estava concorrendo à reeleição em 1900. Por que não indicar Roosevelt como vice-presidente de McKinley? Os vice-presidentes quase não tinham poder, nem para fazer o bem, nem para fazer o mal. Outros chefes republicanos gostaram da ideia, mas não Mark Hanna. "Vocês não percebem que há apenas uma vida entre esse louco e a Casa Branca?", ele perguntou. Ninguém ouviu. McKinley foi reeleito e Teddy se tornou vice-presidente. Então, em 1901, um trabalhador desesperado atirou no presidente na Exposição Panamericana em Buffalo, Nova York. McKinley se agarrou à vida, mas logo o pior aconteceu. Quando a notícia chegou a Roosevelt, ele estava no meio da floresta escalando Mount Marcy, o pico mais alto no Estado de Nova York. Ele desceu correndo por estradas lamacentas e varridas pela chuva em uma cavalgada à meia-noite, finalmente chegando à pequena estação de trem em North Creek. Um telegrama o esperava: "O presidente faleceu às 2h15 desta manhã." O "louco" era agora senhor da Casa Branca.

É claro, Roosevelt estava longe de ser louco, e nem sequer era populista. Ele simplesmente apoiava reformas progressistas e prometia um "*square deal*", isto é, um acordo justo e honesto, para cada indivíduo. Como presidente, ele se preocupou quando o poderoso banqueiro J. P. Morgan formou uma nova grande corporação denominada Northern Securities. Morgan, como vimos, havia criado a maior empresa do país, a U. S. Steel. Tanto esta quanto a Northern Securities eram conhecidas como trustes: uma espécie de supercorporação que agrupava muitas empresas menores. O truste da Northern Securities controlaria a Northern Pacific Railway, a Great Northern Railway e praticamente todas as companhias marítimas e ferroviárias importantes no oeste – e mais algumas em outras regiões. Como afirmou um repórter, uma pessoa poderia viajar "da Inglaterra à China em linhas regulares de navios a vapor e ferrovias sem jamais sair da mão protetora do sr. Morgan". Roosevelt tinha receio de tanto poder nas mãos dos homens mais ricos da América. Ele levou a Northern Securities aos tribunais para tentar dissolvê-la.

Morgan ficou chocado e correu para a Casa Branca. "Se fizemos algo errado", ele disse a Roosevelt, "mande seu homem falar com meu homem e eles podem consertá-lo." O "homem" de Teddy, o procurador-geral dos Estados Unidos, se intrometeu: "Nós não queremos consertar, queremos impedir", falou. E foi o que fizeram. O truste da Northern Securities foi dissolvido, e Teddy ficou conhecido como "*trust buster*" ("destruidor de trustes").

Na verdade, Roosevelt achava que não havia problema com alguns trustes, desde que não usassem seu tamanho e poder contra o bem público. Mas os trustes ruins precisavam ser impedidos, falou. O governo deveria simplesmente ignorar corporações que vendiam "remédios patenteados" para curar qualquer coisa, de calvície a dor nas costas? Especialmente quando a ciência provava que tais remédios eram inúteis, ou inclusive continham ingredientes nocivos como ácido ou graxa? E quanto às condições na indústria frigorífica, onde milhões de cabeças de gado eram abatidas em Packingtown para virar carne enlatada? O escritor Upton Sinclair chocou o público com seu romance *A selva*, que revelava que ratos podiam cair nos contêineres onde a carne era cozida. "Esses ratos eram um problema", escreveu Sinclair, "e os empacotadores davam pão envenenado para eles; eles morriam, e então os ratos, o pão e a carne iam juntos para os trituradores". Por insistência de Roosevelt, o Congresso aprovou a Lei de Pureza de Alimentos e Medicamentos para lidar com esses abusos.

O governo deveria simplesmente ficar olhando enquanto grandes corporações derrubavam quilômetros e quilômetros de pinheiros majestosos para fazer lenha? Em um único ano, 250 mil árvores foram enviadas somente para Chicago. As empresas de mineração deveriam ser livres para cortar as encostas de montanhas e deixar para trás riachos poluídos e terras devastadas de cascalho? Roosevelt insistia que o governo federal deveria preservar parte dessas terras de valor inestimável para as gerações futuras. Precisava administrar os recursos naturais da nação. O presidente acrescentou cerca de 200 milhões de acres de terra às reservas florestais e criou mais parques nacionais.

Roosevelt foi sucedido por mais dois presidentes progressistas, como veremos no próximo capítulo. Mas Teddy mostrou o caminho. Como John Winthrop, ele queria uma comunidade que pudesse "obter de cada cidadão a melhor contribuição de que ele é capaz". Os cidadãos comuns podiam e deviam usar o poder político para trabalhar em prol do bem comum. "A propriedade deve ser serva, e não senhora da comunidade", insistia Roosevelt. "Os cidadãos dos Estados Unidos devem controlar efetivamente as forças comerciais poderosas que eles criaram." *Laissez-faire* – apenas "deixar fazer" – não era o bastante.

30
Caos

Theodore Roosevelt se tornou presidente no começo do século XX e foi eleito para outro mandato em 1904. Quatro anos depois, William Howard Taft, o homem que Roosevelt apoiava, o sucedeu. Taft era uma pessoa tranquila, com um grande coração e um corpo maior ainda (ele estava sempre fazendo dieta para manter o peso abaixo dos 130 quilos). Como presidente, destruiu mais trustes que Roosevelt e protegeu mais leis federais. Mas não se saiu tão bem na queda de braço da política. Os chefes republicanos o consideravam progressista *demais*; e, para os progressistas, ele não era progressista o bastante. "Ele é bom, mas é fraco", Teddy disse a um repórter. "Eles vão dobrá-lo. Vão *usá-lo*." E aqui ele deu ao repórter um cutucão para ilustrar o que queria dizer.

Teddy partiu para um grande safári na África, mas quando regressou, um ano e meio depois, ele também começou a usar Taft. Decepcionado com a cautela de seu velho amigo, Roosevelt concorreu novamente à presidência em 1912. Os chefes apoiaram Taft em vez de encarar mais quatro anos do ex-presidente louco, então Teddy formou seu próprio Partido Progressista. "Estou me sentindo [preparado] como um alce", ele bradou, e Bull Moose ["alce", em inglês] se tornou o apelido do partido. Enquanto isso, os democratas indicaram um governador reformista de Nova Jersey, Woodrow Wilson, que também tinha opiniões progressistas; e o líder trabalhista Eugene Debs concorreu como socialista, o mais progressista de todos. Com os republicanos divididos, Wilson ganhou a eleição. Mas muito mais pessoas votaram a favor dos progressistas do que em qualquer momento anterior. Foi seu momento mais frutífero.

Thomas Woodrow Wilson era um homem com ideais elevados, uma fé presbiteriana inabalável e nenhum amor por chefes políticos – nem mesmo por aqueles que o ajudaram a ganhar. "Eu não lhe devo nada", Wilson disse a um líder de partido. "Não importa se você fez muito ou pouco, lembre-se que Deus determinou que eu seja o próximo presidente dos Estados Unidos." Ao contrário de Roosevelt, Wilson não acreditava que alguns trustes fossem bons e outros ruins. Ele afirmava que *todo* negócio que se tornava grande seria tentado a usar seu poder de maneira injusta. Por isso, fortaleceu as leis antitruste e também defendeu um novo imposto de renda. Até então, o governo nacional havia levantado fundos principalmente vendendo terras federais, tributando bebidas alcoólicas ou impondo tarifas sobre produtos importados. Um imposto de renda proporcionava uma maneira diferente de financiar o governo ativo defendido pelos progressistas. Além do mais, o imposto era gradativo: isto é, as pessoas com renda maior pagavam um percentual maior. Os progressistas acreditavam que os cidadãos mais ricos, que se beneficiavam mais de seu país, também lhe deviam mais.

Wilson ajudou a aprovar muitas leis progressistas, incluindo uma jornada de trabalho de oito horas e restrições ao trabalho infantil nas fábricas. Mas, apesar destas e de outras vitórias, o movimento progressista foi obrigado a recuar em decorrência de algo inesperado: uma guerra tão vasta que engoliu o mundo inteiro. Infelizmente, essa "Grande Guerra" veio a ser a próxima febre. E a mesma Revolução Industrial que ajudou as corporações a se tornarem grandes agora ajudava as nações a se expandir e travar guerras mais terríveis e letais do que nunca antes.

Para entender como a guerra e as nações se tornaram grandes, precisamos recuar uma ou duas décadas. De certo modo, já vimos esse processo. Quando quis proteger suas aciarias da concorrência,

Andrew Carnegie comprou minas inteiras para garantir que sempre teria um suprimento de minério de ferro. As nações – especialmente as nações europeias – também trataram de controlar terras em outros continentes que eram ricos em matérias-primas. Durante séculos, é claro, reis e rainhas construíram impérios conquistando territórios. Mas as novas invenções da indústria ajudaram muitíssimo os europeus em sua expansão. Os navios a vapor, as ferrovias e o telégrafo tornaram mais fácil enviar comerciantes e exércitos para o Exterior. Quanto às armas, as recém-inventadas metralhadoras cuspiam morte à velocidade de onze balas por segundo. Os povos armados apenas com lanças ou mesmo alguns poucos fuzis não tinham a menor chance de frear tais exércitos.

Os europeus chamaram esse ímpeto por impérios de *imperialismo*. E disseram a si mesmos que estavam fazendo bem ao mundo. Cecil Rhodes, um empresário britânico que fez fortuna com as minas de carvão africanas, foi explícito: "Somos a melhor raça do mundo, e quanto mais partes do mundo habitarmos, melhor para a raça humana". Quer fossem minas de cobre ou de diamante na África, plantações de seringueiras no Brasil, plantações de chá na Índia ou depósitos de estanho nas Índias Orientais, as nações europeias assumiram o controle. As pessoas que viviam nas regiões onde os impérios europeus se espalharam não estavam tão felizes com o imperialismo. A escravidão ou semiescravidão continuou em muitas colônias. Eclodiram revoltas, mas estas foram reprimidas.

Os norte-americanos muitas vezes gostavam de pensar que *eles* não eram imperialistas. Eles não tinham colônias no além-mar! Mas os Estados Unidos já haviam obtido uma grande quantidade de territórios, estendendo-se por toda a América do Norte. Enquanto os europeus disputavam ouro e prata no Exterior, os norte-americanos corriam atrás de metais preciosos em seu próprio oeste. Enquanto os europeus reprimiam revoltas na Índia e na China, os norte-americanos expulsavam os indígenas de suas terras e os agrupavam em reservas. Os Estados Unidos não precisavam fundar colônias distantes em busca de matérias-primas. Tomaram o controle de um continente de riquezas em sua própria casa.

Quando um novo século se aproximava, alguns líderes norte-americanos olhavam para o imperialismo de modo mais favorável. As empresas norte-americanas já estavam negociando com o mundo inteiro. A Tropical Fruit Company importava toneladas de bananas da América Central. Sessenta mil agentes vendiam máquinas de costura Singer em toda parte, da África à China. Os donos de *plantations* norte-americanas cultivavam abacaxi e cana-de-açúcar no arquipélago do Havaí, no meio do Pacífico. Em 1893, alguns desses grandes fazendeiros derrubaram a governante da ilha, a rainha Liliuokalani, e pediram para os Estados Unidos anexarem o Havaí. O presidente Grover Cleveland se recusou. Ele, conforme declarou, era contra "roubar territórios". Cinco anos se passaram até que um presidente diferente e uma ilha diferente arrastassem os Estados Unidos para a corrida imperialista.

Esse presidente foi William McKinley, e a ilha era Cuba, a apenas 145 quilômetros da Flórida. Em 1898, Cuba ainda era uma colônia da Espanha, mas os cubanos estavam em revolta. Os Estados Unidos deveriam reconhecer a independência de Cuba? McKinley não queria uma guerra contra a Espanha. Mas ele enviou o navio de batalha *USS Maine* a Cuba para proteger os negócios norte-americanos na ilha. Em uma manhã pacífica de fevereiro, o *Maine* explodiu enquanto estava ancorado no porto de Havana. Talvez a causa tenha sido um incêndio nos suprimentos de carvão do navio, mas os jornais norte-americanos imediatamente culparam os agentes secretos espanhóis por plantar explosivos. "Lembrem-se do *Maine* e para o inferno com a Espanha!", proclamou o *New York World*. Pouco mais de dois meses depois, a Guerra Hispano-Americana começou.

Foi uma guerra de verão, que terminou praticamente em um piscar de olhos. A marinha norte-americana havia substituído suas velhas embarcações de madeira por novos navios de aço. Eles derrotaram facilmente as forças espanholas. Em terra, o tenente-coronel Theodore Roosevelt ganhou uma batalha contra a Espanha com uma tropa voluntária de caubóis, criadores de gado, caçadores e atletas de faculdade. Conhecidos como os Rough Riders, eles seguiram o comando vitorioso de Teddy em Kettle Hill, embora sua voz fosse tão aguda e estridente que ele teve de gritar duas vezes para que seus homens o ouvissem. Em seis meses, Roosevelt era governador de Nova York. Em mais três meses, presidente dos Estados Unidos.

Quando o Congresso declarou guerra, prometeu que os Estados Unidos não tomariam Cuba. Eles não queriam ser acusados de engolir colônias. Mas as guerras são sempre imprevisíveis. Na Ásia, o almirante George Dewey conduziu navios norte-americanos às Filipinas e expulsou a Espanha de suas colônias na região. A maioria dos norte-americanos mal sabia localizar as Filipinas em um mapa, mas os imperialistas argumentaram que aquelas terras certamente não deveriam ser deixadas para alguma nação europeia explorar. E, se os Estados Unidos ocupassem as Filipinas, o Havaí se tornaria um porto estratégico onde os navios norte-americanos poderiam parar a caminho da Ásia. McKinley convenceu o Congresso a anexar o Havaí naquele mesmo verão. Como território, teria a chance de um dia se tornar um Estado e seus habitantes, cidadãos norte-americanos.

Por outro lado, o Congresso não tinha intenção alguma de fazer o mesmo pelas Filipinas. Ou pelo vizinho de Cuba, Porto Rico, do qual a Espanha também havia desistido no fim da guerra. Os imperialistas norte-americanos queriam controlar essas terras como "protetorados", e não territórios. Soando como Cecil Rhodes, o senador Albert Beveridge, de Indiana, afirmou que Deus viera preparando a América e a Grã-Bretanha para se tornarem "os mestres organizadores do mundo (...) para que possamos governar em meio aos povos selvagens e senis". Não era assim que os filipinos viam a situação. Eles iniciaram uma guerra pela independência contra seus novos governantes norte-americanos – e a cruel batalha não foi nenhuma guerra de verão. Custou a vida de 5 mil norte-americanos e de 25 mil soldados e 250 mil civis filipinos. Ambos os lados queimaram vilarejos, destruíram lares e torturaram uns aos outros brutalmente. Talvez o momento mais triste tenha sido quando um comandante dos Estados Unidos ordenou que seus homens tomassem todos os exemplares de um documento perigoso que os filipinos estavam espalhando. Era uma tradução para o espanhol da Declaração da Independência. As Filipinas continuaram sendo um protetorado norte-americano até 1946.

Era quase como se os Estados Unidos tivessem entrado por acaso na busca por colônias. Mas, na verdade, o imperialismo era o próximo passo óbvio na corrida para se tornar grande. Depois da Guerra Hispano-Americana, os Estados Unidos começaram a interferir regularmente nos assuntos de seus vizinhos do sul. *Usando-os*, como Roosevelt possivelmente teria dito: e quem mais os usou foi o próprio Teddy, ao construir um canal controlado pelos Estados Unidos no istmo do Panamá. Quando a nação da Colômbia se recusou a negociar com ele, ele encorajou parte do povo colombiano a se separar e formar sua própria nação do Panamá. Então Teddy assinou um tratado com eles para construir o canal. Ele também advertiu os europeus para não fundar colônias novas na metade americana do mundo. Cada "grande potência" policiaria sua própria área de influência.

O problema era que as grandes potências gostavam de ser grandes. Nunca chegavam a um acordo sobre onde *sua* área de influência começava ou terminava. Cada nação queria a marinha mais numerosa, o exército mais moderno, as maiores armas. As pessoas comuns apoiavam seus líderes nessa corrida por poder, marchando aos milhares em desfiles pelas ruas, onde bandeiras com dois andares de altura ondeavam ao vento. De certo modo, as bandeiras eram um símbolo das mudanças que vimos nos últimos sete capítulos, que foram uma procissão de grandes febres. Grandes indústrias, grandes bancos, cidades maiores, impérios mais vastos, navios e armas mais letais. E a maior de todas no verão de 1914 – a Grande Guerra.

Começou na Europa Central, onde o arquiduque austro-húngaro foi baleado e morto por um homem que queria a independência para a Sérvia, controlada pelo Império Austro-Húngaro. Esse acontecimento trágico por si só afetava poucos países. Mas as grandes potências haviam criado uma série de alianças com nações parceiras a fim de aumentar seu poder. *Se um de nós for atacado*, prometiam, *ambos vamos à guerra*. Então, quando o Império Austro-Húngaro atacou a Sérvia em retaliação pela morte do arquiduque, a Rússia, aliada da Sérvia, interveio para ajudar os sérvios. A Alemanha, aliada do Império Austro-Húngaro, entrou em guerra contra a Sérvia e a Rússia; e a França, aliada da Rússia, também foi arrastada para o conflito. Como peças de dominó caindo uma sobre a outra, a Europa submergiu no caos. Vinte e oito nações se uniram como Aliadas e lutaram contra as Potências Centrais: a Alemanha, o Império Austro-Húngaro, a Bulgária e o Império Otomano. Antes de a guerra terminar, 8 milhões de soldados haviam morrido e o combate havia se espalhado pelas terras e oceanos do mundo.

Essa foi uma guerra como nenhuma antes. Os velhos canhões foram substituídos por armas de artilharia do tamanho de vagões ferroviários. As metralhadoras ceifavam qualquer um que atacasse uma linha inimiga. Ambos os lados cavaram trincheiras para se esconder das balas e das bombas – 40 mil quilômetros de trincheiras. Os químicos, que um dia usaram a ciência para melhorar a saúde ou fertilizar cultivos, agora criaram gases venenosos que espalhavam nevoeiros letais pelos campos de batalha, matando qualquer um que não colocasse uma máscara de gás. Dezesseis anos antes, Teddy Roosevelt havia tomado Kettle Hill com tropas de cavalaria. Agora ele queria organizar uma divisão de "fuzileiros a cavalo". Mas que utilidade tinham os cavalos em trincheiras ou em meio a redemoinhos de gás venenoso? Roosevelt nunca conseguiu formar essa divisão. A natureza da guerra havia mudado tanto que ele estava irremediavelmente ultrapassado.

Quando a guerra começou, o presidente Wilson anunciou que os Estados Unidos permaneceriam neutros. Se os imperialistas quisessem guerrear por terras e colônias, a América ficaria fora disso. Mas a guerra nunca é previsível. A Alemanha impôs um bloqueio à Grã-Bretanha e à França usando uma nova arma potente, o submarino. Oculto sob as águas, disparava torpedos que afundavam navios trazendo armas ou alimentos para os Aliados. Sendo neutros, os norte-americanos queriam a liberdade de comerciar com a Grã-Bretanha e com a França, ou mesmo de viajar em navios aliados. Em 1915, um submarino alemão afundou o transatlântico britânico *Lusitania* em águas irlandesas. Cerca de 12 mil passageiros morreram, incluindo norte-americanos. E a situação só piorou nos dois anos seguintes, à medida que a Alemanha ficava mais desesperada. Finalmente, seus submarinos começaram a atacar navios norte-americanos e britânicos. Quando Woodrow Wilson foi reeleito em 1916, seus defensores celebraram: "Ele nos manteve fora da guerra". Mas, no fim, não manteve. Os Estados Unidos entraram ao lado dos Aliados em 1917. "É preciso tornar o mundo seguro para a democracia", Wilson proclamou.

Dois milhões de soldados norte-americanos navegaram para a França e ajudaram a fazer recuar o exército alemão, que havia chegado a oitenta quilômetros de Paris. Exaustas depois de quatro anos de guerra implacável, as Potências Centrais concordaram em cessar o combate em 11 de novembro de 1918 – um dia ainda lembrado pelos norte-americanos como Dia dos Veteranos de Guerra.

A guerra esgotou Wilson, mas seus ideais continuaram elevados. Ele anunciou um plano de paz, conhecido como os Catorze Pontos, concebido para acabar não só com aquela, mas com todas as guerras. O tratado de paz não deveria punir os perdedores, falou, mas, em vez disso, ser uma "paz entre iguais". As grandes potências deveriam destruir sua artilharia pesada e parar de dividir o mundo por meio de acordos de bastidores. Multidões jogaram flores sobre Wilson quando ele chegou à Europa para ajudar a elaborar um tratado. Os líderes das grandes potências estavam menos entusiasmados. "Deus nos deu os Dez Mandamentos, e nós não os cumprimos", brincou o primeiro-ministro da França. "Wilson nos dá os Catorze Pontos. Veremos." Ele e outros líderes aliados insistiram em fazer os perdedores pagar caro pela guerra. Mas Wilson os convenceu de alguns pontos. O tratado assinado em Versalhes criava uma dúzia de novas nações na Europa, todas estabelecidas com base em princípios democráticos. E, o que era mais importante para Wilson, fundou-se a Liga das Nações, uma organização mundial para resolver disputas futuras.

A maioria dos norte-americanos eram a favor da nova Liga. Mas Wilson era um democrata, e o Senado, controlado por republicanos, tinha de aprovar o plano de paz, conhecido como Tratado de Versalhes. Alguns eram diretamente contrários a ele, mas outros estavam dispostos a chegar a um acordo, se fossem feitas mudanças no tratado. Obstinado em seus ideais, Wilson se recusou a alterá-lo. "Eu acabo com quem se opuser a mim com relação a isso!", falou, furioso. O presidente expôs seus argumentos ao povo, excursionando pelo país a uma velocidade exaustiva. Depois de fazer um dos melhores discursos da sua vida, teve um colapso em Pueblo, no Colorado. Quatro dias depois sofreu um AVC que o deixou paralisado de um lado. Embora sua esposa e seus conselheiros tenham escondido do público o pior de sua doença, Wilson estava esgotado, física e politicamente. O Senado votou contra o tratado e os Estados Unidos se recusaram a se unir à Liga das Nações, assinando, em vez disso, uma paz separada.

A Grande Guerra não colocaria um fim a todas as guerras. De fato, em apenas vinte anos, o surgimento de um conflito ainda maior faria com que a Grande Guerra fosse rebatizada de Primeira Guerra Mundial. Mas, por um tempo, a paz retornou a um mundo cansado de lutar.

31

AS MASSAS

O NOVO PRESIDENTE EM 1921 era um republicano de Ohio chamado Warren Gamaliel Harding. Ele tinha ares e modos de presidente, embora gostasse de incluir palavras um tanto longas no meio dos discursos, assim como seus pais haviam incluído um nome comprido no meio de seus outros dois nomes mais comuns. Harding garantiu ao povo que, apesar da pior guerra na história humana, travada com metralhadoras e gás venenoso e canhões do tamanho de vagões de trem, não havia "nada de errado com a civilização mundial, exceto que a humanidade a está vendo por uma visão prejudicada em uma guerra cataclísmica. A estabilidade foi perturbada, os nervos foram abalados (...) e os homens se afastaram dos caminhos seguros". Mas esqueçam as palavras errantes e compridas. Em 1920, era Harding, e não Woodrow Wilson, que sabia o que as pessoas queriam. "Hoje a América não precisa de heróis, mas de cura", disse Harding, "não precisa de panaceia, mas de normalidade." As pessoas estavam cansadas das campanhas progressistas por novas leis e fartas de guerra. Os norte-americanos queriam voltar aos velhos modos: à normalidade.

Mas como poderiam? Ao menos os velhos modos ainda eram normais? A Décima Nona Emenda acabara de conceder às mulheres o voto, um direito pelo qual vinham lutando havia décadas, e elas não voltariam atrás. De fato, a vida das mulheres vinha mudando tanto que as pessoas falavam de uma "Nova Mulher" desses tempos modernos, mais independente e com mais liberdade de pensamento. Para começar, essa mulher queria um estilo de se vestir mais simples. Ela descartava as anáguas volumosas e as saias de lã pesadas que iam até o joelho em favor de peças mais insinuantes feitas de seda ou de uma nova fibra artificial, o raiom. Às vezes, a saia mal cobria os joelhos. Ela cortava o cabelo curto, no estilo "bob", e chocava muita gente ao usar maquiagem, chapéu de feltro ajustado e galochas que balançavam quando não afiveladas, conforme a moda. Uma "*flapper girl*" ["melindrosa"], como os jornais a chamavam. Em vez de ficar em casa, a Nova Mulher era mais propensa a trabalhar como secretária, professora, enfermeira ou esteticista. No Texas e em Wyoming, mulheres inclusive foram candidatas ao governo estadual – e se elegeram.

Obviamente, as mulheres que podiam se dar ao luxo de se vestir e se comportar de modo tão independente eram, em sua maioria, da classe média. A verdade era que a maioria das mulheres que aceitavam empregos fora de casa eram de colarinho azul. Elas trabalhavam não como secretárias ou professoras, e sim como criadas mal pagas ou como operárias em fábricas, talvez passando o dia todo preparando tabaco ou "removendo rins" em frigoríficos. Apesar de tais agruras, o importante era a ideia de que as mulheres podiam fazer mais do que cuidar da casa. "Não podemos acreditar que está estipulado na natureza das coisas que uma mulher deve escolher entre um lar e seu trabalho, quando um homem pode ter ambos", disse uma estudante em Smith, uma faculdade para mulheres.

E a vida das mulheres não era a única coisa que estava mudando. Os motores a vapor foram a maravilha do século XIX, gerando energia para todo tipo de máquina, de teares de algodão a locomotivas. Quando a eletricidade se disseminou, as fábricas substituíram seus velhos motores a vapor por "dínamos" elétricos. Os laboratórios de pesquisa de grandes corporações criavam centenas de novos produtos, e os americanos estavam maravilhados. Imagine – um relógio pequeno o bastante para ser usado no pulso! Desenvolveram-se novos produtos químicos, como raiom e celofane, um invólucro transparente para embalagens. Havia máquinas de costura elétricas que não precisavam ser acionadas com o pé e geladeiras elétricas que mantinham a comida refrigerada sem necessidade de um vendedor que entregasse um bloco de gelo todos os dias. O jazz, um novo estilo musical criado por músicos negros, espalhou suas melodias contagiantes pelo país e desencadeou uma loucura por dança, o charleston. "Some dance, some prance, I'll say, there's nothing finer / Than the Charleston, Charleston. Lord, how you can shuffle!" ["Alguns dançam, alguns balançam, eu digo, não há nada melhor / do que o charleston, charleston. Senhor, como é bom!"] Os norte-americanos mais velhos reprovavam tais "rodopios" pecaminosos – e também os mais jovens acostumados aos modos tradicionais. Uma balada mexicana reclamava das esposas que vestiam "um vestido de seda curto" e de crianças que "falam inglês perfeito / e não querem saber do nosso espanhol / Elas me chamam de 'fader' e não trabalham / E são loucas por charleston". Mas, gostassem ou não, normal ou não, norte-americanos de todas as camadas sociais estavam vivendo de um modo diferente. Não é de admirar que os anos 1920 passaram a ser chamados de Nova Era.

O que distinguiu essa era não foi simplesmente o novo. Foi o modo como os novos produtos eram usados e as novas experiências eram compartilhadas por milhões de pessoas – massas de pessoas. Imagine a maior multidão em que você já esteve. Em um jogo de futebol, talvez, onde milhares correm a um estádio, ou na cerimônia de posse de um presidente. Mas é quase certo que você tenha sido parte de uma multidão muito maior sem nem mesmo sair de sua sala de estar – se você assistiu à Copa do Mundo, ao Oscar ou a um programa popular de televisão. A ideia de milhões e milhões de pessoas assistindo a um único evento é tão comum hoje em dia que parece estranho falar desse tipo de "cultura de massas" como algo novo. Os anos 1920 foram quando as pessoas começaram a viver tais experiências.

Duas invenções principais conduziram à cultura de massas: o cinema e o rádio. As primeiras máquinas para projetar "imagens em movimento" se difundiram nos anos 1890, em cidades onde pessoas da classe trabalhadora faziam fila para ver as projeções. (As salas de cinema eram chamadas *nickelodeons*, porque as entradas custavam um níquel.) Os filmes projetavam imagens até então nunca vistas em recintos fechados: ondas oceânicas quebrando, o Grand Canyon, leões e tigres. Os cineastas tiveram a ideia de contar histórias simples.

O grande roubo do trem, uma obra inovadora de dez minutos, foi exibido em todo o país. Mas os filmes realmente ganharam reconhecimento nos anos 1920, quando salas de cinema enormes foram construídas em grandes cidades, ostentando nomes grandiosos como o Roxy (em Manhattan) ou o Grauman's Chinese Theatre (em Hollywood, que se tornou a capital cinematográfica do mundo). Essas salas acomodavam milhares, e seus espaços eram como catedrais. Porteiros usando luvas brancas saudavam os clientes, inclusive recebendo-os com um guarda-chuva nos dias chuvosos. Lanterninhas escoltavam os clientes até seus assentos. Os filmes não tinham som, mas um órgão proporcionava música ao vivo para acompanhá-los. E, ao contrário das peças de teatro, norte-americanos em todo o país podiam assistir exatamente ao mesmo espetáculo, desmaiar pelos mesmos atores ou atrizes – vê-los em *close*, seu rosto ocupando a tela inteira. Em 1926, 20 mil salas de cinema haviam sido construídas em todo o país.

Mais ou menos ao mesmo tempo, inventores encontraram uma forma de transmitir ondas de rádio pelo ar; estas podiam ser recebidas por qualquer pessoa que tivesse um dos novos aparelhos de rádio sendo vendidos. Em novembro de 1920, foi feita a primeira transmissão real de um barracão no alto de um edifício da Westinghouse Electric Company, em East Pittsburgh. A estação KDKA anunciou o resultado da eleição dando vitória a Warren Harding. Os americanos adoraram essa nova maneira de trazer notícias e entretenimento diretamente para dentro de seus lares. Em poucos anos, 3 milhões de residências tinham aparelhos de rádio; e o presidente transmitiu um discurso que fez em St. Louis durante uma excursão pelo país. (Sendo Harding, ele não simplesmente a chamou de excursão para conhecer norte-americanos; era uma de suas "viagens de entendimento".) No meio do caminho, ele teve um ataque cardíaco, caiu morto na própria cama – e não entendeu mais nada. O novo presidente, Calvin Coolidge, falou para uma audiência muito maior alguns meses depois. Era uma maravilha: não só ouvir as palavras do presidente sendo lidas, como efetivamente ouvir sua *voz*, vinda de milhares de quilômetros de distância.

As novas massas também estavam viajando de um modo diferente. Por muito tempo houve inventores que sonharam em fazer uma carruagem de tração própria. Uma "carruagem a vapor" apareceu na França já em 1771. Mas mais de um século se passou antes que se fabricassem automóveis práticos, usando motores a gasolina. O maquinário assustava os cavalos e causava desconfiança. Vermont aprovou uma lei exigindo que os motoristas enviassem alguém com uma bandeira vermelha para caminhar à frente do veículo a fim de alertar outros viajantes. Os motoristas do Tennessee tinham de publicar anúncios nos jornais com uma semana de antecedência informando sobre suas viagens. No início da Primeira Guerra Mundial, havia mais de um milhão de automóveis em circulação, mas eles eram tão caros que continuaram sendo brinquedos dos ricos. Isso mudou depois que um fã de carros de corrida chamado Henry Ford entrou no ramo automobilístico. "Todo mundo quer estar em algum lugar onde não está", Ford comentou. Em sua fábrica no Michigan, ele criou uma "linha de montagem": em vez de mecânicos montando um carro por vez, uma correia puxava cada carro ao longo de uma linha à velocidade de aproximadamente trinta centímetros por minuto, de um operário ao seguinte, e cada um deles realizava uma tarefa separada. Os carros pretos do Modelo T de Ford custavam 845 dólares cada um – muito mais baratos do que outros –, e o preço havia caído para apenas 290 dólares em 1925.

Era um carro para as massas – e construído por elas. Ford pagava a seus milhares de operários cinco dólares por dia, o dobro da maioria dos salários na indústria automobilística. Mas o trabalho era maçante. Você ficava em pé o dia todo fazendo uma única tarefa repetidas vezes, e seu único alívio era um intervalo de quinze minutos para almoçar e ir ao banheiro. E Ford exigia que não houvesse assobios, risadas nem conversas na linha de montagem. Os operários aprenderam a conversar sem mexer os lábios. Isso incomodou a esposa de um operário, e ela escreveu para o chefe: "O sistema de correias que o senhor tem é escravizante! Meu Deus! Sr. Ford. Meu marido chega em casa e desaba – nem consegue jantar, de tão exausto! Isso não pode ser remediado? (...) Esses cinco dólares por dia são uma bênção – mais do que o senhor imagina, mas ah, são mais do que merecidos!".

A venda de tantos automóveis ajudou a economia a crescer. Com os impostos arrecadados com a venda de gasolina, os Estados e o governo federal começaram um sistema de autopistas que transformou estradas de terra em estradas de cascalho, e estradas de cascalho em estradas de concreto ou asfalto, um betume pegajoso residual do refinamento de gasolina. Com milhões de pessoas fabricando carros, construindo estradas e edificando arranha-céus, os norte-americanos experimentaram um padrão de vida mais elevado do que em qualquer momento anterior. Eles até então costumavam ser cautelosos quanto a comprar o que não podiam pagar, mas as empresas estavam oferecendo "pagamento parcelado" para que as pessoas pudessem comprar carros, pianos, lavadoras de roupa ou aspiradores de pó mesmo que não tivessem o dinheiro para pagar o valor total imediatamente. Em suma, elas passaram a comprar a crédito. Por que não? A prosperidade viera para ficar.

O presidente Coolidge aplaudiu os bons tempos. Como republicano, defendeu os negócios, grandes e pequenos, que lideraram o crescimento. "O homem que constrói uma fábrica constrói um templo", falou. "O homem que trabalha em uma, ali faz suas preces." Coolidge rejeitou a preocupação dos progressistas de que muitos trabalhadores estavam "vivendo na escravidão industrial". Os negócios deveriam ser livres para fazer o que quisessem, afirmou o presidente, gabando-se de que governava melhor ao "cuidar de seus próprios assuntos". Em outras palavras, *laissez-faire* – deixe os negócios em paz. Embora tenha sido eleito para um mandato próprio em 1924, Coolidge decidiu não tentar a reeleição quatro anos depois. Seu secretário de Comércio, Herbert Hoover, o sucedeu facilmente na Casa Branca em 1928, vangloriando-se de que "os asilos para pobres estão desaparecendo do país".

Milhões de norte-americanos partilhavam de sua convicção. Eles haviam começado a prestar atenção à Bolsa de Valores de Nova York em Wall Street – o lugar onde os investidores compravam ações de novos negócios promissores como a RCA, Radio Corporation of America. Na primavera de 1928, a RCA estava vendendo uma ação por 94 dólares. Se você comprasse cem ações, o custo era 9,4 mil dólares. Melhor ainda, você podia comprar ações a crédito. Pague apenas 5 mil dólares, e seu corretor lhe empresta o restante "em margem". A RCA saltou de 94 dólares para 108 dólares em uma semana, e então para 120 dólares no dia seguinte. Uma semana depois, atingiu 138 dólares – e tantos novos investidores queriam comprar ações que o preço disparou para 168 dólares. Se você havia pagado 5 mil dólares por cem ações, podia vender agora por 16,8 mil dólares. "Todo mundo vai ficar rico", proclamou uma revista feminina popular. O entusiasmo de fazer fortuna na bolsa de valores contagiou a todos – "o ascensorista, o barbeiro, o engraxate, os engenheiros, os porteiros, o jornaleiro", observou um empresário. Os corretores tinham escritórios com uma teleimpressora de cotações, uma máquina barulhenta que imprimia os valores atualizados em uma tira comprida de papel.

E então o grande "*bull market*" – como é chamado o mercado em alta – quebrou. O pânico se instalou em 24 de outubro de 1929, quando os investidores temeram que as ações estivessem prestes a sofrer uma queda. Vieram milhões de pedidos dos escritórios dos corretores: venda!, venda! Quase ninguém queria comprar, e por isso os preços das ações despencaram. De uma hora para outra, os investidores que compraram em margem viram seus corretores exigindo que os empréstimos fossem pagos imediatamente, quando seus lucros estavam evaporando. Multidões ansiosas se reuniram em Wall Street enquanto os corretores berravam no saguão da bolsa de valores. "O lugar inteiro está desmoronando", relatou um funcionário.

Parecera que a prosperidade duraria para sempre. O povo norte-americano havia criado uma sociedade de massa em que milhões assistiam aos astros do cinema, compravam automóveis e aparelhos de rádio, trabalhavam em linhas de montagem, compravam ações – e agora as vendiam, ou o que restou delas. Em questão de semanas, a Nova Era estava morta e enterrada.

No meio do tumulto, um homem hospedado em um hotel de Nova York tentou dar um telefonema, mas não conseguia linha. Ele desceu e finalmente encontrou a telefonista do hotel. Ela era moderna e avançada. Possivelmente se considerava uma Nova Mulher. Agora, quando desligou o telefone, ela estava em lágrimas. "Era meu corretor", falou. "Estou arruinada. Tudo que me resta no mundo é meu casaco de pele de foca."

32
Um novo acordo

Os dois dias mais assustadores do Grande Crash, 24 e 29 de outubro de 1929, ficaram conhecidos como Quinta-Feira Negra e Terça-Feira Negra. Mas a queda brusca do mercado de ações durou meses, e não dias. Isso é importante porque não foi apenas dinheiro que as pessoas perderam, foi confiança. De tempos em tempos as ações subiam um pouco, reavivando as esperanças. Mas então despencavam novamente, e a esperança começou a desaparecer.

Se a economia "pujante" fosse sólida, os norte-americanos poderiam ter sido poupados do colapso financeiro, simplesmente padecendo um ou dois anos de dificuldades. Mas a debilidade econômica era muito mais grave. É verdade, as fábricas vinham produzindo carros e eletrodomésticos aos milhões. Mas os mesmos operários que fabricavam esses produtos – as novas massas – eram também os consumidores que os compravam. E os operários não recebiam salários altos o bastante para conseguir pagar todos os produtos sendo fabricados. Muitos haviam comprado a prestações, com dinheiro que esperavam ganhar no futuro. Agora, quem queria comprar mais? Se os tempos estavam difíceis, a ideia era economizar. Era questão de bom senso.

Mas à medida que as pessoas economizavam os negócios faziam o mesmo. Com tão poucas pessoas comprando, as fábricas demitiram operários que já não necessitavam. Era questão de bom senso. E agora *esses* trabalhadores também não estavam comprando. Cerca de 100 mil norte-americanos perdiam o emprego a cada semana. No fim de 1932, 13 milhões estavam desempregados.

Pelo menos as pessoas tinham suas economias. Será? Durante os "Roaring Twenties", os prósperos anos 1920, os bancos pegaram os depósitos dos poupadores e os investiram em ações para ganhar dinheiro. Mas grande parte desse dinheiro foi para investimentos "certeiros" como as ações da Radio Corporation of America. E muitos bancos estavam dando enormes bonificações a seus funcionários ou até mesmo enganando os clientes. Desse modo, os bancos perderam muito dinheiro de pessoas comuns – inclusive de norte-americanos que nunca sequer chegaram perto da bolsa de valores. E quando os rumores sobre os problemas se espalharam, as pessoas correram para os bancos para sacar suas economias conquistadas a duras penas. Os grandes bancos, como o National Bank of Kentucky, fecharam; e também os pequenos, formados para atender operários ou agricultores. Qual banco seria o próximo? Em Nebraska, John Farr, um afro-americano criador de gado, ouviu algumas conversas e resolveu "dar uma volta" até a cidade. "Como esperado. Havia um grande cartaz... Fechado. E as pessoas estavam em fila do lado de fora gritando e chorando." O judeu Noel State Bank, de Chicago, faliu. O Smulski's Bank, para imigrantes poloneses – fechado. Mais de cinco mil bancos encerraram suas atividades entre 1930 e 1932.

E havia os agricultores. A maioria deles não prosperara nem mesmo durante os anos 1920, e os anos 1930 trouxeram uma nova calamidade. Centenas de tempestades de vento levantaram milhões de toneladas de solo dos campos agrícolas das Grandes Planícies e simplesmente as dissiparam. Essas "nevascas negras" escureceram os céus, arrasaram plantações e carregaram tanta terra para o leste que uma única tempestade em 1934 fez "chover" mais de 5 mil toneladas de poeira apenas sobre Chicago. Naquele inverno, caiu neve vermelha, cheia de poeira das Grandes Planícies, na Nova Inglaterra. Uma mudança no clima foi, em parte, culpada por transformar as Planícies em um deserto (o Dust Bowl), mas os humanos também tiveram sua parcela de culpa. Os agricultores estavam plantando em terras cujo solo fora ancorado, durante milhares de anos, pelas raízes profundas da vegetação natural das pradarias. Quando essas raízes foram arrancadas para dar lugar ao milho e ao trigo, o solo tinha pouco para ancorá-lo e passou a se soltar com mais facilidade. Cerca de 3 milhões de pessoas levantaram acampamento e empreenderam uma longa jornada rumo à Califórnia na esperança de uma vida melhor – Okies, eram chamados, porque muitos deles eram da devastada Oklahoma.

Herbert Hoover era presidente havia apenas seis meses quando o Grande Crash eclodiu. Uma década antes, ele ficara famoso por enviar à Europa dilacerada pela guerra um auxílio que salvou milhões de pessoas da fome. Cidades agradecidas batizaram ruas com seu nome, incluindo pelo menos três Hooverstrasses (na Alemanha e na Suíça), duas avenidas Hoover (na França) e uma Hooverplein (na Bélgica). Quando a economia piorou em 1930, o presidente resistiu ao conselho de não fazer nada. "Deixe a natureza seguir seu curso", recomendou o presidente da Bolsa de Valores de Nova York. Em vez disso, Hoover conseguiu aprovar a redução de impostos a fim de que as pessoas tivessem mais dinheiro para comprar itens de necessidade. Ele fez as empresas prometerem que não reduziriam salários nem cortariam funcionários. E convenceu o Congresso a destinar mais de 1 bilhão de dólares a projetos como a construção da represa Boulder no rio Colorado. (Mais tarde, a represa foi rebatizada de Hoover.)

Nada disso foi suficiente. No fim, os negócios não tiveram outra escolha senão dispensar funcionários. Enquanto isso, Hoover começou a seguir o mesmo conselho prudente que todos os demais: se o governo estava recebendo menos dinheiro, precisava cortar custos e gastar menos. Para equilibrar o orçamento, Hoover desistiu de reduzir impostos e, em vez disso, aumentou a arrecadação. Além do mais, ele não queria dar dinheiro para os desempregados temendo que as pessoas ficassem preguiçosas e não trabalhassem. O que restava fazer? O presidente recorreu a *encorajar* as pessoas. Em vez de se referir aos tempos ruins como um "pânico", o termo usual, ele falou de uma "depressão", como se fosse uma situação menos grave que logo passaria. "Já passamos pelo pior", anunciou em 1930.

Mas, no fim de 1931, no interior, pessoas desesperadas estavam comendo ervas daninhas para sobreviver. Nas cidades, homens reviravam lixo em busca de restos para comer. Sem receber salário havia meses, professores escolares desmaiavam de fome na sala de aula. Pessoas que haviam perdido suas casas começaram a se reunir em favelas, vivendo em barracas de lona e abrigos de papelão. Não havia mais honrosas avenidas Hoover – em vez disso, as favelas foram depreciativamente apelidadas Hoovervilles. O presidente tinha boas intenções. Ele trabalhava incansavelmente, levantava cedo, ia para cama tarde. Tinha os olhos injetados, por falta de sono. "O que esse país precisa é de uma boa risada", ele falava, esperançoso. "Se alguém pudesse contar uma boa piada a cada dez dias, acho que nossos problemas estariam resolvidos." Infelizmente, as piadas foram à custa de Hoover. (*Hoover:* Pode me emprestar cinco centavos para eu ligar para um dos meus amigos? *Secretário do Tesouro:* Claro, tome dez centavos. Ligue para os dois.) A então chamada depressão leve veio a ser a época mais difícil da história norte-americana. Na eleição de 1932, o presidente foi rotundamente derrotado nas urnas.

    O homem que o substituiu era uma pessoa muito diferente. Embora Hoover fosse um mestre dos fatos e números, um engenheiro perspicaz, ele nunca havia sido eleito a nenhum cargo público antes de se tornar presidente. Franklin Delano Roosevelt, por outro lado, era um político nato, pronto para falar, barganhar e fazer alianças. Enquanto Hoover parecia abatido e esperava que alguém fizesse piadas, Roosevelt sorria com uma energia jovial e radiante. De certo modo, seu otimismo era surpreendente. O jovem Franklin havia começado pelo mesmo caminho que seu primo distante Teddy Roosevelt – embora como democrata, em vez de republicano. Como Teddy, ele fora para Harvard, tornou-se secretário adjunto da marinha e candidato a vice-presidente (mas a chapa de Franklin Roosevelt perdeu). Mas, de repente, aos 39 anos, ele contraiu poliomielite. A doença o deixou paralisado da cintura para baixo, um infortúnio grave o bastante para desencorajar qualquer pessoa. Não Roosevelt. Ele se equipou com muletas de aço e trabalhou incansavelmente para dar pelo menos alguns passos. Ele se gabava de que os músculos de seus braços ficaram maiores do que os do famoso boxeador Jack Dempsey. Com o apoio de sua esposa, Eleanor, Franklin mergulhou novamente na política e foi eleito governador de Nova York – mais uma vez, como o primo Teddy. Como presidente, Teddy prometera a cada norte-americano um "*square deal*" (um "acordo justo e honesto"). Franklin prometeu um "*new deal*" (um "novo acordo") "para o povo norte-americano".

O que seria esse acordo? Roosevelt não tinha um plano claro. Como os progressistas, ele acreditava que, nos tempos difíceis, o governo deveria agir: "Não por caridade, mas por dever social". Sua abordagem era experimental. "Escolha um método e experimente: se falhar, admita francamente e tente outro. Mas, acima de tudo, tente alguma coisa." Quando tomou posse, em 4 de março de 1933, Roosevelt garantiu a seus concidadãos que tentaria, e que teria sucesso. "A única coisa que devemos temer", falou, "é o próprio medo."

De fato, havia muito o que temer. Nas semanas antes da posse, o sistema bancário ruiu quase que totalmente, instaurando um novo pânico. O mercado de ações fechou. Para acalmar a situação, Roosevelt proclamou um "feriado bancário", ordenando que todos os bancos no país fechassem por quatro dias. Feriado! Parecia quase otimista. Então ele apressou a aprovação de uma lei no Congresso que reabria todos os bancos que estivessem em boa situação, ajudava os que estivessem um pouco instáveis e fechava os que estivessem falindo. Sua ação decisiva trouxe alívio aos norte-americanos e restabeleceu certa confiança. Quando os bancos reabriram, mais pessoas depositaram dinheiro do que sacaram.

Os primeiros cem dias do New Deal foram um turbilhão. O presidente reuniu um bando de professores e outros especialistas para aconselhá-lo. (Os jornais os chamaram de seu *brain trust* – algo como "consórcio de cérebros".) Eles estavam determinados a experimentar, a ser ousados e a mudar a própria maneira como o governo trabalhava. Roosevelt criou dezenas de novas agências para implementar seu New Deal, embora o programa pudesse ser reduzido a três frentes de ataque: auxílio para os necessitados, recuperação da economia e reforma do sistema que havia produzido a Grande Depressão.

Dessas três medidas, auxílio para os necessitados era a mais urgente. Roosevelt criou a Federal Emergency Relief Administration [Administração Federal de Auxílio e Emergência] e colocou no comando Harry Hopkins, um trabalhador social de Iowa – pálido, perspicaz e fumante compulsivo. Três horas depois de assumir o cargo, Hopkins havia instalado uma escrivaninha em um saguão e gasto 5 milhões de dólares. O dinheiro foi para agências locais e estaduais para ajudar aqueles que não tinham moradia, emprego, comida; e, nos meses seguintes, outro meio bilhão de dólares foi destinado a eles. Enquanto isso, a nova Civil Works Administration [Administração de Obras Civis] contratou 4 milhões de desempregados para trabalhar diretamente para o governo federal. Uma terceira agência, o Civilian Conservation Corps [Corpo Civil de Conservação], enviou mais de 2 milhões de jovens para as ruas para fazer o trabalho necessário. Juntos, os trabalhadores desses três programas construíram 40 mil escolas, mil aeroportos e melhoraram 800 mil quilômetros de estradas. Eles plantaram árvores, construíram campos esportivos, restauraram campos de batalha da Revolução e da Guerra Civil, construíram torres de observação de incêndio e abasteceram hidrovias com mais de um bilhão de peixes.

Os críticos reclamaram que o governo estava se endividando em vez de equilibrar seu orçamento e arrecadar os impostos tão necessários. Mas alguns economistas estavam começando a perceber que o que era bom senso para os indivíduos nem sempre era um bom conselho para a economia como um todo. Se todos economizassem, inclusive o governo, os negócios seriam paralisados. O governo *precisava* se endividar no curto prazo para que as pessoas que recebiam auxílio e empregados públicos pudessem sair e comprar alimentos, roupas e suprimentos. Isso significava que os donos de mercearias e de outras lojas também poderiam gastar mais.

Roosevelt queria que seus programas de auxílio fossem temporários. Mas ele acreditava que o governo podia fazer uma contribuição mais permanente por meio da segunda medida – recuperação. Por exemplo, uma das regiões mais pobres do país ficava no vale do rio Tennessee. Lá, as inundações destruíam regularmente comunidades e campos agrícolas, o corte de lenha havia deixado estéreis as encostas de colinas, e a malária, transmitida por mosquitos, adoecia praticamente um em cada três habitantes. Roosevelt criou a Tennessee Valley Authority (TVA) [Autoridade do Vale do Tennessee], uma organização governamental que revitalizou a região construindo represas para evitar inundações, reflorestando as encostas e ensinando aos agricultores melhores técnicas de plantio. As represas também produziram eletricidade barata, trazendo energia para casas que antes eram iluminadas por lamparinas. Os moradores do vale perceberam sua renda e sua saúde melhorarem a olhos vistos. Outras agências do New Deal trabalharam com corporações para construir infraestrutura de transporte: um porto em Brownsville, no Texas, e o túnel Lincoln para Manhattan.

Finalmente, o New Deal implementou reformas – a terceira medida – para ajudar a evitar Grandes Depressões futuras. Uma delas foi um programa de garantias para proteger os depósitos bancários de pessoas comuns, de modo que elas jamais perdessem suas economias novamente. Outras agências estipularam regras para evitar que os bancos e o mercado de ações fizessem investimentos arriscados ou enganassem seus clientes. Novas leis garantiram aos trabalhadores o direito de negociar melhores salários filiando-se a um sindicato. Talvez o mais notável, o New Deal de Roosevelt implementou um sistema de apoio para trabalhadores que estavam velhos, descapacitados ou desempregados. O presidente colocou a cargo do problema sua secretária do Trabalho, uma mulher enérgica chamada Frances Perkins. A primeira mulher a servir em um gabinete presidencial, Perkins havia trabalhado na Hull House de Jane Addams e em outras causas progressistas quando mais jovem. O sistema de "seguridade social" que ela ajudou a criar fez mais do que simplesmente proporcionar uma rede de segurança para os indivíduos. Essa e outras reformas do New Deal tornaram a economia mais estável para que as recessões futuras não fossem tão severas.

Os adversários republicanos de Roosevelt reclamavam veementemente das dezenas de agências do New Deal, cada uma delas com sua abreviação para encurtar um nome prolixo. (Por exemplo, CCC para Civilian Conservation Corps e FDIC para Federal Deposit Insurance Corporation.) O próprio Roosevelt foi apelidado FDR. Era verdade que as novas agências muitas vezes gastavam dinheiro e cometiam sua parcela de erros. (As represas da TVA, por exemplo, forçaram milhares de habitantes a sair de suas casas, apesar de seus muitos benefícios.) Além disso, o método de Roosevelt, de tentar uma coisa e depois outra, levou alguns conselheiros a quase arrancar os cabelos tentando fazê-lo escolher o plano que *eles* preferiam.

Mas apesar de todas as suas falhas, o New Deal revitalizou uma nação que fora terrivelmente abalada – dilacerada, até. E Franklin Roosevelt e sua esposa, Eleanor, eram os rostos dessa nova esperança. Eleanor atravessava o país constantemente, visitando centenas de projetos do New Deal e conversando com pessoas comuns – fosse um operário num jantar em Seattle, sino-americanos em uma creche de San Francisco ou a esposa de um minerador da Virgínia Ocidental em seu barraco rudimentar. FDR se comunicava via rádio em suas "conversas ao pé da lareira", ouvidas por milhões em seus lares. Era quase como se o presidente estivesse realmente sentado ao pé da lareira. "Toda casa que visitei (...) tinha uma imagem do presidente", relatou um oficial do New Deal. "Esta ia de recortes de jornal (em lares destituídos) a grandes impressões coloridas com molduras douradas (...). E o sentimento dessas pessoas pelo presidente é um dos fenômenos mais notáveis que já presenciei. Ele é, ao mesmo tempo, Deus e seu amigo íntimo; conhece a todos pelo nome, conhece sua cidadezinha e sua fábrica, sua vida e seus problemas. E, ainda que todo o restante fracasse, ele está aqui, e não os desapontará." Roosevelt foi reeleito em 1936 com mais votos do colégio eleitoral do que qualquer presidente já havia recebido: 523 de 531. E, à diferença de qualquer outro presidente, ele foi reeleito a um terceiro e depois a um quarto mandato.

No fim das contas, o mais importante não foram os votos que ele recebeu nem a confiança que ele mostrava. Foi o modo como ele mudou as ideias das pessoas sobre governo. A nação sempre havia valorizado seus direitos políticos, explicou Roosevelt, "entre os quais o direito de livre discurso, livre imprensa, livre culto, julgamento por um júri (...). No entanto, à medida que nossa nação cresceu em tamanho e estatura – à medida que nossa economia industrial se expandiu –, esses direitos políticos se mostraram inadequados para nos garantir igualdade na busca de felicidade. Chegamos a uma percepção clara (...) de que a verdadeira liberdade individual não pode existir sem independência e segurança econômica". O governo tinha a responsabilidade de *agir*, para prover segurança econômica nos tempos difíceis. Nesse sentido, o New Deal foi de fato um grande acordo.

33
Guerra global

No dia seguinte à posse de Franklin Roosevelt como presidente – 5 de março de 1933 –, a Alemanha votou para escolher sua própria legislatura, o Reichstag. As eleições haviam sido convocadas por um novo chanceler, Adolf Hitler. Um homem intenso, Hitler tinha um rosto pálido emoldurado por cabelo castanho, um bigode de broxa e um olhar penetrante que, com demasiada frequência, ardia de ressentimento. Várias vezes ele tentara arrastar seu Partido Nacional-Socialista (ou Nazista) para o poder e não conseguira. Essa eleição foi diferente. Em uma campanha brutal, as gangues do partido, em estilo militar – os "camisas pardas" –, atacaram os comícios de adversários e espancaram seus líderes. Hermann Göring, o braço direito de Hitler, advertiu os empresários de que era melhor abrir a carteira para o partido. "As eleições certamente serão as últimas pelos próximos dez anos", previu, "e provavelmente pelos próximos cem." Os nazistas ganharam o controle do Reichstag, que então aprovou uma lei dando a Hitler o poder de criar a lei que quisesse. Enquanto Roosevelt trabalhava no New Deal com o Congresso, Adolf Hitler se tornou um ditador que falava em purificar a Alemanha e fortalecê-la. Seu povo precisava de terras – *lebensraum*, ele as chamava, espaço vital.

Afundados em sua própria Grande Depressão, poucos norte-americanos prestaram atenção. Mas em sete anos Hitler levou a Europa e o mundo a uma nova guerra; uma tão imensa que a "Grande" Guerra de 1914-1918 pareceria moderada em comparação. Dezesseis milhões de pessoas morreram na primeira guerra; a nova matou 60 milhões. A Segunda Guerra Mundial foi, pura e simplesmente, o maior acontecimento na história humana. Nunca antes os humanos haviam desencadeado algo tão letal.

As forças que tornaram tal guerra possível vinham se formando havia mais de um século. Enquanto a indústria e a ciência ajudavam as nações a se tornar maiores e mais poderosas, as então chamadas grandes potências competiam para controlar mais colônias, mais riquezas e mais armamentos. A Primeira Guerra Mundial foi o primeiro grande confronto. Quando acabou, Woodrow Wilson sonhou com uma paz para colocar fim a todas as guerras, com a Liga das Nações para resolver disputas futuras. Mas o Tratado de Versalhes, assinado para pôr fim à guerra, não satisfez a ninguém. A Alemanha derrotada ficou furiosa por ser forçada a pagar bilhões de dólares aos vitoriosos e assim ajudar a reconstruir a Europa. A Itália e o Japão, cujos soldados lutaram do lado vencedor, reclamavam que não haviam recebido a parte que lhes cabia das recompensas. O Japão queria expandir sua nação insular para incluir parte do território da China no continente, ao passo que o novo ditador da Itália, Benito Mussolini, sonhava em ser o líder de um novo império romano. A Grã-Bretanha e a França, por outro lado, haviam perdido centenas de milhares de homens jovens em combate. A última coisa que os líderes dessas democracias queriam era serem arrastados para outra guerra por alguma briga como o assassinato de um arquiduque.

Os Estados Unidos estavam igualmente determinados a evitar uma guerra. Tanto George Washington quanto Thomas Jefferson haviam alertado contra "enredar-se em alianças" com as nações da Europa. As palavras de Jefferson ecoaram através dos anos, de modo que, quando Warren Harding conduziu o país para a normalidade, ele garantiu aos norte-americanos: "Não pretendemos ser enredados" nos "destinos do Velho Mundo". Melhor permanecer isolados em segurança do outro lado do vasto Atlântico. "Voltemos os olhos para dentro", propôs um líder político. "Se o mundo está prestes a se tornar uma imensidão de ruínas, ódio e amargura, protejamos e preservemos ainda mais seriamente nosso próprio oásis de liberdade." Aqueles que concordavam ficaram conhecidos como isolacionistas; e, na verdade, a maioria dos norte-americanos partilhava dessa visão.

Mas ficou mais difícil olhar para dentro à medida que o mundo resvalava para a guerra. Quando o Japão invadiu a província chinesa da Manchúria e a Liga das Nações se opôs, os membros da delegação do Japão simplesmente saíram. "Não vamos voltar", anunciaram. A Alemanha também se retirou, demonstrando que as belas palavras da Liga não tinham força. Logo a Itália invadiu a Etiópia na África do Norte, e o Japão iniciou um ataque para conquistar mais territórios da China. Hitler conduziu exércitos recém-organizados até a fronteira com a França e enviou outras tropas para o leste a fim de ocupar a Áustria. As democracias europeias poderiam tê-lo bloqueado se tivessem intervindo logo no início. "Teríamos nos retirado com o rabo entre as pernas", Hitler admitiu em particular. Mas as memórias da Grande Guerra continuavam muito vívidas na Grã-Bretanha e na França. Em uma reunião de cúpula em Munique, Hitler prometeu que não tomaria mais terras se lhe permitissem ocupar uma parte da Tchecoslováquia, onde viviam muitos falantes de alemão. A Grã-Bretanha e a França concordaram em "apaziguar" Hitler uma vez mais, e o primeiro-ministro Neville Chamberlain regressou a Londres anunciando que havia alcançado "a paz em nossa era". Levou apenas seis meses para que Hitler quebrasse sua promessa e anexasse o restante da Tchecoslováquia. Outros seis meses e ele invadiu a Polônia. Desta vez, a França, a Grã-Bretanha e a Polônia declararam guerra, levando as forças Aliadas (que acabariam por incluir mais de vinte nações) contra as potências do Eixo – primordialmente a Alemanha, a Itália e o Japão.

Os Estados Unidos não entraram no combate. Embora Franklin Roosevelt tivesse passado a acreditar que não haveria "como escapar" da guerra pelo "mero isolamento ou neutralidade", o Congresso não concordou, mesmo quando os exércitos alemães retalharam a Europa e forçaram a França a se render. Em seguida foi a vez da Grã-Bretanha, quando ondas sucessivas de aviões alemães bombardearam Londres e outras cidades inglesas. O novo primeiro-ministro, Winston Churchill, implorou aos norte-americanos por munição, aviões e "o empréstimo de quarenta ou cinquenta de seus destróieres mais velhos". Mas os generais de Roosevelt temiam que, se a Alemanha invadisse e conquistasse a Grã-Bretanha, os navios de guerra e outros produtos norte-americanos cairiam nas mãos dos nazistas. Melhor fortificar a América e deixar a Grã-Bretanha lutar sozinha! Roosevelt discordava, e os navios foram enviados, ajudando os ingleses, ainda que timidamente, a vencer sua obstinada Batalha da Grã-Bretanha. Hitler desistiu de seus planos de invasão.

No fim, o golpe que levou os Estados Unidos para a guerra veio de uma direção totalmente diferente. O Japão havia muito observava com inveja enquanto britânicos, franceses, holandeses e inclusive norte-americanos adquiriam colônias na Ásia. Por que o Japão não faria o mesmo? O Sudeste da Ásia era muito mais seu território do que da Europa ou da América. Enquanto a Alemanha e a Itália conquistavam vitórias na Europa, o Japão secretamente enviou uma frota pelo Pacífico, rumo ao leste. Foi comandada pelo almirante Isoroku Yamamoto, e sua missão era atacar a principal base naval norte-americana, em Pearl Harbor, no Havaí. Anos antes, Yamamoto vivera por um tempo em Washington como diplomata naval, onde ficou conhecido por ser um excelente jogador de pôquer. Na verdade, o ataque a Pearl Harbor se assemelhava bastante com pôquer de alto risco. Se bem-sucedida, a aposta compensaria imediatamente. Mas havia um risco. "Se me disserem para lutar sem me importar com as consequências", Yamamoto disse a seus chefes, "vou atacar desenfreadamente durante os primeiros seis ou doze meses." Mas, se essa grande arremetida não trouxesse vitória, "não tenho a menor confiança para o segundo ou terceiro ano". O almirante entendia bem que os Estados Unidos eram uma nação tão grande, com tanto poder industrial, que poderiam aumentar suas forças terrestres e marítimas e combater até o fim.

Em 7 de dezembro de 1941, Pearl Harbor foi pego de surpresa. Bombardeiros japoneses afundaram oito navios de guerra, mataram 2,4 mil homens e danificaram trezentas aeronaves. Roosevelt proclamou o dia como "uma data que viverá na infâmia", e, quatro dias depois, Hitler e Mussolini declararam guerra aos Estados Unidos. Os norte-americanos agora travariam a guerra global que outrora tiveram esperança de evitar.

Felizmente, o ataque a Pearl Harbor não destruiu os suprimentos de combustível que eram vitais para a marinha e as forças aéreas dos Estados Unidos. E nenhum porta-aviões norte-americano estava no porto durante o ataque – um grande golpe de sorte, pois, no vasto Pacífico, esses navios mais novos eram capazes de lançar ataques aéreos no meio do oceano. Ainda assim, a frota do Japão era mais moderna, e seus comandantes planejaram um novo ataque à base norte-americana em Midway Island. Desta vez os norte-americanos sabiam que o inimigo estava vindo, graças a decifradores de códigos que trabalhavam dia e noite para decodificar as comunicações de rádio japonesas. No fim de um dia exaustivo de batalha, os japoneses haviam perdido quatro de seus estimados porta-aviões, bem como muitos pilotos habilidosos treinados na difícil arte de decolar e aterrissar nas pistas ondeantes situadas nos deques dos porta-aviões. O "ataque desenfreado" de Yamamoto não havia compensado, e os Estados Unidos estavam a caminho da vitória no Pacífico. Levaria mais três anos, no entanto, já que os norte-americanos se arrastavam de ilha em ilha, avançando penosamente rumo ao Japão.

Hitler fez apostas ainda maiores. As tropas alemãs conquistaram a África do Norte em uma ofensiva bem-sucedida, enquanto na Europa um ataque totalmente inesperado se dirigiu para o leste, contra a União Soviética (o antigo Império Russo). Hitler se gabou de que estava implementando um novo Reich, ou Estado alemão, que duraria mil anos. Ele deu início a uma campanha brutal para livrar a Europa daqueles que considerava desleais ou racialmente "impuros". Estes incluíam ciganos, artistas e pensadores que criticavam os nazistas – e, acima de tudo, judeus. Cerca de 6 milhões de judeus foram privados de alimento, fuzilados, obrigados a trabalhar até a exaustão ou mortos em mais de 40 mil campos de concentração ou de trabalho forçado e seis centros de extermínio, onde as forças de segurança de Hitler construíram câmaras de gás. Hitler considerava essas vítimas "lixo" – seres inferiores que eram membros de "raças sub-humanas". Mais tarde, suas campanhas de assassinato em massa ficaram conhecidas como o Holocausto.

Mas, ao tentar concretizar seus sonhos perversos, Hitler dispersou demais suas forças. Na Europa Oriental, os soviéticos eram liderados por um ditador igualmente implacável, Joseph Stálin. Na batalha de Stalingrado, as obstinadas tropas soviéticas acabaram vencendo as forças do Eixo, quando exércitos de mais de um milhão de homens de ambos os lados combateram corpo a corpo durante o pior inverno em décadas. Na África, tropas britânicas e norte-americanas finalmente fizeram os alemães recuar e começaram a planejar uma invasão da Europa a partir da Grã-Bretanha. Essa empreitada imensa foi coordenada por Dwight David Eisenhower, um general norte-americano determinado e detalhista. Hitler sabia que o ataque viria, mas não quando nem onde. O dia da decisão (Dia D) veio em 6 de junho de 1944, quando aproximadamente 3 milhões de soldados, 11 mil aeronaves e 2 mil navios puseram-se a caminho. Nas praias francesas da Normandia, os Aliados estabeleceram uma base de operações e dali começaram a avançar lentamente rumo à Alemanha. Ao mesmo tempo, as tropas soviéticas avançaram do leste, enquanto as forças britânicas e norte-americanas invadiram a Itália pelo sul. Na primavera de 1945, o exército alemão, exausto, teve de aceitar velhos e meninos como soldados. Mas os alemães haviam perdido. Hitler, escondido em um abrigo subterrâneo, suicidou-se com um tiro. O Japão continuou lutando.

Assim, em linhas gerais, foi como a guerra se desenrolou. Mas espremer seis anos em algumas poucas páginas dificilmente dá uma ideia do sofrimento e do terror que o conflito disseminou. A Segunda Guerra Mundial foi como um incêndio descontrolado que assolou a todos, tocando as pessoas das formas mais variadas.

David Crook, um piloto inglês na Batalha da Grã-Bretanha, foi tocado pela tragédia quando pôs os olhos em uma toalha. Crook regressava de uma missão depois que seu colega piloto fora baleado – e lá estava a toalha do amigo, ainda pendurada na janela do alojamento. Ele não conseguia deixar de "pensar em Peter, com quem estivemos conversando e rindo naquele mesmo dia. Agora ele jazia na cabina de seu Spitfire naufragado no canal da Inglaterra".

Ou havia o "Sledgehammer" ["Marreta"], um marinheiro norte-americano que combateu no Pacífico. Seu nome real era Eugene Sledge e mais do que qualquer coisa ele temia o som de um projétil de artilharia: "Você fica absolutamente indefeso. Essa coisa maldita vem como um trem de carga e há uma explosão terrível".

Um projétil passou "a não mais de trinta centímetros da minha cabeça. Duas trincheiras abaixo, um rapaz estava sentado sobre seu capacete tomando seu chocolate quente". Ele foi "lançado no ar. Os outros dois meninos caíram para trás. Mortos, é claro".

Nadia Popova foi uma das muitas mulheres soviéticas que realizaram missões de bombardeio pilotando velhos aviões pulverizadores feitos de madeira compensada e lona. Nada de armas, nada de rádios, nada de paraquedas. Ela e suas camaradas alçavam voo à noite, quando os alemães podiam ouvir apenas um sopro forte dos aviões sobrevoando. Os nazistas chamavam as mulheres pilotos de Bruxas da Noite. Se um projétil luminoso acertasse sua aeronave, estava tudo acabado: os aviões queimavam como papel.

Hans Michaelis, um judeu alemão, falou com sua sobrinha Maria depois de ouvir que seria enviado para um campo de concentração. Ele sabia o que viria. "O que devo fazer? O que é mais fácil, o que é o mais nobre? Viver ou morrer? Sofrer um destino terrível ou dar fim à própria vida?" Maria conversou com ele enquanto o tempo se esgotava. "Tenho mais cinquenta horas aqui, no máximo!", falou. "Graças a Deus minha Gertrud morreu uma morte normal, antes de Hitler. O que eu não daria por isso!" Quando os dois se despediram, Maria falou: "Tio Hans, você saberá a coisa certa a fazer. Adeus". Ele se suicidou com veneno.

No front americano, Peggy Terry reuniu projéteis de artilharia em Viola, Kentucky. Um ingrediente, o tetril, deixava os trabalhadores alaranjados. "Nosso cabelo ficava listrado de laranja. Nossas mãos, nosso rosto, nosso pescoço, tudo laranja, até mesmo nosso globo ocular (...) Nenhum de nós jamais perguntou, o que é isto? É nocivo?" As crianças ajudavam a cuidar dos "Jardins da Vitória" – alimentos cultivados em casa – ou recolhiam sucata para ser derretida e usada no esforço de guerra.

Sobrinhas, sobrinhos, filhos e filhas – ninguém escapava. Como mencionei na introdução deste livro, o pai da minha esposa foi pego na Marcha da Morte de Bataan, nas Filipinas. O primeiro filho de sua esposa morreu de uma infecção de tétano porque todos os médicos fugiram quando os japoneses chegaram. Minha própria mãe, recém-saída da faculdade, viajou de navio para a Grã-Bretanha com a Cruz Vermelha. E meu pai, um químico na Eastman Kodak Company, foi um dia visitado por um misterioso agente do governo que perguntou se ele queria ajudar seu país. Ele não poderia dizer a ninguém para onde estava indo, alertou o agente, e então lhe deu uma passagem de trem para Chicago. Lá, ele recebeu outra passagem, que o levou para o sul, a uma estranha cidade-fábrica, Oak Ridge, sendo construída do zero no interior do Tennessee. Em Oak Ridge, os ingredientes para uma nova bomba estavam sendo preparados com segredo absoluto.

O apelido da bomba era "*the gadget*" ("o dispositivo"). Era uma bomba atômica, uma arma que o mundo nunca havia visto. O poder de sua explosão vinha da quebra de átomos, o que liberava quantidades imensas de energia. Os cientistas que fugiram da Alemanha haviam alertado Roosevelt que Hitler estava tentando construir uma arma como essa e que os Estados Unidos não deveriam ser pegos desprevenidos. A Alemanha nunca teve êxito em seu objetivo, mas, enquanto isso, mais de 120 mil pessoas trabalhavam no projeto norte-americano em locais secretos no Tennessee, no Estado de Washington, em Nova York e até mesmo em uma velha quadra de squash construída sob um campo de futebol na Universidade de Chicago. A pesquisa mais importante foi feita no deserto do Novo México, em Los Alamos, onde o físico Robert Oppenheimer liderou uma equipe cuja bomba estava pronta para teste em julho de 1945. Os cientistas estavam ansiosos. Um deles calculou que a explosão do átomo poderia ser tão violenta que incendiaria a atmosfera da Terra. A possibilidade não era absurda. Aviões dos Aliados já estavam realizando ataques massivos com bombas incendiárias a Dresden, na Alemanha; Tóquio, no Japão; e outras cidades. Mais de um milhão de pessoas morreram nesses ataques, pois as explosões ferviam a água dos canais e consumiam o oxigênio do ar. As vítimas que não eram escaldadas nem queimadas vivas morriam sufocadas.

Em Los Alamos, a explosão experimental foi tão ofuscante que Georgia Green, uma estudante universitária quase cega que viajava por uma estrada deserta a oitenta quilômetros de distância, viu e sentiu o clarão. A notícia de seu sucesso foi transmitida imediatamente para o presidente – embora, em julho de 1945, ele já não fosse Franklin Roosevelt. FDR havia começado seu quarto mandato seis meses antes, abatido e exausto. Em abril, ele morrera de um AVC. O novo líder, Harry S. Truman, ordenou um ataque nuclear ao Japão. Em 6 de agosto, os habitantes da cidade de Hiroshima ficaram atônitos ao ver uma grande *pika don* – uma "explosão luminosa" no céu – seguida de uma nuvem negra em forma de cogumelo. Em um único golpe, uma bomba matou 40 mil pessoas e deixou outras 100 mil em estado muito grave, acometidas por queimaduras e radiação. Uma segunda bomba explodiu três dias depois na cidade de Nagasaki. Em uma semana, o Japão se rendeu. A guerra estava terminada.

Os Estados Unidos, embora determinados a não entrar em guerra, mais uma vez se viram no meio do combate. "Devemos viver como homens, e não como avestruzes", Roosevelt lembrou em seu último discurso de posse. Não poderia mais haver cabeças enfiadas na areia – não com aviões que podiam transpor oceanos e bombardear cidades até transformá-las em cinza. O isolamento já não era uma opção.

34
Superpotência

Das chamas da guerra, um mundo em cinzas emergiu, imensamente diferente do anterior a 1939. Para começar, havia as ruínas. Os edifícios urbanos desmoronados, os escombros, os vidros quebrados, o breu nas ruas à noite porque as usinas elétricas foram bombardeadas. Doze milhões de prisioneiros de guerra para ser vigiados. Comida e dinheiro tão escassos que as pessoas frequentemente escambavam produtos: um bracelete por um pouco de bacon ou um casaco velho por uma galinha. Visões e sons estranhos – tristes, horripilantes ou simplesmente esquisitos. Moças pegando carona em um tanque russo. Um senhor alemão, de terno executivo, espancando um pato até a morte com sua bengala. O silêncio misterioso do lado de fora de um campo de concentração. "A primeira coisa que você percebe é o mau cheiro. Isso é podridão humana", disse um soldado norte-americano. "Você começa a perceber que algo terrível aconteceu."

Isso era a tragédia humana e a destruição física. Mas o mundo da política e das nações também estava destruído. As grandes potências que um dia competiram por impérios agora enfrentavam economias falidas e futuros incertos. Os derrotados perderam suas colônias, como era de se esperar. Mas também as perderam as nações Aliadas vitoriosas, pois depois da guerra muitos povos na Ásia e na África derrubaram seus colonizadores europeus. A Índia conquistou a independência da Grã-Bretanha; a Indonésia, da Holanda; e a Indochina iniciou uma rebelião contra a França.

E quanto aos Estados Unidos? A guerra havia matado cerca de 400 mil norte-americanos, mas esse número parecia pequeno quando colocado ao lado dos 60 milhões de mortes em todo o mundo. Além disso, os Estados Unidos não tinham cidades arruinadas nem fábricas bombardeadas para reconstruir. O país estava no meio de uma depressão quando a guerra começou; quando terminou, sua economia estava crescendo a todo vapor. A marinha norte-americana era a maior do mundo; as forças aéreas, as mais numerosas; o exército, o mais bem equipado. Winston Churchill resumiu o assunto de forma simples: os Estados Unidos agora estavam "no topo do mundo". Haviam se tornado não só uma grande potência, como uma superpotência. Nenhuma outra nação poderia desafiá-la. Exceto, talvez, uma.

Tratava-se da União Soviética, conhecida formalmente como União das Repúblicas Socialistas Soviéticas. Dois séculos antes, era chamada de Império Russo, que se expandiu para o leste pela Ásia durante os mesmos anos em que os Estados Unidos estavam avançando para o oeste na América do Norte. Os norte-americanos construíram uma ferrovia transcontinental de 3 mil quilômetros até o Pacífico; a ferrovia Transiberiana da Rússia serpenteava por mais de 9 mil quilômetros e também terminava nas águas do Pacífico. Os Estados Unidos abarcavam quatro fusos horários; as possessões russas se estendiam por doze. Durante muito tempo governado por czares poderosos, o império havia sido derrubado em 1917 pela Revolução Russa, cujo líder, Vladimir Lênin, promovia a ideia de igualdade em uma direção radicalmente nova. Os aristocratas não teriam mais poder; nem tampouco os "capitalistas" que construíam fábricas e administravam bancos ou negócios. Em vez disso, os operários e os camponeses determinariam o curso do governo reunindo-se em conselhos revolucionários conhecidos como sovietes. Lênin rejeitava a ideia de igualdade de oportunidades que Andrew Jackson proclamava, segundo a qual os cidadãos poderiam prosperar – tornar-se *mais* iguais – por meio de trabalho duro ou da engenhosidade. Em vez disso, o Partido Comunista de Lênin declarou o fim da propriedade privada. Ninguém seria rico. Todos trabalhariam contribuindo com o melhor de suas habilidades e receberiam apenas o que cada um necessitava para viver uma vida decente.

Pelo menos esse era o ideal; mas, ao realizar sua revolução, os governantes comunistas rapidamente se tornaram tão poderosos quanto os velhos czares. Lênin lançou uma campanha de terror para eliminar seus adversários. Seu sucessor, Joseph Stálin, era ainda mais brutal. Durante os anos 1920 e 1930, milhões morreram em decorrência de reformas mal concebidas; outros milhões foram enviados para campos de trabalho forçado ou executados.

A maioria dos norte-americanos condenava os atos de Stálin. Mas quando Hitler promoveu sua invasão surpresa à Rússia, a União Soviética imediatamente se tornou aliada da Grã-Bretanha e dos Estados Unidos. De fato, os soviéticos foram essenciais para a vitória, e seu país pagou caro, com sangue e recursos. Em sua luta contra a Alemanha, mais de 20 milhões de cidadãos foram mortos, 70 mil vilarejos foram destruídos e 25 milhões de pessoas ficaram desabrigadas. Mas a União Soviética permaneceu como a única nação forte o bastante para se tornar uma superpotência. Nos países do Leste Europeu de onde havia expulsado a Alemanha, Stálin assumiu o poder, eliminando as eleições livres e instaurando governos simpáticos aos soviéticos. "Uma cortina de ferro desceu sobre o continente", advertiu Churchill, a qual servia para isolar as nações comunistas. "Um conto de fadas", respondeu Stálin, imperturbado. Mas não era. E então um novo conflito começou: não uma guerra quente em que os vastos exércitos de duas superpotências se enfrentavam, mas uma Guerra Fria que se arrastou por quase cinquenta anos, desencadeando crises constantes e, às vezes, combate direto.

Você pode ver os pontos críticos observando o globo do alto. Para o leste, a União Soviética estava unida à China, que passou às mãos dos comunistas em 1949, após uma guerra civil de 22 anos liderada por Mao Tsé-Tung. Para o oeste estavam os Estados Unidos e o Canadá, junto com seus aliados na Europa Ocidental. Nas extremidades desses territórios rivais, destacavam-se muitos focos de tensão, entre os quais os mais graves eram a Alemanha, a Coreia, o Vietnã e Cuba.

O presidente norte-americano que encarou esse mundo transformado foi Harry Truman, um ex-senador do Missouri que

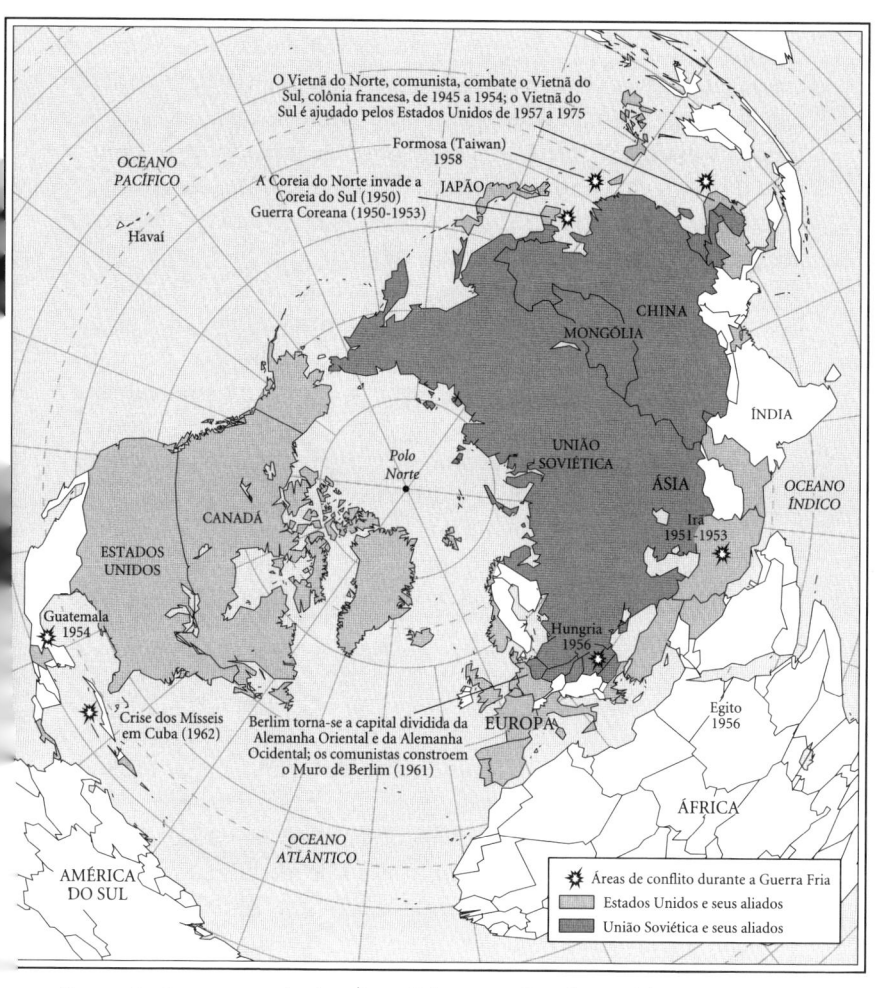

O mundo das superpotências. À medida que os Estados Unidos e a União Soviética formavam alianças, conflitos eram deflagrados. Os mais graves envolveram nações divididas depois da Segunda Guerra Mundial: Alemanha Oriental e Ocidental, Coreia do Norte e do Sul e Vietnã do Norte e do Sul. Mas muitos outros focos de tensão irromperam em violência. Os mais graves, como veremos no capítulo 35, envolveram Cuba.

era pouco conhecido antes de ser escolhido por FDR para concorrer à vice-presidência em 1944. "Quem diabos é Harry Truman?", perguntou um almirante quando Roosevelt lhe contou sobre sua escolha. Um fazendeiro franco e briguento que havia trocado o arado pela política, Truman disse que sentia "como se a lua, as estrelas e todos os planetas" tivessem caído sobre ele quando de uma hora para outra ele foi conduzido para a Casa Branca. Mas ele estava determinado – talvez determinado demais – a não parecer fraco nem inexperiente e a tomar as decisões difíceis. "*The buck stops here*"*, anunciava a placa que ele colocou sobre sua mesa no Salão Oval. Por insistência de seu secretário de Estado, George Marshall, Truman convenceu o Congresso a criar um programa bilionário de auxílio internacional para ajudar os europeus a construir novas fábricas, ferrovias e pontes. Com tantas pessoas descontentes e passando fome, parecia que os comunistas poderiam chegar ao poder tão depressa quanto Hitler chegara durante a depressão alemã.

O Plano Marshall foi um grande sucesso ao ajudar a reerguer a Europa – e, talvez, a maior conquista de Truman, além da GI Bill, uma lei que ajudou mais de 2 milhões de veteranos a cursar uma faculdade. ("GI", abreviação de "*government issue*" – assunto do governo –, foi um apelido para os soldados norte-americanos que se tornou popular durante a Segunda Guerra Mundial.) Mas Truman também recorreu à pressão militar e diplomática para lidar com a União Soviética, em uma estratégia conhecida como "contenção". Se Stálin tentasse expandir seu poder em qualquer parte do globo, Truman estava pronto para aplicar uma força contrária a fim de conter essa expansão. Até mesmo a mãe do presidente, no Missouri, tratou de alertá-lo a respeito de Stálin. "Diga a Harry para ser bom, ser honesto e se comportar, mas acho que agora é hora de ele ser firme com alguém."

No início, isso pareceu fácil. Afinal, os Estados Unidos tinham a arma mais poderosa no mundo – uma arma que ninguém mais tinha. Truman estava reunido com Stálin e Churchill durante a guerra quando recebeu a notícia secreta de que o teste da bomba atômica fora exitoso. Churchill percebeu que o presidente, de súbito, parecia "um homem transformado. Ele disse aos russos exatamente onde

---

* A frase vem da expressão idiomática "*pass the buck*", que significa transferir a responsabilidade para alguém. Com "*The buck stops here*", Truman quer dizer que assume a responsabilidade que lhe cabe. (N.T.)

eles entravam e saíam e agiu como chefe a reunião inteira". Ter uma arma como aquela proporcionava muita confiança. De fato, muitos norte-americanos celebravam que a guerra havia acabado graças a essa nova tecnologia misteriosa, mas aparentemente maravilhosa. Um bar em Washington começou a oferecer "coquetéis atômicos". Uma loja na moderna Quinta Avenida, em Nova York, anunciava "joias atômicas" oferecidas em "uma fúria de cores ofuscantes". As crianças podiam inclusive solicitar por correio um anel bomba atômica do cereal matinal Kix, por quinze centavos mais o topo da caixa. "Retire a barbatana", diziam as instruções, "olhe através da lente de observação – e você verá um frenesi de flashes de luz – causados pela energia liberada por átomos se dividindo loucamente." Por incrível que pareça, os anéis realmente continham pequenas quantidades de polônio-210, cujo fluxo de partículas levemente radioativas fazia a tela se iluminar.

Ao mesmo tempo, os grandes perigos das armas atômicas começaram a ser compreendidos. No Japão ocupado, médicos e repórteres norte-americanos viram o que a radiação da bomba fez com os sobreviventes, sua pele coberta de manchas vermelhas e seu cabelo caindo. Revistas alertavam sobre o que poderia acontecer se outras nações desenvolvessem bombas atômicas e as colocassem em mísseis guiados. "Cada cidade será exterminada em trinta minutos", previa um artigo. "Nova York será um monte de detritos." E à medida que a energia radioativa da bomba fosse levada pelo ar por centenas de quilômetros, depositando-se na superfície terrestre em forma de precipitação, deixaria "a terra inabitável" por dezenas ou mesmo centenas de anos. Uma guerra nuclear, previu um jornal de Chicago, poderia transformar o globo em um "deserto estéril, em que os sobreviventes da raça [humana] se esconderão em cavernas ou viverão entre ruínas". Truman começou a perceber que usar armas nucleares não era algo rotineiro. Quando uma crise irrompeu em Berlim depois que Stálin fechou as estradas para a seção norte-americana da capital alemã, o presidente organizou uma ponte aérea gigantesca para que os alimentos continuassem chegando. Mas ele se recusou a dar às autoridades norte-americanas o controle das bombas atômicas. Ele não queria ter "um tenente-coronel audacioso decidindo quando seria o momento adequado de soltar uma". No fim, Stálin recuou, e Berlim se tornou a capital dividida da Alemanha Ocidental e da Alemanha Oriental, comunista.

Então, em 1949, cientistas norte-americanos divulgaram uma notícia grave. Uma chuva radioativa caindo no Pacífico forneceu indícios de que a União Soviética havia testado secretamente sua própria bomba atômica. Os Estados Unidos já não eram a única nação a ter armas nucleares. E, no ano seguinte, a Coreia do Norte, comunista, invadiu a Coreia do Sul, aliada dos Estados Unidos. Truman enviou tropas imediatamente, embora decidido a não declarar guerra. A operação seria uma "ação policial" em nome das Nações Unidas, a nova organização concebida para substituir a Liga das Nações. Quando os norte-americanos repeliram as forças da Coreia do Norte rumo à fronteira com a China, centenas de milhares de chineses entraram na Coreia, fazendo os norte-americanos recuar. Na defensiva, Truman disse aos repórteres que daria "os passos necessários para fazer frente à situação militar". Inclusive usar uma bomba atômica?, perguntou um repórter. "Sempre houve uma consideração efetiva de seu uso", o presidente respondeu. Essa notícia alarmou de tal forma seus aliados europeus que o primeiro-ministro britânico tomou o primeiro avião para Washington para protestar. A guerra nuclear não era algo com que se fazer ameaças tão facilmente, insistiu. A guerra se arrastou por mais dois anos, até que um novo presidente assumiu: o republicano Dwight Eisenhower, herói de guerra do Dia D. Ike, como era chamado, pôs um fim ao conflito coreano, embora não antes de 54 mil norte-americanos terem morrido.

Com as tensões internacionais acirradas, a política interna também se acalorou. Os norte-americanos descobriram que alguns cientistas haviam transmitido segredos sobre a fissão nuclear para os russos, ajudando-os a construir sua própria bomba mais rapidamente. Um oficial do Departamento de Estado que havia trabalhado para Franklin Roosevelt também foi acusado de espionagem. Havia outros comunistas escondidos no governo? Os republicanos acusaram Truman – um democrata – de não fazer o suficiente para extirpar as autoridades que eram "brandas" com o comunismo, e Truman – mais uma vez, na defensiva – instaurou um programa de lealdade exigindo que os supervisores do governo demitissem qualquer um que parecesse suspeito. No Congresso, o Comitê de Atividades Antiamericanas (HUAC, na sigla em inglês) convocou um desfile de astros de cinema para depor, esperando expor diretores e atores de Hollywood que retratavam os comunistas de maneira excessivamente favorável. Os acusados, muitas vezes com pouco ou nenhum indício de crimes, foram colocados em uma "lista negra", a qual os impedia de trabalhar. No Senado, Joseph McCarthy, um republicano de Wisconsin, gerou manchetes ao anunciar ter uma lista de 205 comunistas trabalhando no Departamento de Estado. Ou talvez fossem 57 ou 81; de todo modo, era "um monte" de comunistas. Ninguém, nem mesmo McCarthy, conseguia ter certeza do número que ele usou da primeira vez. Essas acusações absurdas, que mês a mês se tornavam mais exageradas, arruinaram a carreira de muitos norte-americanos decentes, até que finalmente o público se cansou do exibicionismo do senador. O presidente Eisenhower, que se considerava um republicano "moderno", se recusou a "entrar na sarjeta com esse homem". Em 1954, o Senado condenou formalmente o comportamento irresponsável de McCarthy. A essa altura, Stálin havia morrido de um AVC. O medo dos agentes secretos comunistas pouco a pouco desapareceu.

Mas a Guerra Fria continuou, com os soviéticos e os norte-americanos apostando corrida para construir mísseis atômicos. As pessoas estavam aprendendo a viver com a ameaça de uma guerra nuclear. Os alunos de ensino fundamental eram ensinados a cobrir a cabeça e a se esconder debaixo da carteira se vissem o clarão de uma explosão atômica. Algumas famílias construíram abrigos antibombas em seus porões e os abasteceram com produtos enlatados e água mineral para o caso de precisarem esperar passar uma explosão radioativa. O secretário de Defesa de Truman encorajou um de seus associados a escrever um livro de perguntas e respostas, *Como sobreviver a uma bomba atômica*.

> *Muito bem. Digamos que tomei todas as medidas de segurança. Eu me abaixei e cobri a cabeça com os braços. A bomba se foi. Esperei pelo sinal de que o perigo já passou... O que faço depois?*
>
> A primeira coisa é: esteja preparado para um choque.
> *Por que devo estar preparado para um choque?*
> Porque as coisas vão estar diferentes (...) Se a bomba caiu a 2,5 quilômetros do lugar onde você se encontra, as coisas vão estar muito diferentes. Entenda isso de antemão. Assim você não terá um choque tão grande ao sair

e ver uma porção de lugares que conhecia muito bem – e encontrá-los danificados ou destruídos.

As pessoas prestaram atenção a tais conselhos? Sim e não. Crescendo durante aqueles anos, meus amigos e eu falávamos sobre abrigos antibombas e sobre o que poderíamos fazer se soasse a sirene do ataque aéreo. Mas também jogávamos beisebol no quintal, assistíamos a faroestes nos novos aparelhos de televisão que nossas famílias haviam comprado e, no verão, nadávamos em nossas piscinas infláveis. A vida continuava.

Tudo isso mudou de repente no outono de 1962.

35
O FIM DO MUNDO

A PRIMEIRA BOMBA ATÔMICA LANÇADA sobre o Japão tinha a potência de quinze quilotoneladas de TNT. Isto é, você precisaria de 15 mil toneladas de um explosivo "comum" como o TNT para obter a mesma explosão que a nova bomba atômica de cinco toneladas. Isso equivalia a 150 vagões carregados de TNT. Mas, em 1962, os Estados Unidos estavam testando bombas com *megatoneladas*, sendo que cada megatonelada era tão poderosa quanto milhões de toneladas de TNT. *Uma bomba de cinquenta megatoneladas tinha mais poder que uma fileira de vagões ferroviários carregados de TNT estendendo-se do Atlântico ao Pacífico e mais metade do caminho de volta.* Se eclodisse uma nova guerra mundial, os planos norte-americanos previam o lançamento de 3.423 armas nucleares – armas que também espalhariam radiação venenosa pelo ar. A mera cogitação de tal acontecimento era horripilante. Quando o novo presidente, John F. Kennedy, foi informado sobre o plano, ele balançou a cabeça. "E a isso chamamos de raça humana." Os estrategistas militares esperavam que uma catástrofe como essa jamais acontecesse. Certamente, nenhum dos lados iniciaria uma guerra nuclear se soubesse que o outro lado tinha bombas suficientes para arrasar seu próprio país. Essa ideia ficou conhecida como teoria da Destruição Mútua Assegurada (em inglês, "Mutual Assured

Destruction", ou, por suas iniciais, MAD – palavra que significa "insano"). Ninguém seria insano a ponto de arriscar acabar com a vida na Terra tal como os humanos a conheciam.

Ou seria?

Os estrategistas cruzaram os dedos enquanto a Guerra Fria cozinhou em fogo brando durante os anos 1950. Na Ásia, os franceses foram expulsos de suas colônias por Ho Chi Minh, um revolucionário comunista que veio a liderar a nova nação do Vietnã. As tropas russas reprimiram uma revolta na Hungria, enquanto os Estados Unidos usaram mercenários pagos para derrubar governos hostis na Guatemala e no Irã. Mais de uma vez durante esses conflitos, o presidente Eisenhower considerou usar armas nucleares, embora soubesse que isso poderia levar o mundo à beira de uma guerra nuclear. "Se você está temeroso de se aproximar da beirada do precipício, está perdido", advertiu o secretário de Estado de Ike. Eisenhower chegou até a beirada do precipício, mas acabou recuando.

Ainda assim, o novo primeiro-ministro soviético, Nikita Khrushchev, inquietava os norte-americanos. Careca, baixo e troncudo, Khrushchev crescera em uma fazenda na Ucrânia. Como Harry Truman, que também cresceu em uma fazenda, ele era franco e grosseiro. Khrushchev tinha "emoção suficiente por dez pessoas – no mínimo", comentou um russo que o conheceu. Durante uma visita à Assembleia Geral da ONU, o líder soviético tirou um de seus sapatos e começou a batê-lo sobre a mesa. Na primavera de 1962, ele estava particularmente perturbado pelo modo como os Estados Unidos haviam confinado a União Soviética. Sua residência de férias ficava em Sochi, uma estância no Mar Negro, a apenas 320 quilômetros por mar da Turquia, aliada dos Estados Unidos. O líder soviético oferecia aos convidados um par de binóculos e perguntava o que eles viam, olhando para o mar. Água, eles respondiam, confusos. "Eu vejo mísseis norte-americanos", ele retrucava. Pois, de fato, os Estados Unidos haviam instalado na Turquia mísseis atômicos que eram capazes de atingir território soviético em cinco minutos. Khrushchev queria virar o jogo. Certa tarde, em Sochi, ele sorriu e fez uma pergunta misteriosa a seu ministro de Defesa: "E se nós jogássemos um ouriço dentro da calça do Tio Sam?".

Os norte-americanos, é claro, não sabiam nada dessa conversa. Apenas alguns meses antes, eles haviam aclamado John Glenn como o primeiro astronauta do país a orbitar a Terra. Glenn estava tentando empatar o jogo, porque no ano anterior um foguete soviético havia levado um astronauta russo ao espaço. Ainda assim, os norte-americanos tinham muito o que comemorar, pois estavam vivendo o período mais longo de prosperidade na história da nação. A Grande Depressão e a Segunda Guerra Mundial forçaram muitos casais a postergar a formação de uma família, mas, depois de 1945, tantas crianças haviam nascido que os jornais falavam de um *baby boom*. Muitas dessas famílias crescentes passaram a habitar novos bairros chamados subúrbios, situados nas extremidades das cidades norte-americanas. Entusiasmados, os proprietários dos novos lares suburbanos instalaram máquinas de lavar roupa, secadoras e geladeiras, e exibiam orgulhosamente uma nova invenção em sua sala de estar: a televisão. Morando nos subúrbios, eles também precisavam de automóveis para se locomover. Nada dos modelos T, quadrados: os novos carros ostentavam caudas que imitavam as asas em flecha de um jato, e a cada ano o novo modelo ostentava caudas mais pomposas que no ano anterior. O presidente Eisenhower impulsionou o crescimento da indústria automobilística quando lançou o maior projeto de obras públicas na história norte-americana: um sistema de autoestradas interestaduais por todo o país.

A surpresa de Khrushchev para os Estados Unidos envolvia Cuba, sua nova aliada na América do Norte. Desde que Teddy Roosevelt tomara Kettle Hill e ajudara a expulsar a Espanha de sua colônia, Cuba era fortemente influenciada por negócios norte-americanos. Nos anos 1950, os norte-americanos eram donos de metade das ferrovias públicas de Cuba, quase metade de seus engenhos de açúcar e noventa por cento de suas companhias de eletricidade e telefone. Isso mudou depois que uma rebelião levou Fidel Castro ao poder em 1959. Um revolucionário barbado e tempestuoso que usava traje militar verde e fumava charutos (cubanos, naturalmente), Castro queria pôr um fim ao que considerava uma influência nada saudável dos Estados Unidos sobre seu país. Quando seu governo começou a tomar empresas norte-americanas, os Estados Unidos suspenderam o comércio, e Castro pediu ajuda da União Soviética. De súbito, havia uma nação comunista a apenas 150 quilômetros da costa norte-americana.

Quando John F. Kennedy se tornou presidente em 1961 – aos 43 anos de idade, o mais jovem na história norte-americana –, ele descobriu que, durante o mandato de Eisenhower, o governo treinara secretamente 1,4 mil cubanos que haviam fugido para os Estados Unidos. O plano era aportar esses exilados em Cuba na baía dos Porcos, onde eles poderiam se unir a outros cubanos para derrubar Fidel Castro. Kennedy aprovou a invasão, embora tivesse suas dúvidas. E com razão, pois os invasores foram facilmente cercados assim que desembarcaram, causando constrangimento ao presidente e aos Estados Unidos. Nos meses que se seguiram, Castro se convenceu – também com razão – de que os Estados Unidos continuavam a procurar maneiras de derrubá-lo. A Agência Central de Inteligência (CIA) desenvolveu várias conspirações de assassinato um tanto estranhas, entre as quais envenenar os charutos favoritos de Fidel e explodir uma grande concha debaixo d'água (Castro gostava de mergulhar).

Foi mais ou menos nessa época que Khrushchev começou a, secretamente, enviar armas nucleares a Cuba para ensinar os norte-americanos "qual a sensação de ter mísseis inimigos apontando para você". Durante vários meses, a operação permaneceu secreta; mas, em 16 de outubro de 1962, o presidente Kennedy soube que um avião de espionagem em altitudes elevadas, o U-2, havia fotografado os mísseis. Kennedy ficou furioso. Ele havia advertido publicamente que "surgiriam questões gravíssimas" se os soviéticos colocassem mísseis ofensivos em Cuba; e os soviéticos haviam prometido não fazê-lo. Kennedy instaurou um comitê executivo secreto, o ExComm, para discutir como reagir. Os mísseis estavam prontos para disparar? Não ainda, disseram os conselheiros; mas possivelmente logo estariam. Os chefes do exército, da marinha, das forças aéreas e dos fuzileiros navais recomendaram que os locais dos mísseis fossem bombardeados. "Certamente (...) vamos destruir esses mísseis", Kennedy concordou. Mas Cuba é uma ilha grande. Voar de uma ponta à outra é como voar da cidade de Nova York a Chicago. Os U-2 haviam localizado *todos* os mísseis? "Nunca será cem por cento, sr. Presidente", admitiu um general. Com frequência, nuvens cobriam partes da ilha. Na verdade, os soviéticos já haviam transportado para lá mais mísseis do que os norte-americanos perceberam, além de 40 mil soldados russos. (Eles usavam camisas xadrez em vez de uniformes, o que os ajudava a não serem detectados.)

Além do mais, se os Estados Unidos realizassem um ataque a Cuba sem avisar, isso lembraria desconfortavelmente o ataque surpresa do Japão a Pearl Harbor. Kennedy decidiu apresentar os fatos para a opinião pública. "Crise na capital insinua desdobramentos em Cuba", dizia a manchete do *New York Times*. Em 22 de outubro, o presidente revelou os mísseis a uma nação atônita. A marinha norte-americana logo implementou uma "quarentena estrita". Todo navio com destino a Cuba teria de recuar se contivesse armas ofensivas. Durante um dia e meio, o mundo esperou ansiosamente enquanto vários navios soviéticos se aproximavam. Mas eles recuavam antes da linha de quarentena. O secretário de Estado Dean Rusk estava eufórico: "Estamos nos encarando olho no olho e o outro acabou de piscar!". Ainda assim, a crise dificilmente estava terminada. Os mísseis que já se encontravam em Cuba pareciam prontos para atirar em apenas três dias e então poderiam atingir Washington, DC, ou talvez até mesmo a cidade de Nova York, em dez minutos. Quantas mortes?, perguntou Kennedy. Até 600 mil para cada míssil. "Esse é o número total de baixas na Guerra Civil!", exclamou o presidente. Ele achava "insano que dois homens, sentados de lados opostos do mundo, fossem capazes de decidir pôr um fim à civilização".

Khrushchev também estava pensando duas vezes. Em uma mensagem ao presidente, ele admitiu que "se realmente houver guerra, não estaria em nosso poder cessá-la, pois essa é a lógica da guerra. Participei de duas guerras e sei que ela termina depois de avançar sobre cidades e vilarejos, em toda parte semeando morte e destruição". Dois dias depois ele enviou uma segunda mensagem, insistindo que não retiraria seus mísseis a não ser que Kennedy também retirasse os mísseis norte-americanos na Turquia. A crise, propôs Khrushchev, era como uma corda com um nó, dois inimigos puxando de cada uma das pontas. "Chegará um momento em que esse nó estará tão apertado que nem mesmo aquele que o atou conseguirá desatá-lo. Então será necessário cortar esse nó, e o que isso significaria não cabe a mim lhe explicar, porque você entende perfeitamente as forças terríveis que nossos países possuem." O presidente decidiu aceitar a oferta de um acordo feita por Khrushchev, mas apenas secretamente. Os mísseis norte-americanos permaneceriam na Turquia por outros quatro ou cinco meses, e então seriam removidos sem alarde. Kennedy também estava disposto a prometer não invadir Cuba.

Mas, antes que se pudesse selar o acordo, a guerra nuclear parecia a ponto de eclodir de todo modo, naquele que ficou conhecido como Sábado Negro, 27 de outubro. Castro estava convencido de que os norte-americanos estavam prestes a invadir suas terras. O comandante soviético em Cuba, o general Issa Pliyev, relatou: "Na opinião de nossos camaradas cubanos, devemos esperar um ataque aéreo norte-americano" ao amanhecer. "Tomei medidas para dispersar *tekhniki* na zona de operação." *Tekhniki* era o codinome russo para mísseis nucleares. "Decidi usar de todos os meios de defesa aérea à minha disposição" no caso de um ataque norte-americano, afirmou Pliyev. Na manhã do sábado, o radar soviético identificou um U-2 sobre Cuba. Era o início da invasão? Os oficiais russos procuraram o general Pliyev em busca de instruções, mas ele não estava em parte alguma. Eles hesitaram – então seguiram em frente e atiraram. O U-2 despencou do céu, matando seu piloto. Em Washington, os membros do ExComm ficaram chocados. "Eles deram o primeiro tiro", disse um deles. O Estado-Maior Conjunto recomendou por unanimidade um grande ataque aéreo em três dias para destruir as bases de mísseis. Kennedy não faria isso. Um grande ataque aéreo que mataria sabe-se lá quantos russos? E então, como os soviéticos reagiriam? *Então será necessário cortar esse nó, e o que isso significaria não cabe a mim lhe explicar.*

No sábado à noite, Kennedy enviou a Khrushchev sua oferta de um acordo. E esperou. Robert McNamara, o secretário de Defesa, observou o sol se pôr em um belo dia de outono. Ele temeu "não viver para ver mais uma noite de sábado".

Khrushchev se reuniu com seus conselheiros no domingo de manhã. Para evitar "o perigo de uma guerra e catástrofe nuclear, com a possibilidade de destruir a raça humana", falou, ele havia tomado sua decisão. "Para salvar o mundo, devemos recuar." Os mísseis seriam removidos. "Eu me sinto um novo homem", Kennedy comentou quando as notícias chegaram. Meio ano depois, os mísseis norte-americanos foram retirados da Turquia.

A crise dos mísseis de Cuba durou treze dias. Na grande escala da história, foi não mais do que uma mancha na tela do radar. Mas o mundo tal como o conhecemos quase chegou ao fim. "O outro piscou", Dean Rusk se gabara. Mas ambos os lados haviam piscado: Kennedy e Khrushchev. Não foi uma decisão fácil para qualquer dos dois. Castro ficou furioso com o líder soviético por não lançar mísseis atômicos contra os Estados Unidos primeiro. Kennedy demonstrou não pouca coragem ao rejeitar o conselho de seus conselheiros militares. ("Esses altos oficiais têm uma grande vantagem a seu favor", reclamou o presidente, falando dos generais. "Se lhes dermos ouvidos e fizermos o que querem que façamos, nenhum de nós estará vivo para lhes dizer que eles estavam errados.") À beira da guerra nuclear, Khrushchev viu "morte e destruição"; Kennedy, um mundo arruinado por "fogo, veneno, caos e catástrofe". Ambos os homens recuaram.

E as pessoas do mundo respiraram aliviadas e seguiram tocando a vida.

36
Você ou você ou você

Às vezes, é como se a história girasse basicamente em torno das pessoas em posições elevadas. "Dois homens, sentados de lados opostos do mundo", como observou o presidente Kennedy – decidindo sobre "pôr um fim à civilização". Mas a história também borbulha de baixo para cima, movida por pessoas de quem ninguém ouviu falar, fazendo coisas que os poderosos jamais ousariam. Kennedy testemunhou isso no ano seguinte ao da crise dos mísseis em Cuba, quando 250 mil norte-americanos foram a Washington para tratar do assunto inacabado da escravidão e da liberdade.

Nós vimos a relação difícil entre igualdade e desigualdade que havia muito permeava a história norte-americana. Ideias de igualdade começaram a se espalhar na era colonial no mesmo momento em que a escravidão estava ampliando seu domínio. Mais tarde, os abolicionistas empreenderam uma cruzada contra "a instituição peculiar" exatamente quando o *boom* do algodão e o sistema fabril estavam tornando mais difícil extirpá-la. Foi preciso uma guerra civil para acabar com a escravidão – uma tão violenta que mais norte-americanos morreram nessa guerra do que na Revolução, na Guerra de 1812, na Guerra México-Estados Unidos, na

Guerra Hispano-Americana, na Guerra da Coreia e na Primeira e na Segunda Guerras Mundiais combinadas.

Mas, mesmo depois de conquistada a emancipação, a sociedade norte-americana se tornou mais dividida por meio da política de segregação. Nos velhos Estados escravistas, aprovavam-se leis para garantir que haveria escolas separadas para cada raça, bem como hotéis separados, hospitais separados, bebedouros separados. O Alabama proibia os brancos de jogar dama com os negros. Em Oklahoma, havia cabines telefônicas separadas para brancos e negros. A linha entre escravo e livre foi substituída por uma nova linha entre branco e negro, reforçada, mais do que nunca, por linchamentos brutais.

Os afro-americanos não ficaram em silêncio. Em 1883, Ida Wells, uma jovem professora em Memphis, Tennessee, processou a companhia ferroviária C & O Railroad depois de ter sido expulsa de um "vagão para damas" da primeira classe por ser negra. Wells se tornou jornalista e veio a fazer campanhas tão ruidosas contra o linchamento que teve de fugir de Memphis para sempre. Mas melhor falar e "morrer combatendo a injustiça", declarou, "do que morrer como um cachorro ou um rato em uma armadilha". Wells foi apenas uma de muitas vozes. Norte-americanos brancos e negros fundaram a Associação Nacional para o Progresso das Pessoas de Cor (NAACP, na sigla em inglês) em 1910. A associação defendia a "igualdade perante a lei", e, nos anos 1930 e 1940, um de seus advogados mais brilhantes, Thurgood Marshall, percorreu o Sul em seu "Ford 29 velho e surrado", aceitando os casos de afro-americanos que procuravam justiça. A Suprema Corte havia determinado em 1896 que a segregação era legal desde que as instalações separadas fossem iguais. No tribunal, Marshall demonstrou que esse quase nunca era o caso. Uma escola estadual de Direito para negros, por exemplo, dificilmente era igual se tinha cinco professores ao passo que a escola de Direito para brancos tinha dezenove. Mas a NAACP passou a ficar insatisfeita com sua própria abordagem. Toda a *ideia* de "separados, mas iguais" estava errada, argumentaram.

E finalmente, em 1954, a Suprema Corte concordou. Oliver Brown, um afro-americano em Topeka, no Kansas, processou o conselho escolar porque sua filha Linda, de oito anos, era forçada a caminhar por um pátio de manobras perigoso todas as manhãs para chegar à sua escola segregada, sendo que havia uma escola para brancos a apenas algumas quadras de sua casa. Em *Brown contra o Conselho de Educação*, todos os nove juízes concordaram que a segregação era inconstitucional. Instalações separadas *sempre* eram desiguais porque criavam uma "sensação de inferioridade" que afetava "o coração e a mente" dos estudantes "de uma maneira que provavelmente jamais seria superada".

Os hábitos de todo um século não foram derrubados facilmente. Mais de cem membros sulistas do Congresso assinaram uma carta aberta encorajando seus Estados a desafiar a Corte. A segregação, por lei, continuava existindo na maioria das regiões do Sul. Então, em um ônibus urbano em Montgomery, no Alabama, uma costureira chamada Rosa Parks se recusou a ceder seu assento para um homem branco que havia subido. Ela foi detida e presa. Parks não estava procurando problemas, mas também não estava disposta a se deixar intimidar. Quando a NAACP perguntou se poderia usar seu caso para desafiar a segregação nos tribunais, ela hesitou. "Os brancos vão matar você, Rosa", o marido advertiu – e ele falava literalmente. Mas Parks concordou. Naquela mesma noite, um grupo de mulheres negras se reuniu às escondidas e imprimiu um panfleto convocando a uma ação ainda mais ousada. "Mais uma mulher negra foi detida e presa porque se recusou a ceder seu assento", escreveram. "Enquanto não fizermos alguma coisa para impedir essas prisões, elas continuarão acontecendo. Da próxima vez pode ser você, ou você, ou você. O caso dessa mulher será julgado na segunda-feira. Portanto, pedimos a todos os negros que não tomem ônibus na segunda-feira em protesto por sua prisão e seu julgamento." Um novo pastor na cidade, Martin Luther King Jr., foi escolhido para liderar o boicote. Quando ele e um amigo iam de carro para a reunião de segunda-feira à noite, um congestionamento os forçou a estacionar e fazer o resto do percurso a pé. Mais de 5 mil pessoas haviam comparecido, entupindo as ruas.

King se dirigiu à multidão na igreja, com alto-falantes posicionados para o mar de gente do lado de fora. Ele começou falando de maneira calma, mas então, com cada vez mais força, colocou em palavras o motivo pelo qual tantas pessoas haviam comparecido: "Chega um momento em que as pessoas se cansam", falou. A escravidão acabara quase um século antes, apenas para ser substituída pela segregação. O caso *Brown contra o Conselho de Educação* havia anulado a segregação – mas os negros norte-americanos ainda estavam sendo "pisoteados" e tratados como cidadãos de segunda classe. O que mais eles poderiam fazer senão protestar? A multidão irrompeu em aplausos e *améns*. Mas King tinha mais do que uma mensagem de protesto. Ele tinha um método – usar o amor e a não violência para alcançar seus objetivos. Ele havia lido Henry David Thoreau sobre o dever moral de se recusar a obedecer a leis injustas. Na escola de Teologia, havia estudado de que modo Mahatma Gandhi liderara a Índia para a independência da Grã-Bretanha usando táticas não violentas. Diante da violência e das ameaças, ele disse a seus ouvintes para se manterem firmes, mas sem revidar. Não haveria linchamentos de brancos no meio da noite por negros usando capuzes. Não haveria cruzes queimando nem multidões perambulando pelas estradas à noite. Se os ouvintes seguissem esses princípios, prometia King, a história se lembraria deles como um "povo grandioso – um povo negro (...) que teve a coragem moral de lutar por seus direitos".

A comunidade negra de Montgomery foi incitada, e os ônibus ficaram vazios – custando à empresa de ônibus mais de 30 mil passagens por dia. Manter o boicote semana após semana, e mês após mês, requeria um esforço quase sobre-humano. Centenas de motoristas ofereceram seus carros e táxis para ajudar os moradores que precisavam ir trabalhar. No ano seguinte, a casa de King foi bombardeada, e ele e outros foram detidos e presos ou acossados com multas de trânsito espúrias e carros de polícia ameaçadores. No fim, a Suprema Corte ficou do lado de Rosa Parks. Os cidadãos negros de Montgomery haviam vencido.

E eles estabeleceram um padrão na luta por direitos civis. As organizações foram importantes ao coordenar as ações. A NAACP continuou seu trabalho. King e outros pastores formaram a Conferência de Liderança Cristã do Sul (SCLC, na sigla em inglês). E havia o CORE, o Congresso de Igualdade Racial, bem como o Comitê de Coordenação Estudantil da Não Violência (SNCC). Mas todos esses grupos dependiam das pessoas comuns, que geralmente davam os primeiros passos decisivos por conta própria. Rosa Parks deu. E também as mulheres que imprimiram panfletos na calada da noite. E também Joseph McNeil, um estudante universitário que em janeiro de 1960 tentou fazer uma refeição certa noite e ouviu: "Não servimos negros aqui". Ele e seus companheiros de quarto decidiram que, no dia seguinte, se sentariam em uma lanchonete segregada em Greensboro, na Carolina do Norte, até que fossem servidos. O gerente, atônito, fechou a lanchonete, mas no dia seguinte 27 estudantes se somaram ao protesto sentado. No dia seguinte, havia 63. No fim da semana 1,6 mil apareceram – e os donos dos estabelecimentos cederam. Esses protestos sentados em lanchonetes se espalharam de uma cidade a outra, abrindo para os negros um mundo que um dia fora "exclusivo para brancos".

Ao testemunhar feitos como esses, as pessoas no poder muitas vezes ficavam perplexas, atônitas ou assustadas. Nem o presidente Eisenhower nem o presidente Kennedy eram segregacionistas. Mas ambos tentaram evitar ser arrastados para a cruzada pela integração de escolas, ônibus e restaurantes. "Os sentimentos a esse respeito são profundos", disse Ike. "E aquele que tenta me dizer que você pode fazer essas coisas à força é simplesmente maluco." No fim, Eisenhower decidiu que não tinha outra escolha senão enviar tropas federais para Little Rock, no Arkansas, depois que uma multidão impediu nove estudantes negros de integrar a Central High School. O presidente Kennedy observou uma cena ainda mais letal quando voluntários negros dirigiram ônibus das empresas Greyhound e Trailways pelo Sul com o objetivo de integrar salas de espera. Esses "Freedom Riders" ("Cavaleiros da Liberdade"), negros e brancos, enfrentaram multidões de milhares que esmurravam, chutavam e deixavam rostos ensanguentados; batiam em suas vítimas com canos de chumbo; arrancavam dentes; e, em certa ocasião, inclusive fizeram uma emboscada para um ônibus e tentaram queimar vivos os Freedom Riders do lado de dentro. Kennedy fora eleito em 1960 com o apoio de eleitores sulistas brancos. Ele sabia muito bem que eles queriam as tropas federais fora do Sul. Mas a violência se tornou tão grave que o presidente, relutante, enviou agentes federais para proteger os ônibus.

Em parte para pôr um fim às manchetes perturbadoras sobre os manifestantes feridos, o procurador-geral Robert Kennedy (irmão do presidente) encorajou os líderes negros a focar menos em integrar escolas, ônibus e salas de espera. Por que não, em vez disso, concentrar-se em registrar afro-americanos para votar? Desde o fim dos anos 1800, apenas um pequeno percentual dos negros sulistas havia conquistado essa oportunidade. As legislações injustas tornavam fácil para as autoridades eleitorais rejeitar eleitores a seu bel-prazer. Kennedy estava convencido de que haveria menos oposição dos brancos ao registro de eleitores. Afinal, falou, as cabines de votação eram diferentes de escolas, onde as pessoas podiam reclamar: "Não queremos que nossa filhinha loira vá para a escola com um negro". Ele estava totalmente enganado!

Os estudantes do SNCC abriram caminho, espalhando-se pelo Extremo Sul, encorajando os fazendeiros negros que nunca antes ousaram votar. Mas a violência só aumentou, com os segregacionistas realizando bombardeios, espancamentos e até mesmo assassinatos a sangue frio. Viver em tal ambiente hostil era extenuante. "Você estava levando alguém para se registrar, e simplesmente era arrastado por dois carros de brancos", lembrou um voluntário. "Talvez eles não fossem fazer nada, mas você nunca tinha como saber. Eles podiam sair e açoitá-lo." Dez anos depois do caso *Brown contra o Conselho de Educação*, mais de 2 mil distritos escolares do Sul continuavam segregados. As autoridades federais não queriam se envolver; os brancos do Norte prestavam pouca atenção. "Precisamos ter uma crise para conseguir negociar", propôs um dos assistentes de King. "Adotar uma atitude moderada na esperança de ter o apoio dos brancos simplesmente não funciona." King e o SCLC planejaram um protesto não violento que atrairia atenção nacional tendo como alvo a cidade mais segregada no país: Birmingham, no Alabama. Entre os que lutavam pelos direitos civis, Birmingham era conhecida como Bombingham, porque cerca de cinquenta explosões terroristas haviam sido realizadas na cidade desde a Segunda Guerra Mundial. O chefe de polícia da cidade, "Bull" Connor, prometeu impedir qualquer protesto imediatamente.

Contra as forças poderosas de Connor – contra os capacetes, cassetetes e armas –, King enviou os fracos e impotentes. Em uma ação desesperada, ele reuniu mil jovens – alguns adolescentes, outros com apenas seis anos de idade – e os conduziu pelas portas da Igreja Batista da Sixteenth Street cantando canções de protesto, dançando e sapateando. Perplexas, as tropas de Bull Connor as reprimiram e as levaram presas. "Dia D", os manifestantes o chamaram, e prometeram que haveria outras mil crianças da próxima vez, no Dia D Duplo. Connor ficou furioso. Ele ordenou que seus homens atacassem, batendo nos manifestantes e nos espectadores. Soltou cachorros para atacar os manifestantes. Usou aguilhões elétricos. Abriu mangueiras de incêndio cujos jatos de alta pressão eram fortes o bastante para arrancar cascas de árvores. Na imprensa, as fotografias dos acontecimentos rodaram o país e o mundo. Os habitantes do norte, que até então haviam prestado pouca atenção, ficaram horrorizados. As imagens deixaram o presidente Kennedy "nauseado", conforme ele admitiu. Os líderes de negócios em Birmingham disseram a Connor que os protestos tinham de acabar. Eles concordaram com um cronograma que integraria lanchonetes e outras instalações. E, pela primeira vez, o presidente enviou uma lei vigorosa de direitos civis para o Congresso. Permitia que o governo federal tomasse medidas para integrar escolas e garantir o direito a voto. "Esta nação", declarou Kennedy, "não será totalmente livre até que todos os seus cidadãos sejam livres."

Três meses depois, em agosto de 1963, 250 mil norte-americanos se reuniram na Marcha sobre Washington para defender a lei de direitos civis. Mesmo nessa ocasião, Kennedy estava hesitante. "Queremos êxito no Congresso", argumentou, "e não apenas um grande show no Capitólio." Mas as pessoas acorreram, e a nação ouviu King lembrar aos norte-americanos de que, cem anos antes, Lincoln fizera a Proclamação de Emancipação. "Eu tenho um sonho", falou:

> de que um dia, nas encostas vermelhas da Geórgia, filhos de antigos escravos e filhos de antigos senhores de escravos poderão se sentar juntos à mesa da fraternidade (...)
> Deixemos pois que a liberdade ressoe! (...) Que a liberdade ressoe da montanha de Pedra da Geórgia! Que a liberdade ressoe da montanha Lookout do Tennessee. Que a liberdade ressoe de todos os montes e colinas do Mississippi. De todas as encostas, deixemos que a liberdade ressoe. E quando isso acontecer, e quando deixarmos a liberdade ressoar de cada aldeia e de cada lugarejo, de cada Estado e de cada cidade, seremos capazes de antecipar o dia em que todos os filhos de Deus, negros e brancos, judeus e gentios, protestantes e católicos, serão capazes de

se dar as mãos e cantar nas palavras daquela velha canção dos negros: "Livres afinal! Livres afinal! Graças a Deus Todo-poderoso, estamos livres afinal!"*.

O discurso foi o ponto mais alto do movimento pelos direitos civis, mas dificilmente o seu ponto final. Nos três meses depois de Birmingham, quase oitocentos novos protestos eclodiram no Sul. Mais de 15 mil manifestantes foram detidos. Uma bomba explodiu na Igreja Batista da Sixteenth Street, matando quatro meninas negras. Estranho, o modo como a desigualdade e a igualdade mais uma vez andaram de mãos dadas – pois a luta de King em Birmingham jamais teria tido êxito sem os ataques violentos de Bull Connor. Impressionante que tantos jovens tenham dado um passo à frente, quando alertados de que o próximo correndo perigo poderia ser *você ou você ou você.*

O que teríamos feito? É fácil, hoje, dizer que teríamos participado da marcha. Mas não nos enganemos: a decisão era dificílima. Durante o boicote aos ônibus de Montgomery, o telefone na cozinha de King tocou e uma voz do outro lado da linha lhe avisou para sair da cidade, ou eles o matariam e explodiriam sua casa. "Eu não podia demorar mais", King recordou. Ele agonizou, tentando "pensar em uma maneira de sair de cena sem parecer um covarde". Orando em voz alta, escutou uma voz interior dizendo: "Martin Luther, lute pelo que é certo, lute pela justiça, lute pela verdade. E eu estarei com você, até o fim do mundo".

Ele precisava de cada pingo de força que pudesse reunir. Porque o movimento pelos direitos civis havia desencadeado uma avalanche que não terminava com os direitos civis. Continuou causando comoção pelo resto dos anos 1960, mudando a vida norte-americana de mil maneiras diferentes.

---

* KING Jr., Martin Luther. *As palavras de Martin Luther King.* Tradução de Maria Luiza X. de A. Borges. Rio de Janeiro: Zahar, 2010. (N.T.)

37
A AVALANCHE

SERIA NATURAL PENSAR NO MOVIMENTO pelos direitos civis crescendo como uma bola de neve que rola colina abaixo, ganhando tamanho e velocidade à medida que cada vez mais pessoas se somam. Mas não é exatamente assim que a história funciona. Rosa Parks deflagrou um movimento por não abrir mão de seu assento no ônibus em 1955. Mas, em 1883, quando Ida Wells se recusou a sair de um vagão ferroviário segregado, seu protesto teve muito menos efeito. Na época, a sociedade norte-americana não estava pronta para uma revolução dos direitos civis. Então, em vez de imaginar uma bola de neve, considere uma avalanche. Dias e até mesmo semanas se passam enquanto a neve se acumula em uma encosta de montanha. Até que um dia, embora o mundo pareça quieto e ensolarado, a pressão de um único esqui é suficiente para fazer a neve desabar em todas as direções. As ações individuais exercem um papel fundamental. Mas as condições devem ser apropriadas. Nos tempos de Ida Wells, a maioria dos afro-americanos ainda trabalhavam em fazendas isoladas no Sul, o que tornava difícil se unirem com outros em protesto. Mas, durante o século XX, milhões de negros deixaram suas fazendas rumo às cidades no Norte e no Sul. Os primeiros protestos sentados e caravanas de Freedom Riders foram sinais de pressões que vinham se acumulando havia décadas. E a avalanche que se seguiu abalou cada ponto da sociedade, e não só os direitos civis. Norte-americanos de todos os tipos começaram a questionar novamente assuntos que haviam sido debatidos ao longo dos anos: o que realmente significa ser livre? Ser igual? Qual é o caminho para chegar lá em meio ao tumulto e à desordem?

Para começar, a avalanche dividiu o movimento pelos direitos civis. Os ataques violentos a caravanas de Freedom Riders, marchas e protestos sentados levaram alguns a deixar de lado os ideais não violentos de Martin Luther King. A Nação do Islã, um grupo religioso negro, havia muito tempo rejeitava a integração e convocava os afro-americanos a conquistar seu próprio espaço separado. "O dia da resistência não violenta terminou", proclamou Malcolm X, o líder mais famoso do grupo. Malcolm foi baleado por rivais, mas outros afro-americanos se apropriaram do grito. "Estamos gritando liberdade há seis anos e não conseguimos nada", protestou Stokely Carmichael, um jovem líder negro. "O que vamos começar a dizer agora é Poder Negro!"

Essas visões se espalharam muito além do Sul. Os Estados do Norte não tinham um sistema legal de segregação, mas ainda assim a prática era disseminada na região. A maioria dos negros do Norte eram impedidos de se mudar para os ordenados subúrbios de brancos ao redor das cidades. Em vez disso, eram empurrados para os centros decadentes onde o desemprego era alto e as esperanças, escassas. Conforme os protestos no Sul se espalharam, a raiva também fervilhou no Norte. Nas semanas que se seguiram à marcha de King em Birmingham, mais de 750 tumultos abalaram cidades por todo o país. Lojas foram saqueadas, carros foram queimados, edifícios foram incendiados. Nos anos seguintes, grandes rebeliões agitaram Chicago, Newark e Los Angeles.

Ao mesmo tempo, a avalanche dos direitos civis arrastou não só os afro-americanos. Pressões similares vinham se acumulando entre os mexicanos-americanos. Os hispânicos, é claro, já viviam na América muito antes de os primeiros colonos dos Estados Unidos conquistarem o sudoeste. Imigrantes posteriores vieram do México para o Norte para trabalhar em fazendas, construir ferrovias e obter empregos nas cidades. Assim como os líderes negros pelos direitos civis, os mexicanos-americanos construíram seu próprio movimento ao longo de décadas. No sul do Texas, advogados latinos, entre os quais Gustavo Garcia, pressionaram pelo fim da segregação nos tribunais e nas escolas. Gus fora o orador de sua turma na formatura do ensino médio e servira ao exército durante a Segunda Guerra Mundial antes de participar ativamente da luta pelos direitos civis. Seus adversários argumentavam que os mexicanos não eram segregados no Texas. Eles eram considerados brancos, e não negros. Se era assim, Garcia contestava, por que nenhum latino servira em júris brancos no sul do Texas ao longo de mais de 25 anos? Por que o banheiro para as pessoas "de cor" no próprio tribunal onde eles estavam conversando tinha uma placa em espanhol que dizia *Hombres aqui*? Quando o caso chegou à Suprema Corte, Garcia e dois outros advogados viajaram a Washington para defendê-lo. Eles eram uma verdadeira equipe de advogados "provincianos", ele brincou – mal podiam pagar a tarifa do ônibus e o quarto do hotel, onde Garcia dormiu no sofá. Mas, duas semanas antes de a Suprema Corte ouvir o caso mais famoso de *Brown contra o Conselho de Educação* em 1954, os argumentos de Garcia ganharam a luz do dia em seu próprio caso, *Hernandez contra o Texas*. A corte determinou que os latinos e outros grupos étnicos não podiam ser discriminados.

Em 1965, a avalanche atingiu as vinícolas da Califórnia, com um protesto iniciado por um líder trabalhista afável chamado César Chávez. Chávez conhecia o trabalho nas fazendas. Durante a Grande Depressão, quando ele tinha apenas seis anos, sua família fora forçada a vender sua propriedade. Daí em diante, a família aceitou um trabalho mal remunerado atrás de outro, dirigindo o Chevrolet batido para acompanhar os cultivos até o momento da colheita. Os trabalhadores migrantes se curvavam o dia todo sob o sol colhendo alface ou uva na Califórnia; outros colhiam beterraba em Iowa ou capinavam algodão no Arizona. Eram obrigados a viver em tendas ou em barracos deteriorados e se consideravam felizardos se tivessem água potável e sanitários. Poucos norte-americanos estavam dispostos a aceitar esses empregos; a maioria dos trabalhos eram feitos por trabalhadores mexicanos ou outros imigrantes recentes, como os filipinos.

Chávez observou como, de tempos em tempos, os donos de grandes fazendas impediam os sindicatos de organizar seus trabalhadores para exigir melhores condições de trabalho e salários mais altos. Os fazendeiros sempre tinham vantagem, mas, certa noite, em um sonho, Chávez percebeu que eles não eram assim tão poderosos; era apenas "que nós éramos fracos. E se pudéssemos, de algum modo, começar a desenvolver alguma força entre nós (...) poderíamos conseguir igualar isso". Junto com outra ativista, Dolores Huerta, Chávez liderou uma greve de vindimadores. Adotando as táticas não violentas de Martin Luther King, os trabalhadores marcharam por quatrocentos quilômetros até Sacramento, a capital da Califórnia, para chamar atenção para sua causa. Enquanto os manifestantes caminhavam, eles cantavam "Nosotros venceremos" – a versão espanhola de "We Shall Overcome", a canção em prol dos direitos civis. Chávez instou todos os norte-americanos a parar de comprar uva nos supermercados, uma tática que atingia o bolso dos produtores. Dolores Huerta conduziu o boicote à uva. Embora a greve tenha durado cinco anos, as grandes fazendas finalmente concordaram em assinar contratos com o sindicato de Chávez, o United Farm Workers.

Os primeiros protestos sentados e Freedom Rides dependiam da juventude para ter êxito, e a avalanche agora se espalhava para jovens de toda parte. Depois que os estudantes brancos do Norte ajudaram a registrar eleitores negros no Sul, centenas regressaram à faculdade com novas ideias sobre sua própria vida. Muitos condenavam "o sistema" que os empacotava em grandes salas de aula impessoais em universidades enormes. Rejeitavam os códigos de vestimenta que lhes diziam o que podiam ou não podiam vestir e os toques de recolher que os obrigavam a voltar ao dormitório até certo horário. Além disso, com frequência as universidades proibiam protestos políticos. Então, perguntavam os estudantes – tudo bem se manifestar a favor da liberdade no Sul, mas não na faculdade?

Alguns estudantes ocuparam as dependências das universidades e se recusaram a sair até que suas demandas fossem atendidas. Outros simplesmente abandonaram a faculdade. San Francisco e Berkeley, na Califórnia, atraíram muitos desses espíritos livres, chamados de hippies. Eles deixavam o cabelo crescer, usavam camisetas tingidas em cores vibrantes (no estilo que ficou conhecido como *tie dye*), colares e pulseiras de miçanga e calças jeans boca de sino. Alguns formaram comunidades utópicas, de maneira similar aos reformadores nos anos 1840 que viviam juntos em Brook Farm ou aos mórmons que se reuniram em Nauvoo. A nova geração de sonhadores construiu abrigos montando uma estrutura de triângulos de alumínio. Conhecidos como domos geodésicos, sua carcaça lembrava uma bolha de sabão gigante, abobadada e cheia de vértices. "Todo mundo correndo para construir seu domo" relatou um líder comunitário nos montes Santa Cruz, na Califórnia. "Coisas acontecendo espontaneamente, ninguém dirigindo (...) Uma pia, máquina de lavar, cozinha para cinquenta pessoas (...) Muitos problemas (...) mas, se você se deixar levar por um instante, aprenderá um monte de coisas fantásticas sobre si mesmo e os outros."

Desde o início, mulheres como Rosa Parks e Dolores Huerta exerceram um papel importante na cruzada pelos direitos civis. Muitos dos voluntários do Norte registrando eleitores no Sul eram mulheres jovens que acorreram apesar das objeções de seus pais. "É muito difícil responder ao argumento de vocês de que, se eu os amasse, eu não faria isso", uma filha escreveu para casa. "Chega um momento em que você tem de fazer coisas com as quais os seus pais não concordam." Muitas mulheres começaram a considerar se realmente era possível serem livres ou iguais se os costumes da sociedade não lhes permitissem fazer todas as coisas que os homens faziam.

A Segunda Guerra Mundial marcou a primeira vez em que muitas mulheres trabalharam fora de casa. No fim da guerra, a maioria dessas mulheres trabalhadoras queriam manter o emprego, mas foram forçadas a sair quando milhões de soldados voltaram para casa. E o crescente *baby boom* dos anos 1950 manteve as mães ocupadas cuidando dos filhos. "Essa criatura extraordinária", entusiasmava-se a revista *Look*, "casa-se mais cedo do que nunca, dá à luz mais bebês e tem modos e visual muito mais femininos." Nem todas as mães em tempo integral estavam felizes. "Passatempos, jardinagem, conservas, enlatados (...) Posso fazer tudo isso, e gosto, mas não me deixa nada sobre o que pensar", uma mulher confessou a Betty Friedan, uma jornalista. Mesmo as mulheres com empregos fora de casa eram tratadas como cidadãs de segunda classe. Os homens desencorajavam as mulheres de se tornar médicas e advogadas: essas carreiras não eram "trabalho de mulher". Os jornais listavam anúncios separados para "Ajuda masculina" e "Ajuda feminina". Quando as mulheres trabalhavam nos mesmos cargos que os homens, recebiam salários muito mais baixos. Betty Friedan queria escrever uma história sobre os limites que cerceavam a mulher moderna. Mas os editores das revistas femininas, todos os homens, rejeitaram a ideia. "Betty perdeu a cabeça." Então Friedan escreveu um livro, *Mística feminina*. Sua popularidade comprovou que o feminismo – um movimento liderado por mulheres e para mulheres – tinha o poder de criar sua própria avalanche. Friedan e várias amigas formaram a NOW (National Organization for Women), para pressionar por reformas políticas.

Você poderia pensar que os reformistas em prol dos direitos civis desejariam apoiar uma campanha pelos direitos das mulheres. Mas pouco havia mudado desde 1840, quando homens abolicionistas impediram Lucretia Mott de participar de sua conferência contra a escravidão. Em 1967, quando uma feminista pediu a membros de uma convenção intitulada Nova Política para promover a igualdade das mulheres, o homem com o microfone acariciou a cabeça dela e falou: "Anda, menina. Temos assuntos mais importantes para tratar". Algumas mulheres mais jovens concluíram que, para mudar o mundo, as mulheres primeiro precisavam se libertar. Essas reformadoras tiveram a ideia de se reunir em pequenos grupos – sessões de "conscientização" – para explorar de que maneiras as mulheres continuavam desiguais. Por que os meninos eram encorajados a se tornar cientistas e atletas enquanto se esperava que as meninas brincassem de boneca? Por que tão poucas mulheres lideravam negócios? Até mesmo a linguagem parecia favorecer os homens. Na língua inglesa, o presidente de um comitê era um "chair*man*", as pessoas que mantinham a ordem eram "police*men*". Essas questões podem parecer triviais, mas as palavras que as pessoas usavam as encorajavam a pensar em tais cargos como de homens, e não de mulheres.

Inevitavelmente, a avalanche de ideias e ações desmoronou sobre a política. O presidente Kennedy havia enviado sua lei de direitos civis para o Congresso, mas antes que esta pudesse ser promulgada ele foi assassinado durante uma visita a Dallas, no Texas, por um franco-atirador mirando da janela de um depósito. (Os motivos do atirador perturbado, Lee Harvey Oswald, continuam obscuros.) Enquanto a nação chorava sua morte, os norte-americanos não podiam deixar de se perguntar que rumo o novo presidente daria ao país. Kennedy era de Massachusetts, no Norte; Lyndon Baines Johnson vinha da região das colinas (Hill Country) do Texas. Como líder da maioria no Senado durante os anos de Eisenhower, Johnson ficara conhecido como um mediador. Ele conseguia os votos dos legisladores bajulando, usando de lábia ou fazendo pressão. Com um metro e 93 de altura (empatado com Lincoln como o presidente mais alto), Lyndon se inclinava para as pessoas quando falava, lhes agarrava a lapela do paletó e lhes dava "o tratamento Johnson" até que elas concordassem com suas solicitações. Sendo um branco do Sul, seria de se esperar que ele se oporia aos direitos civis. Mas Johnson percebeu que os tempos haviam mudado. Se não apoiasse a lei de direitos civis, "estaria morto antes mesmo de começar", como ele próprio falou. Além disso, as mulheres incluíram uma cláusula na lei, determinando que as candidatas a emprego também não podiam ser discriminadas.

Depois que essa lei foi aprovada, Johnson propôs a Lei dos Direitos de Voto, que bania os testes de alfabetização e outras táticas usadas para impedir os afro-americanos de votar. O projeto de lei era "um dos mais monumentais em toda a história da liberdade norte-americana", Johnson se gabou. E ele tinha razão. Depois que foi aprovada, os afro-americanos votaram em números que não se viam desde os dias da Reconstrução.

Se havia algum político capaz de canalizar a energia de uma avalanche, esse político era Johnson. Ele estava determinado a aprovar leis tão históricas que superariam o New Deal de Franklin Roosevelt. Mesmo durante a prosperidade dos anos 1950, mais de 40 milhões de norte-americanos continuavam pobres – e esse número estava crescendo. O presidente propôs uma guerra contra a pobreza. O "tratamento" de Johnson continuou funcionando e, uma após outra, novas leis saíram do Congresso. Empréstimos para pequenos fazendeiros pobres foram aprovados. E também um auxílio a trabalhadores rurais migrantes e o Job Corps, um programa de capacitação para ensinar novas habilidades aos que estavam sem emprego. Johnson recordou que, na época em que era um jovem professor, muitos alunos mexicano-americanos vinham para a aula "com fome, sem desjejum. De algum modo, você nunca esquece o que a pobreza e o ódio podem fazer quando você vê suas cicatrizes". Agora, o presidente convocava os norte-americanos a construir uma "Grande Sociedade" que daria a cada indivíduo uma oportunidade verdadeiramente igual na vida. Novos programas ajudavam as escolas públicas necessitadas a comprar livros e equipamentos. O projeto Head Start preparava crianças pobres para o ensino fundamental e inclusive financiou uma série de televisão educativa que ficou conhecida como *Vila Sésamo*.

Entre as pessoas mais velhas, a doença era a principal causa de pobreza. Johnson criou novos programas de seguros de saúde que geraram uma rede de segurança para os idosos em um sistema chamado Medicare. Ele criou um programa similar chamado Medicaid para os pobres. Em dois anos de mandato, ele conseguiu que o Congresso aprovasse cinquenta leis – de fato, outra avalanche. Na pressa de reconstruir a nação, não foram poucos os programas que erraram o alvo ou desperdiçaram dinheiro. Mas a Grande Sociedade marcou o ponto alto de um movimento rumo ao governo ativo iniciado pelos progressistas.

Se havia alguém capaz de domar uma avalanche, esse alguém era Johnson. Mas a verdade é que ninguém é capaz de fazê-lo. Johnson aprendeu essa lição amarga quando tentou lidar com o que pareceu, à primeira vista, uma guerra pequena em uma nação distante na Ásia.

38

Uma guinada conservadora

Comparado com a crise em Cuba, o conflito distante no Vietnã parecia uma distração sem muita importância. Lá, um revolucionário comunista chamado Ho Chi Minh trabalhara incansavelmente durante mais de trinta anos para derrubar os franceses e conquistar a independência do Vietnã. Finalmente, em 1954, suas forças venceram uma batalha decisiva no vale de Dien Bien Phu. O longo combate havia deixado Ho de cabelo grisalho, uma barba rala, dentes faltando e "a pele parecendo papel velho". Mas sua vitória não foi completa. Um tratado internacional dividiu o país em Vietnã do Norte e Vietnã do Sul, com Ho controlando o Norte e esperando vencer as eleições a serem realizadas no Sul. Mas Ngo Dinh Diem, presidente do Vietnã do Sul e aliado dos Estados Unidos, se recusou a convocar eleições. Então, os partidários de Ho, conhecidos como vietcongues, começaram uma guerrilha para unir o país. O presidente Eisenhower temia que, se o Vietnã do Sul se tornasse comunista, as nações vizinhas logo seguiriam o mesmo caminho. "Você tem uma fileira de dominós", explicou. Se "derrubar o primeiro", o resto "cai rapidamente". Eisenhower despachou setecentos conselheiros militares para o Vietnã e, mais tarde, John F. Kennedy enviou outros milhares na esperança de combater os vietcongues. Mas Diem era um ditador detestado por seu povo e até mesmo por seus generais. Eles o sequestraram e assassinaram apenas três semanas depois de o próprio presidente Kennedy ter sido baleado em Dallas.

Lyndon Johnson estava dividido sobre o Vietnã. Por um lado, ele queria ver seus conterrâneos "saindo por aquelas florestas e acabando com alguns comunistas". Por outro lado, estava preocupado pensando em quanto tempo levaria para vencer o conflito. Ele se sentia como um peixe-gato, falou, que havia acabado de "agarrar uma minhoca grande e suculenta com um anzol afiado bem no meio". De todo modo, os vietcongues continuaram avançando – e Johnson, como o peixe-gato, foi fisgado. O presidente começou a promover a "escalada" da guerra – esta era a palavra usada em 1965. Primeiro, enviou aeronaves para bombardear a Trilha Ho Chi Minh, uma rota usada para enviar suprimentos para os vietcongues no sul. Mas isso significava construir bases aéreas no Vietnã do Sul, e estas requeriam soldados para vigiá-las. Johnson enviou vários milhares de fuzileiros navais. E – como uma escada rolante que simplesmente continua subindo – a escalada se concretizava. Em seguida, 40 mil soldados foram enviados – para que o exército pudesse tomar a ofensiva. Alguns meses depois, o general William Westmoreland, a cargo do combate, pediu mais 50 mil soldados. Homens jovens norte-americanos recebiam cartões de alistamento para que pudessem ser convocados para servir o exército. Em 1968, havia mais de 500 mil soldados no Vietnã. As bases aéreas norte-americanas se tornaram os aeroportos mais movimentados do mundo. A guerra estava custando aos Estados Unidos 2 bilhões de dólares por mês.

Apesar de todo o dinheiro e de todos os homens, não havia sinal de vitória. Como se poderia alcançá-la? Bombardeios aéreos? A mata densa tornava difícil identificar soldados e abastecer caravanas ao longo da Trilha de Ho Chi Minh. Expulsar os vietcongues das aldeias? Muito bem. Mas os norte-americanos não podiam ficar para sempre em mil e um lugarejos. Os vietcongues desapareciam na selva e então voltavam quando os norte-americanos iam embora. O general Westmoreland começou a medir o sucesso não com base na extensão de terra conquistada, e sim no número de vietcongues mortos. Como essa "contagem de corpos" continuava crescendo, o general jurou que conseguia "ver a luz no fim do túnel". Acontece que estas foram as mesmas palavras que um comandante francês havia usado em 1953 – antes de ser derrotado por Ho Chi Minh. Em 1968, durante o feriado vietnamita de Ano Novo conhecido como Tet, os vietcongues fizeram uma série de ataques surpresa, incluindo um à própria embaixada norte-americana. Os ataques foram repelidos, mas de repente a luz no fim do túnel parecia muito mais distante.

Em casa, a guerra dividia ferozmente os norte-americanos. Os "abutres" concordavam com a teoria do dominó de Eisenhower, argumentando que o comunismo tinha de ser detido, ou se espalharia. As "pombas" – muitas delas, estudantes universitários que já se manifestavam em defesa dos direitos civis – pediam paz. Argumentavam que os Estados Unidos estavam fazendo pouco mais do que apoiar uma ditadura. Também estavam soltando mais bombas no Vietnã do que haviam usado em toda a Segunda Guerra Mundial. Finalmente, até mesmo Robert McNamara, secretário de Defesa de Johnson e, no início, um defensor da guerra, mudou de opinião, renunciando ao cargo. "A imagem da maior superpotência do mundo matando ou ferindo gravemente mil civis por semana, enquanto tenta derrotar uma nação minúscula e atrasada (...) não é nada agradável", confessou. Como os que protestavam em defesa dos direitos civis, os que se opunham à guerra se tornaram tão fortes que Johnson anunciou que não concorreria à reeleição em 1968. O reformador liberal havia se tornado um beligerante impopular.

E finalmente as ondas de choque de uma avalanche colidiram com as de outra. Martin Luther King ampliou sua campanha pelos direitos civis para incluir protestos contra a guerra. Em abril, um segregacionista o baleou e matou em Memphis. A notícia de sua morte deflagrou revoltas em mais de trinta cidades, incluindo a capital do país. Robert Kennedy, irmão do presidente assassinado, também havia se manifestado contra a guerra e estava concorrendo à presidência. Dois meses depois da morte de King, ele também foi morto a tiros, por um jovem palestino furioso porque Kennedy apoiava o Estado de Israel. Na convenção democrática em Chicago naquele verão, os manifestantes e a polícia se enfrentaram. Os manifestantes atiraram ovos, pedras e bexigas cheias de tinta. Alguns policiais tiraram seus distintivos e atacaram a multidão, balançando cassetetes enquanto entoavam: "Mata, mata, mata". Um jornalista que observou o tumulto escrevinhou quatro palavras em seu caderno: "Os democratas estão acabados".

Ele estava certo. Um republicano, Richard Nixon, ganhou a eleição de 1968. Durante os anos 1950, Nixon caçara vorazmente espiões comunistas, e então concorrera à presidência em 1960. Naquela ocasião ele havia perdido, mas oito anos depois prevaleceu, declarando-se o "novo Nixon" que traria "uma paz honrada" ao Vietnã. Nixon entendeu que muitos norte-americanos estavam cansados não só da guerra, como de muito mais: da onda aparentemente interminável de protestos nas ruas, das rebeliões e da violência, dos hippies cabeludos cantando e exigindo mudanças, parecendo zombar dos valores antiquados. Nixon se dirigiu àqueles que chamou de "norte-americanos esquecidos (...) os que não gritavam, os que não se manifestavam". Desferindo golpes contra a Grande Sociedade de Johnson, ele prometeu não derramar "bilhões de dólares em programas que fracassaram". Sua vitória mostrou que os revolucionários dos anos 1960 não poderiam prosseguir com suas campanhas indefinidamente. A eleição naquele ano tumultuoso de 1968 marcou uma guinada para valores mais tradicionais e conservadores.

Mas essa guinada não foi rápida nem completa. Ao contrário das avalanches que destroem encostas de montanhas em minutos, os tremores que abalam as sociedades levam anos para surtir efeito. Nixon foi mais um político prático do que um conservador pertinaz. Ele estava muito disposto a adotar ideias progressistas quando achava que poderiam ser úteis. Quando a economia entrou em crise e o preço do combustível e dos alimentos disparou, ele decretou o congelamento de todos os preços e salários por noventa dias. Que conservador usaria o governo para fazer isso? Nos assuntos externos, ele concordou, durante muito tempo, que a América deveria evitar a China comunista. Mas foi o primeiro presidente norte-americano a visitar esse país e melhorar as relações com os chineses. Logo depois, assinou um tratado com a União Soviética para desacelerar a corrida armamentista. Ao aliviar as tensões com essas potências comunistas, ele esperava que tanto os chineses quanto os soviéticos usassem o

Vietnã comunista para fazer as pazes com os Estados Unidos. A vitória no Vietnã era o que Nixon queria; mas, no mínimo, paz era do que ele necessitava.

"Cheguei à conclusão de que não há como ganhar a guerra", ele admitiu privadamente. "Mas não podemos dizer isso, é claro. De fato, precisamos parecer dizer o contrário." Quando Nixon *parecia* estar abrandando a guerra, pouco a pouco trazendo as tropas norte-americanas para casa, ele, na verdade, a ampliou, atacando esconderijos vietcongues no vizinho Camboja. Mais uma vez, eclodiram protestos nos Estados Unidos. O que é pior, os novos ataques e a intensificação dos bombardeios contra o Vietnã do Norte não abalaram a disposição desse país para lutar. Sem uma vitória norte-americana em vista, Nixon foi forçado a assinar um tratado para pôr um fim ao envolvimento dos Estados Unidos na guerra. Somente dois anos depois que as tropas norte-americanas voltaram para casa o governo do Vietnã do Sul caiu. Ho Chi Minh não viveu para ver essa vitória, mas Richard Nixon tampouco sobreviveu como presidente. Na realidade, sua queda não precisou de nenhuma avalanche para acontecer. Seus demônios internos fizeram o trabalho sozinhos.

Apesar de defender os valores tradicionais, o presidente tinha pouca fé na natureza humana. Suspeitava de que seus adversários políticos fariam qualquer coisa para derrotá-lo – e desse modo se sentia justificado por ser implacável com eles. Ele mantinha uma "lista de inimigos" e tramava formas de obter revanche. Durante sua campanha pela reeleição em 1972, cinco homens com conexões na Casa Branca foram pegos invadindo a sede do Partido Democrata, situado no Complexo Watergate, em Washington. Nixon alegou não saber nada sobre o incidente. "O que realmente provoca dano é você tentar encobrir", explicou. Mas ele estava fazendo exatamente isso. Os senadores investigando a invasão de Watergate descobriram que microfones secretos da Casa Branca haviam gravado o presidente falando sobre pagar suborno "para cuidar dos estúpidos que estão na prisão (...) Vocês podem pegar um milhão de dólares" para pagá-los, ele disse a seus auxiliares. "E podem pegar em dinheiro vivo. Eu sei onde conseguir." Quando a história completa veio à tona, Nixon se viu na situação de ser o primeiro presidente a sofrer um impeachment pelo Congresso e a ser condenado em um julgamento no Senado. Em vez disso, ele renunciou.

O escândalo de Watergate fora um "pesadelo nacional", admitiu Gerald Ford, o novo presidente. Embora honesto, Ford tentou fazer a nação superar Watergate perdoando Nixon por quaisquer crimes que ele houvesse cometido. Um sinal de quão desiludidas as pessoas estavam é que Jimmy Carter, o democrata que derrotou Ford na eleição de 1976, ganhou respeito prometendo aos eleitores: "Eu nunca vou mentir para vocês". Carter, um ex-governador da Geórgia, também era honesto – talvez um pouco honesto demais para se dar bem como político. Ele disse aos norte-americanos que estavam enfrentando uma "crise de confiança" que "atinge o próprio coração, alma e espírito da nossa vontade". "Tínhamos certeza de que a nossa era uma nação das urnas, e não das balas, até os assassinatos de John e Robert Kennedy e de Martin Luther King Jr. Fomos ensinados que nossos exércitos eram sempre invencíveis e nossas causas eram sempre justas, apenas para sofrer a agonia do Vietnã. Respeitamos a presidência como um lugar de honra, até o choque de Watergate."

Novos problemas contribuíram para a sensação de crise. Grande parte do suprimento de petróleo do mundo vinha do Oriente Médio turbulento, onde, por um tempo, as nações árabes se recusaram a vendê-lo para países que apoiaram Israel quando este foi atacado pelo Egito e pela Síria. Nos Estados Unidos, esse embargo ao petróleo árabe fez disparar o preço da gasolina. Mais problemas surgiram no Irã, onde os revolucionários atacaram a embaixada norte-americana e fizeram 53 reféns. Noite após noite, o noticiário que passava na televisão mostrava os Estados Unidos impotentes para resgatar seus diplomatas. Noite após noite, a popularidade de Jimmy Carter despencava. Na eleição de 1980, o republicano Ronald Reagan o desafiou fazendo aos norte-americanos uma pergunta simples: "Vocês estão em melhor situação do que estavam há quatro anos?". Para muitos, essa resposta parecia óbvia. Reagan obteve uma vitória esmagadora ao tempo que o Irã libertou os reféns norte-americanos.

A vitória de Reagan marcou a guinada final rumo ao governo conservador que se iniciara havia uma década. O sucesso do novo presidente se deveu, em grande medida, à sua personalidade. Onde Nixon era desajeitado, desconfiado e consumido por inveja, Reagan era tranquilo e amável. Onde Jimmy Carter advertiu tristemente sobre uma "crise de confiança", Reagan falou de uma nação orgulhosa "de cabeça erguida". Ele ganhou o apoio de dois grupos que muitas vezes haviam ajudado os republicanos. O primeiro eram empresários que acreditavam que o sucesso dependia dos esforços dos indivíduos – sorte e coragem, como Horatio Alger teria dito. Eles rejeitavam a crença progressista de que o governo deveria ajudar os cidadãos menos afortunados por meio de programas como o New Deal ou a Grande Sociedade. O segundo grupo era composto por evangélicos – protestantes "renascidos" que desejavam colocar a religião firmemente no centro da vida norte-americana. Os evangélicos se opunham, em particular, às determinações recentes da Suprema Corte que proibiam preces oficiais em escolas públicas e davam às mulheres o direito de interromper uma gravidez por meio do aborto. Eles celebravam a visão puritana de uma comunidade santa e davam pouca importância à tradição norte-americana de manter separados os assuntos da Igreja e do Estado.

Embora Reagan gostasse de trazer à memória a cidade no alto da colina de John Winthrop, ele nunca foi muito dado a frequentar a igreja, dedicando mais energia ao lado empresarial de seu programa. "O governo não é a solução para o nosso problema", insistia; "o governo *é* o problema." E, à sua maneira jovial e otimista, propôs um método para cortar impostos e ao mesmo trazer mais dinheiro para o governo. A redução de impostos deixaria aos negócios mais dinheiro para investir em suas empresas. Conforme as empresas crescessem, a economia tenderia a melhorar – e então os negócios pagariam mais impostos sobre seus novos rendimentos. Em meio ano, o Congresso baixou as alíquotas dos impostos, especialmente para os ricos e para os que investiam em ações. Enquanto isso, o presidente enxugava os programas de governo. Os que o apoiavam o aplaudiram por se livrar da "burocracia" para que os negócios pudessem reabastecer a economia. Os que o criticavam reclamaram que os cidadãos sofreriam, já que programas essenciais estavam sendo cortados, como os *food stamps* (cupons de auxílio à alimentação) e o Medicaid.

Infelizmente, as alíquotas mais baixas não trouxeram mais dinheiro. Relutante, Reagan criou novos impostos, embora com o cuidado de chamá-los de "aumento da receita" para mitigar o sofrimento. A economia, que vinha se arrastando, voltou a crescer. Ainda assim, o governo estava gastando 200 bilhões de dólares por ano a mais do que arrecadava em impostos, porque o orçamento da defesa crescera muitíssimo. Ao contrário de Nixon, Ford e Carter, que haviam começado a aliviar as tensões da Guerra Fria, Reagan considerava a União Soviética um "império do mal" que estava provocando "todo o tumulto que está acontecendo". Os novos mísseis, submarinos, bombardeiros e outras armas que Reagan encomendou produziram os maiores déficits na história do país.

Essa possivelmente era uma má notícia para os Estados Unidos, mas era uma notícia ainda pior para a União Soviética. Sua economia comunista nunca disponibilizara muitos bens de consumo aos cidadãos, e havia gasto bilhões em ajuda externa, incluindo sua própria guerrilha no Afeganistão, ao estilo da guerra do Vietnã. Tentar acompanhar os gastos de Reagan com defesa quase a arruinou. Em 1985, um líder mais jovem chamado Mikhail Gorbachev iniciou uma política de *glasnost*, ou abertura, que clamava por mais liberdade dentro de suas fronteiras e pelo fim da Guerra Fria. Reagan concordou, elaborando novos acordos sobre armamentos que destruíram centenas de mísseis nucleares acumulados de cada lado. Uma por uma, as nações da Europa Oriental sob o regime comunista se ergueram em protesto. Gorbachev as deixou ir. Em 1991, a própria União Soviética se fragmentou em repúblicas individuais. A Guerra Fria, que havia durado quarenta anos, chegava ao fim. A revolta conservadora nos Estados Unidos não só colocou o país em um novo rumo internamente, como também encerrou uma longa era nos assuntos externos.

39

Conectados

No início deste livro, eu pedi para você esticar um braço e imaginar que os 14 mil anos de vida humana na América do Norte se estendiam do seu ombro até onde termina a sua mão. Agora, nós quase chegamos no presente – situados, como figuras minúsculas, sobre a pontinha do seu dedo. E, daqui, a visão é muito diferente. Aqui, os acontecimentos atuais se agigantam. Presidentes são eleitos, leis são debatidas, rebeliões são reprimidas e furacões são superados. Todos esses acontecimentos parecem importantes quando os vivenciamos. Mas, ao escrever uma história que abarca quinhentos anos, é difícil decidir o que incluir e o que deixar de fora. Em 1969, o mundo inteiro assistiu a dois norte-americanos, Neil Armstrong e Buzz Aldrin, sendo os primeiros humanos a chegar à Lua – um triunfo notável. Naquele mesmo ano, ninguém prestou atenção a outro projeto de governo conectando quatro computadores em Utah e na Califórnia em uma rede simples chamada ARPANET. A primeira comunicação enviada foi *lo* – duas letras. A mensagem pretendia ser *login*, mas a rede travou antes que as três últimas letras pudessem ser enviadas. Qual dos acontecimentos foi mais importante? A resposta parece óbvia, mas cinquenta anos depois nossas viagens à Lua terminaram, enquanto a ARPANET cresceu gradualmente até que se tornou a internet. Hoje, transmite bilhões de e-mails, páginas web, transações comercias e vídeos no mundo inteiro.

E a World Wide Web, a rede mundial de computadores, é apenas uma das muitas forças conectando mais firmemente os Estados Unidos com as nações e os povos do globo. Em certo sentido, toda a história norte-americana pode ser vista como a história de conexões se multiplicando. Colombo foi o primeiro a unir as duas metades do mundo e, com o passar dos séculos, os hemisférios só se tornaram mais próximos. A fim de separar as partes mais importantes da história recente da confusão de acontecimentos atuais, proponho que recuemos alguns passos e consideremos, em vez disso, os caminhos percorridos por três indivíduos muito diferentes. Cada jornada demonstra, para melhor e para pior, o quanto os Estados Unidos se tornaram atados ao resto do mundo.

A primeira jornada começa nos anos 1980 com um guerrilheiro alto e magro conduzindo um bando de combatentes ao topo das montanhas no Afeganistão. *Mujahidin*, os guerrilheiros são chamados; e esse bando é um dos muitos tentando expulsar os soviéticos do Afeganistão. Mas seu jovem líder não é afegão; ele é um muçulmano devoto da vizinha Arábia Saudita. Os serviços secretos desse país, os Estados Unidos e o Paquistão ajudaram cerca de 35 mil muçulmanos em todo o mundo a entrar para a guerra, abastecendo-os com milhões de dólares e milhares de armas. Esse líder guerrilheiro também usou seu próprio dinheiro para recrutar voluntários do mundo árabe e até mesmo dos Estados Unidos. Em 1986 ele abre um escritório em Tucson, no Arizona, onde vivem muitos árabes norte-americanos, oferecendo trezentos dólares por mês para todos os que estiverem dispostos a lutar. Os *mujahidin* são tão exitosos que a União Soviética se retira do Afeganistão. A Guerra Fria está finalmente chegando ao fim.

E agora o jovem precisa decidir: o que fazer em seguida? Embora a guerra esteja liquidada, ele reúne ainda mais recrutas. Ele pode bancá-los, já que é o décimo sétimo filho de um empresário bilionário da Arábia Saudita. Seu nome é Osama bin Laden. Em

1990, ele se reúne com altos oficiais na Arábia Saudita e se oferece para liderar um ataque ao vizinho Iraque, que acabou de invadir o reino do Kuwait, rico em petróleo. "Sou o comandante de um exército islâmico", ele se gaba, cujo nome é Al Qaeda. Mas a Arábia Saudita prefere trabalhar com os Estados Unidos. No conflito que se segue, conhecido como Guerra do Golfo, o presidente George H. W. Bush lidera uma aliança de 32 nações. Elas forçam o Iraque a se retirar do Kuwait. Bin Laden fica furioso. Por que a Arábia Saudita, muçulmana, deveria permitir que seu território, berço do profeta Maomé, seja usado como base para os ataques de norte-americanos infiéis? Ele regressa aos acampamentos escondidos em cavernas montanhosas no Afeganistão e lá trama uma guerra santa – *jihad* – contra os Estados Unidos.

O golpe leva anos para ficar pronto: George H. W. Bush é sucedido na presidência por Bill Clinton, e Clinton pelo filho de Bush, George W. Bush. Mas, em 11 de setembro de 2001, Bin Laden está pronto. Agentes da Al Qaeda sequestram quatro aviões comerciais e pilotam dois deles de encontro ao World Trade Center, uma edificação com duas torres gêmeas de 110 andares na cidade de Nova York. (O terceiro avião é conduzido na direção do Pentágono, em Washington, enquanto os passageiros no quarto avião se rebelam e o fazem cair na Pensilvânia.) O ataque, o mais devastador em solo americano desde Pearl Harbor, deixa mais de 2,7 mil mortos em meio a chamas e nuvens de fumaça. Esta é a primeira jornada: conectando cavernas no Afeganistão com torres gêmeas em Nova York.

Quando a Guerra Fria terminou, aumentaram as esperanças de que uma era mais calma substituiria o mundo de superpotências duelando e a ameaça de uma bomba atômica. Em vez disso, surgiu um tipo diferente de conflito. A Al Qaeda não era uma superpotência. Não tinha um estoque de mísseis, tanques ou exércitos numerosos. Sua arma era o terror, uma tática dos fracos e desesperados, e não dos poderosos. Mas o terrorismo é capaz de disseminar o caos em um mundo tão conectado. Tal mundo depende de economias estáveis, redes elétricas fornecendo energia e redes de transporte levando e trazendo pessoas com rapidez e segurança. O World Trade Center fervilhava de conexões globais. Cidadãos de mais de cinquenta países morreram no ataque de 11 de Setembro, e o mundo veiculou a notícia. A televisão britânica estava no local quando o segundo avião atingiu as torres; a TV Azteca, no México, televisou a declaração do presidente Bush; a Televisão Central da China começou a cobertura logo em seguida. O mundo, e não só a nação, sentia que fora atingido por uma tragédia.

Osama bin Laden foi levado a se esconder, e seu paradeiro foi desconhecido durante anos. A inteligência norte-americana finalmente o perseguiu até um esconderijo no Paquistão e, em 2011, os SEALs – forças de operações especiais da marinha dos Estados Unidos – realizaram um ataque de helicóptero, matando-o durante o assalto. Mesmo se escondendo do mundo, Bin Laden assistira à TV via satélite e dependia de computadores e discos rígidos. Tanto na morte quanto em vida, sua jornada demonstrou as conexões inesperadas do mundo moderno – e as ameaças que tais conexões podem trazer.

Do outro lado do mundo, um jovem muito diferente, Juan Chanax, começou uma jornada. Nascido em 1956, um ano antes de Bin Laden, Chanax vivia nas montanhas ocidentais da Guatemala. Dois mil anos antes, seus ancestrais haviam construído uma das primeiras civilizações do continente. Agora, os maias em seu vilarejo trabalhavam como lavradores em terraços agrícolas ou como tecelões, como Chanax e seu pai. Juan ouviu histórias de habitantes que partiram para o norte em busca de trabalhos mais bem remunerados. Ele sabia pouco dos Estados Unidos, mas vira fotos impressionantes de astronautas e edifícios altos. Seus parentes tinham poucas coisas boas a dizer do lugar. "Tudo que você come lá vem em lata, e o único emprego que eles te dão é varrer lixo." Chanax decidiu ir mesmo assim. Ele deixou seu vilarejo em um dia de 1978, às 5h da manhã, lembrando um pouco Ben Franklin, que havia partido de Boston para a Filadélfia levando tão pouco. Juan trouxe apenas uma mala pequena com duas calças, duas cuecas e uma camisa. Isso, e o número de telefone de duas mulheres de sua cidade que haviam se mudado para os Estados Unidos.

No caminho ele foi roubado, então pego duas vezes pela Patrulha Fronteiriça dos Estados Unidos enquanto tentava atravessar o Rio Grande a partir do México. Mas ele continuou tentando e, uma vez em Houston, conseguiu emprego na rede de supermercados Randall's, empacotando compras e limpando o chão. Ele era querido e ganhava dinheiro suficiente para enviar para casa cem dólares por semana, para surpresa de sua família. Quando o Randall's precisou de outro funcionário, Chanax imediatamente contatou seu tio. E quando outra vaga apareceu... e outra... Juan avisou a família novamente. No fim, as pessoas no Randall's aprenderam a vir até ele sempre que precisavam de bons funcionários. Em quinze anos, 2 mil guatemaltecos – de uma população de 4 mil em seu vilarejo – haviam seguido Juan até a América. A maioria deles se estabeleceu em um subúrbio de Houston chamado Las Americas. Com o tempo, eles fundaram três igrejas separadas. Juan Chanax fundou uma liga de futebol que se expandiu gradualmente para englobar 26 times.

Esta foi uma rede de um tipo diferente: uma conexão de aldeões e parentes por 2,5 mil quilômetros, unidos por cartas, telefonemas, boca a boca, vales postais e camas extras em salas de estar. Os historiadores a chamam de corrente migratória, onde um pioneiro abre um caminho que é seguido por outros de seu país de origem. É claro, os irlandeses e os alemães seguiram caminhos similares nos anos 1840, bem como os eslavos, os chineses e muitos outros povos meio século depois. Então, o fluxo se tornou tão intenso que o Congresso aprovou leis restringindo a imigração durante e após a Primeira Guerra Mundial. Como o ímpeto por segregação e "pureza" norte-americana se disseminou durante aqueles anos, um novo sistema de cotas passou a limitar o número de pessoas admitidas de cada país. As nações do norte da Europa eram favorecidas; as do sul e do leste, não.

Mas as reformas da Grande Sociedade de Lyndon Johnson finalmente superaram esses limites, abrindo caminho para novos imigrantes da Ásia e da América Latina, além dos da Europa. A revolução de Fidel Castro levou muitos cubanos a procurar refúgio na Flórida. Os imigrantes mexicanos foram acompanhados, nos anos 1980, por novos grupos da América Central. Também, a Guerra do Vietnã perturbou o Sudeste Asiático, fazendo com que meio milhão de pessoas fugissem para a América. Antes disso, a maioria dos norte-americanos asiáticos vieram do Japão, da China ou das Filipinas. Depois da guerra, somaram-se asiáticos da Índia, do Camboja, de Laos, do Vietnã e da Coreia. Em 2010, viviam nos Estados Unidos mais latinos do que afro-americanos, bem como 1,5 milhão de hindus e aproximadamente a mesma quantidade de budistas.

Em uma nação tão diversa, passou a ser mais comum para os norte-americanos identificar conexões familiares espalhadas pelo mundo. Esta é a árvore genealógica de um cidadão: mãe nascida no Kansas, pai na África, padrasto na Indonésia. Um avô foi membro dos King's African Rifles, um regimento colonial britânico, na Primeira Guerra Mundial; outro avô foi sargento do exército norte-americano na Segunda Guerra Mundial. Uma avó havaiana, um bisavô irlandês, uma bisavó que era, em parte, ameríndia. E, é bem possível, um tataravô que foi um dos primeiros escravos na Virgínia. Estas são apenas algumas das relações familiares de Barack Obama, que em 2009 se tornou o primeiro presidente afro-americano dos Estados Unidos. As conexões globais de uma única família são um espelho da vida norte-americana e suas transformações ao longo do século XXI.

Ainda assim, há conexões que são mais abrangentes que uma corrente migratória e mais profundas que a caverna de um guerrilheiro. Uma mulher que chamou a atenção para elas estava terminando sua própria jornada mais ou menos na época em que Juan Chanax e Osama bin Laden cresceram. Durante duas décadas, Rachel Carson ganhou fama como uma autora de livros sobre a natureza que fez bosques, litorais escarpados e poças de marés ganharem vida para os leitores. "Você passa a se interessar genuinamente por todo tipo de criatura espinhosa e coberta de limo", comentou um crítico do *New York Times* sobre um de seus livros. O encanto não estava apenas nos detalhes sobre esta água-viva vermelha ou aquele caranguejo-espinhoso. Carson pintava o cenário mais amplo: o modo como cada criatura é parte da "trama intrincada" da natureza. Mudar uma parte da cadeia da vida poderia alterar todo o resto de maneiras inesperadas. "Na natureza, nada existe sozinho", ela insistia. Um pouco para sua surpresa, no fim dos anos 1950 ela se viu trabalhando em um projeto muito menos propenso a agradar seus leitores amantes da natureza – um projeto que ela chamou de "o livro dos venenos".

Naquela época, os Estados Unidos haviam se tornado a maior superpotência do mundo, e seus cientistas olhavam com confiança para o futuro. Eles haviam dividido o átomo e usado sua energia – para fabricar bombas, sim, mas também sonhando com usinas nucleares e talvez, um dia, até mesmo automóveis e navios espaciais atômicos.

Os laboratórios de pesquisa estavam produzindo uma gama de novas substâncias químicas, incluindo o inseticida DDT, que prometia erradicar doenças como a malária, disseminada por mosquitos. O slogan da empresa química DuPont dizia tudo: "Coisas melhores para viver melhor... através da química". Nas praias, caminhões borrifavam nuvens de DDT enquanto crianças brincavam em sua fumaça. "Inofensivo para os humanos", dizia uma placa no caminhão. Aviões pulverizadores derramavam produtos químicos ainda mais fortes em fazendas do sul para exterminar formigas-de-fogo. Os insetos poderiam ser exterminados? "Respondo a essa pergunta com um rotundo 'sim'", vangloriava-se uma autoridade agrícola.

Enquanto Rachel Carson escrevia sobre a natureza, ela não pôde evitar ouvir histórias sobre essas substâncias químicas. Uma amiga relatou dezenas de passarinhos morrendo ao redor de seu comedor depois que aviões borrifaram inseticida em um santuário de pássaros próximo dali. Ela se correspondeu com físicos cuja pesquisa indicava que os pesticidas podiam causar leucemia e outros tipos de câncer em humanos. Então ela começou o trabalho mais desafiador da sua vida. Era difícil, em parte, porque ela sabia que a indústria química, e inclusive muitos cientistas, atacariam duramente suas afirmações de que os produtos químicos fabricados pelo homem estavam alterando o equilíbrio da natureza. E ainda mais difícil porque descobriu que ela própria estava morrendo de câncer. Apesar da náusea e da fadiga em consequência do tratamento radioativo e da cirurgia, ela seguiu em frente. Quando *Primavera silenciosa* foi publicado em 1962, os críticos a chamaram de "oportunista", "pseudocientista", "solteirona sem filhos" e "provavelmente uma comunista". Mas Carson não se deixou abalar por seus detratores, depondo no Congresso e recebendo muitas honras e prêmios antes de a doença levá-la, dois anos depois. Os amigos espalharam suas cinzas por seu amado rio Sheepscot, na costa do Maine – "Aqui, finalmente, de volta ao mar", diz uma placa.

Sua campanha foi apenas o início de uma jornada mais longa para os norte-americanos. Outros também se dedicaram a investigar como os humanos haviam abusado da terra e do ar. A fumaça das fábricas e os poluentes do escapamento dos carros pairavam sobre as cidades. Dejetos químicos eram descartados nos rios. Havia tanta poluição no rio Cuyahoga, em Ohio, que o próprio rio pegou fogo em 1969. Mas isso não era novidade. O Cuyahoga pegava fogo regularmente: em 1868, 1883, 1887, 1912, 1936, 1941, 1948 e 1952. As indústrias privadas tinham pouco incentivo para limpar seus dejetos tóxicos, pois não lhes custava nada usar o ar e os rios como depósitos de lixo. Tanto o liberal Lyndon Johnson quanto Richard Nixon, mais conservador, reconheceram que o governo precisava agir para proteger o interesse público. O Congresso aprovou leis estabelecendo a Agência de Proteção Ambiental, bem como padrões de pureza para a água e o ar.

Mas o mundo se vê ameaçado por mais do que focos de poluição. Os cientistas usaram sensores climáticos em terra e no mar para monitorar as temperaturas e satélites espaciais para registrar o tamanho das calotas polares do planeta. Em 2014, cerca de trezentos cientistas norte-americanos computaram as pesquisas de outros milhares. O clima da Terra está se aquecendo, e os humanos "são hoje a principal causa das mudanças recentes e futuras". O aumento ocorre porque as termoelétricas a carvão e os motores a gás lançam no ar dióxido de carbono, e este age de modo a reter o calor na atmosfera. Ao mesmo tempo, as florestas – que absorvem dióxido de carbono – estão sendo derrubadas. Os efeitos do aquecimento global podem ser vistos no número cada vez maior de fenômenos climáticos extremos: queimadas causadas pela seca, inundações causadas por furacões. "Parece que temos a tempestade do século a cada ano", comentou o governador de Nova York. À medida que as calotas polares derretem, o nível dos oceanos sobe. Os cientistas preveem que, no fim do século XXI, cidades costeiras em todo o mundo – de Miami, na Flórida, a Ho Chi Minh, no Vietnã, passando pela Alexandria, no Egito – sofrerão inundações.

"Era agradável, para mim, acreditar", escreveu Rachel Carson, "que grande parte da natureza estava fora do alcance da mão intrometida do homem – ele podia derrubar as florestas e represar os rios, mas as nuvens e a chuva e o vento eram de Deus". Não é assim – não em um planeta em retração, onde o humano e o selvagem estão cada vez mais conectados. Como afirmou Carson, "o presente está conectado com o passado e com o futuro, e cada ser vivo com tudo que o cerca". Essa conexão entre passado e futuro é assunto do nosso último capítulo.

40
O PASSADO PEDE MAIS

COMO VOCÊ FAZ HISTÓRIA? Esta foi a pergunta que iniciou este livro, e então afirmei que se pode fazer história vivendo-a ou escrevendo-a. Mas esta não é uma questão de uma coisa *ou* outra. Fazer história vivendo-a – *agir* – requer saber de onde você vem, pois o passado deu forma a cada um de nós. Portanto, ainda que não escrevamos história, nós reunimos histórias sobre quem somos, as coisas em que acreditamos e os princípios que valorizamos. Por mais estranho que possa parecer, para avançar é preciso olhar para trás.

Isso é *como* fazemos história. Mas por quê? Por que gastar tanto tempo no passado?

A primeira resposta é simples, mas verdadeira: porque o tempo gasto é muito fascinante. A "maldita raça humana", como um dia a chamou Mark Twain, é incessantemente inventiva. Mesmo os melhores romancistas teriam dificuldade para inventar as coisas que as pessoas reais fazem. William Bradford enfia o pé em uma armadilha para cervo em seu primeiro dia explorando a América. Jonathan Edwards observa aranhas lançando suas teias na brisa, ao passo que o jovem Benjamin Franklin usa a mesma brisa suave para ser levado por uma pipa até o outro lado de um lago. Quando bebê, Andrew

Carnegie comia seu cereal com duas colheres, pedindo "*Mair! Mair!*".
Um conquistador escreve seu slogan: *Mais e mais e mais e mais*. Os holandeses expulsam os suecos de sua fortaleza levando balas na boca. Cai sujeira na cabeça dos senadores quando os visitantes apoiam os pés na sacada. Charles Sumner é espancado até cair inconsciente no chão do Senado. Um guarda-freios sobe com dificuldade a escada do trem enquanto a neve redemoinha entre suas pernas. Uma garota de oito anos chamada Phoebe corta o polegar em uma fábrica de sardinhas. Harriet Tubman carrega um par de galinhas vivas para distrair aldeãos desconfiados, evitando que percebam os fugitivos que ela lidera para o norte. Jay Gould compra todas as vacas em Buffalo para passar a perna em Cornelius Vanderbilt. Teddy Roosevelt desce seus filhos por uma corda do segundo andar da mansão do governador. Os habitantes da Filadélfia suspendem um garoto acima de George Washington para colocar uma coroa de louros em sua cabeça. Meninas jogam astrágalo no Velho Mundo; meninos compram anéis atômicos Kix no Novo. Soldados avançam a duras penas rumo às praias da Normandia no Dia D em 1944. Mil crianças marcham de encontro ao perigo em nome do dr. King no Dia D Duplo em 1963, Pássaros migrando guiam Colombo à América. Pássaros moribundos levam Rachel Carson a alertar sobre os perigos na Terra. Quinhentos anos surpreendentes. Uma pessoa poderia passear demoradamente por esses campos elísios.

Mas o passado pede mais de nós. Incita-nos a pensar com mais cuidado sobre certas ideias que circundam nossa história, aparecendo regularmente até mesmo em lugares inesperados. Martin Luther King não sabia que estava prestes a fazer história quando dirigia acompanhado de um amigo, Elliott Finley, para a primeira reunião sobre o boicote aos ônibus em Montgomery. O tráfego ficou cada vez pior, e os dois homens abandonaram o carro e começaram a caminhar. Então lhes ocorreu: a *reunião* havia causado o congestionamento. "Sabe de uma coisa, Finley", King falou, "isso pode se transformar em algo grandioso." A história é mais do que narrativas fascinantes; pode ter vastas consequências pessoais. Pode se transformar, como King descobriu, em algo grandioso.

Duas grandes ideias ecoam pela história norte-americana, dando voltas e sempre retornando: *liberdade* e *igualdade*. E as duas são unidas, como a própria nação, pelo lema gravado pela primeira vez no Grande Selo em 1782: *E pluribus unum*. Somos livres, somos iguais, somos um. As palavras ecoam com tanta frequência que são tidas como fato consumado.

Mas o lema parece uma impostura. Quando, na história humana, as terras que formam os Estados Unidos foram verdadeiramente uma só? Colombo deitou âncora à beira de um continente já dividido entre centenas de culturas e línguas nativas. A chegada de europeus e africanos ao longo dos três séculos seguintes só incrementou a colcha de retalhos. Yamasees, iroqueses, arapahos, pueblos, chumashs, espanhóis, franceses, ingleses, holandeses, suecos, escoceses, ibos, gambianos, angolanos e tantos outros. À medida que a república cresceu, o fluxo também cresceu, trazendo irlandeses e alemães e, mais tarde, poloneses, eslavos, russos, italianos, chineses e japoneses. A última onda foi verdadeiramente global, abarcando indianos, tailandeses, vietnamitas, filipinos, mexicanos, salvadorenhos e guatemaltecos. Poderemos verdadeiramente criar um de tantos?

Mas esse foi o sonho, desde o primeiro contato em 1492. Os europeus evocaram as histórias de uma era dourada em que todos os povos viviam juntos como um: inocentemente e em paz. Colombo daria aos índios gorros vermelhos e contas de vidro e os faria usar o tipo de roupa adequado; e os índios lhe dariam ouro e se tornariam cristãos e trabalhariam com afinco. Ou pelo menos foi isso que Colombo desejou. Os puritanos sonharam com uma comunidade santa em que os santos governariam e os forasteiros entre eles aprenderiam a retidão. Jonathan Edwards viu o Grande Despertar como o primeiro fruto "daqueles tempos gloriosos" previstos nas escrituras, quando as divisões e os conflitos desapareceriam. Esses sonhos de unidade e harmonia instigaram os povos da América durante séculos.

Mas as divisões não desapareceram. Madison refletiu demorada e cuidadosamente sobre o problema enquanto elaborava a Constituição. Uma república sempre teria divisões, concluiu – facções foi o termo que ele usou. E elas surgiam não só porque as pessoas vinham de diferentes partes do mundo. As causas da facção foram "semeadas na natureza do homem". Os humanos cometem erros ao analisar as coisas. Suas paixões são despertadas facilmente. São influenciadas por "amor próprio", que os cega para os pontos de vista de outros. O que é mais importante, as pessoas naturalmente se dividem por causa de suas circunstâncias diferentes na vida. Na maioria das vezes, disse Madison, as divisões surgem por causa da "distribuição variada e desigual da propriedade. Os que têm e os que não têm propriedades sempre formaram interesses distintos na sociedade. Os que são credores e os que são devedores (...) Um interesse agrário, um interesse manufatureiro, um interesse mercantil (...)". Era ilusão acreditar que os humanos encontrariam uma era dourada tão gentil, um milênio tão pacífico ou uma comunidade tão santa que os desentendimentos desapareceriam. Ou, como colocou Madison, governo algum jamais conseguiria dar "a cada cidadão as mesmas opiniões, as mesmas paixões e os mesmos interesses".

Não, para haver uma "união mais perfeita" entre os povos e as províncias dos Estados Unidos seria necessário um governo que permitisse às facções exercitar seus diferentes interesses – por meio do debate, de um sistema justo de representação, de compromissos, da aprovação de leis. O truque era colocar tudo isso na Constituição e ainda se ater aos valores que a Declaração da Independência havia proclamado: *liberdade* e *igualdade.*

No início, até Madison teve esperança de que tal sistema funcionasse sem necessidade de partidos políticos para representar os diferentes grupos de interesse. Mas isso também se mostrou uma era dourada inalcançável. Depois da Guerra de 1812, o Partido Federalista desapareceu. Mas quando chegou ao fim a presidência de James Monroe – o último dos Pais Fundadores –, surgiu um novo sistema de partidos políticos. Como reconheceu Martin van Buren, os partidos vieram para ficar. Eles deram energia à nova democracia e levaram mais eleitores às urnas do que em qualquer momento anterior. As "pessoas comuns" tinham convicções sobre o que significava ser livre e igual. Por que somente aqueles que possuíam uma certa quantidade de propriedade deveriam ter o direito de votar? Por que os norte-americanos comuns não deveriam se candidatar às eleições, em vez de apenas os abastados? E, alguns poucos ousaram perguntar, por que as mulheres não deveriam ser livres para votar? Elas não eram iguais aos homens?

Os norte-americanos menos livres, é claro, eram os escravos. Madison, um sulista, percebeu desde o início que o maior perigo da União vinha da divisão entre os estados do Norte e do Sul, "principalmente dos efeitos de se ter ou não ter escravos". Washington foi para o túmulo convencido de que "somente o fim da escravidão poderia perpetuar a existência da nossa união". Não só o fato de que a escravidão privava os acorrentados da liberdade e da igualdade que todo indivíduo merecia. A instituição da escravidão também conferia aos donos de propriedade humana uma boa dose de riqueza e poder. Permitia a consolidação de um forte grupo de interesse, determinado a manter a escravidão. É estranho: enquanto os Estados Unidos ficavam mais democráticos na era de Andrew Jackson, a escravidão também ficava mais forte e mais arraigada a cada acre de algodão plantado no Sul e a cada jarda de tecido fabricado à máquina no Norte.

Com o tempo, os Estados do Norte aboliram a escravidão, e esta se tornou a instituição peculiar do Sul. Os partidos se esforçaram para chegar a compromissos, traçando fronteiras: os Estados escravistas de um lado e os Estados livres do outro. Mas o sistema federal da Constituição não foi capaz de resolver o conflito, mesmo quando as fronteiras foram retraçadas repetidas vezes: o Compromisso dos Três Quintos, o Compromisso do Missouri, a Lei Kansas-Nebraska, o Compromisso de 1850. As fronteiras tratavam de liberdade e igualdade – e nunca foram respeitadas. Os próprios escravos as cruzavam regularmente, votando com os pés. Apenas um conflito sanguinário poderia resolver o desacordo e salvar a União. A Guerra Civil foi o maior fracasso do sistema político.

Além da escravidão, Madison destacou a distribuição desigual da propriedade em geral. E o abismo entre norte-americanos ricos e pobres aumentou drasticamente depois da Guerra Civil, quando os novos sistemas industriais possibilitaram que o país se tornasse mais rico e mais poderoso do que qualquer outra nação no mundo. Os capitães da indústria que ascenderam ao topo desse novo monte elogiavam o *laissez-faire*, a política de não intervir nas atividades dos indivíduos. Eles haviam se tornado esplendidamente prósperos por meio de sorte e coragem, por meio da sobrevivência dos mais aptos. Não era isso o que significava igualdade de oportunidades? "Todo homem deve ser livre para se tornar tão desigual quanto puder."

O "Daft" Andrew Carnegie, como Ragged Dick, mostrou o que um menino de sorte podia alcançar; e, ao chegar à idade avançada, ele foi generoso com os ricos, doando milhões. "Um homem que morre rico, morre desgraçado", falou.

Mas quando a depressão dos anos 1890 deixou milhões desempregados, sem casa ou mesmo passando fome, pessoas como Jacob Coxey imploraram para que o governo agisse. Seu chamado remetia à visão de comunidade santa de John Winthrop, uma comunidade unida pelo bem comum. As oportunidades dificilmente poderiam ser consideradas iguais quando as pessoas careciam do básico para sobreviver ou não tinham a chance de uma educação decente, nem quando grandes corporações usavam seu poder para eliminar empresas menores e a livre concorrência. Até mesmo Carnegie admitiu que o governo necessitava "legislar em nome dos trabalhadores, porque sempre são os piores empregadores que têm de ser coagidos a fazer o que empregadores honestos fariam de bom grado". Os progressistas, os defensores do New Deal e os reformadores da Grande Sociedade, todos concordavam com Franklin Roosevelt que a definição de liberdade deveria ser ampliada. "A verdadeira liberdade individual não pode existir sem independência e segurança econômica."

O padrão de crescimento seguido de recessão se repetiu desde a primeira febre por tabaco na Virgínia. Mas os altos e baixos se tornaram cada vez mais acentuados e assustadores. A depressão de 1892 excedeu todas as anteriores porque os sistemas que impulsionavam a grande indústria se tornaram mais conectados. O fracasso de um grande banco ou fábrica levava muitos mais à ruína. Então, as nações imperiais da Europa, em sua própria disputa por mais e melhor, submergiram na Grande Guerra e arrastaram consigo os Estados Unidos. Quando as armas enfim silenciaram, Woodrow Wilson prometeu uma paz que colocaria fim a todas as guerras – mas não. O padrão se repetiu. A economia pujante dos anos 1920 produziu automóveis e aparelhos de rádio e criou um padrão de vida até então sem igual, seguido de uma quebra e uma depressão também jamais igualadas, culminando em uma guerra mundial incomparável a qualquer outra na história humana. Depois de 1945, outro *boom* começou, desta vez acompanhado de carros rabos de peixe e aparelhos de TV. Durante um mês apavorante em 1962, a maldita raça humana parecia pronta para se jogar no abismo de uma guerra nuclear. Em vez disso, a Guerra Fria eclodiu, finalmente exaurindo os Estados Unidos no Vietnã e a União Soviética no Afeganistão.

Como podemos impedir que o ciclo se repita novamente? E ainda assegurar nossa liberdade e igualdade? Em 1910, Teddy Roosevelt alertou sobre a brecha entre ricos e pobres; entre os trabalhadores comuns e a "pequena classe de homens extremamente ricos e economicamente poderosos, cujo principal objetivo é preservar e aumentar seu poder". Um século depois de Roosevelt, essa brecha havia retornado, tornando-se maior do que em qualquer outro momento na história da nação. Em 2010, metade das famílias norte-americanas detinha, coletivamente, apenas um por cento da riqueza do país. Os trabalhadores norte-americanos consideravam mais difícil progredir – trocar um colarinho azul por um colarinho branco – do que os trabalhadores na maioria dos outros países desenvolvidos. A igualdade de oportunidades parecia ameaçada.

Quanto à liberdade, esta era mais fácil de definir nos dias de Ben Franklin. Você podia votar com os pés, fugindo para começar uma vida nova, como fizeram Franklin e muitos outros aprendizes e escravos. Mas à medida que o mundo foi se tornando mais conectado esse tipo de liberdade passou a ser mais difícil de encontrar. Não é só que a precipitação radioativa pode atingir qualquer lugar, nem que o centro de negócios do mundo pode ser atingido a partir de cavernas do outro lado do planeta. Essas ameaças são preocupantes, mas a maior ameaça de todas é a que nós, humanos, representamos para nós mesmos. Estamos constantemente aquecendo o planeta em que vivemos. O perigo vem aumentando de forma gradativa, mas tem o poder de criar não um paraíso na Terra, mas um inferno.

Estamos determinados a impedir esse ciclo final de se repetir? Os Estados Unidos são considerados uma nação excepcional, e de fato somos, embora talvez não do modo como imaginamos. É muito comum que as nações se considerem excepcionais. "Deus escolheu vocês", a Bíblia disse aos hebreus, "para ser um povo (...) acima de todos os povos que estão na face da Terra." Os astecas se consideravam escolhidos por uma entidade divina, bem como os holandeses e os britânicos, para citar apenas alguns. Certamente os norte-americanos são excepcionais em *se gabar* do quanto são excepcionais – como reconheceu o humorista Finley Peter Dunne em 1898. Às vésperas da Guerra Hispano-Americana, Dunne escreveu uma série de histórias sobre um barman irlandês americano fictício, o sr. Dooley, incluindo uma em que seu amigo Hennessey declara, resoluto, que os norte-americanos são um grande povo. "Nós somos", o sr. Dooley concorda, em seu magnífico sotaque irlandês. "E o melhor de tudo é que sabemos que somos." É fácil demais para um povo escolhido pensar em si mesmo como diferente, melhor, mais puro. Mas esse caminho leva à separação, e não à união. Para permanecer puro, melhor se isolar em um assentamento menor, onde todos pensam o mesmo. Roger Williams tentou, mas logo descobriu o problema de se fazer da pureza uma tarefa do Estado. Uma visão mais verdadeira da união norte-americana é a de Walt Whitman: esta é "não só uma nação, mas uma nação proliferante de nações". Os Estados Unidos são excepcionais porque sua união continental é política. Acolhe a diversidade. Não é uma união baseada em todos os cidadãos pensando da mesma forma.

Somos livres, somos iguais, somos um. O passado nos convoca a pensar até que ponto isto é assim. Olhando para trás, reconhecemos a sabedoria daqueles antes de nós; do contrário, por que se ocupar da história? Mas o respeito não é cego. "Alguns homens olham para as constituições com reverência devota, e as consideram a arca da Aliança, sagradas demais para serem tocadas", Jefferson escreveu em 1816. "Eles atribuem aos homens de épocas anteriores uma sabedoria mais do que humana." Ele entendeu que "conforme novas descobertas são feitas, novas verdades reveladas (...), as instituições também devem avançar e acompanhar os novos tempos. Também poderíamos requerer que um homem continue vestindo o casaco que lhe servia quando menino".

O mundo que habitamos certamente inclui perigos que a geração dos Pais Fundadores não poderia ter previsto. E o sistema político norte-americano, tal como se desenvolveu, parece tão dividido, tão desconectado de um mundo intimamente conectado que o termo *impasse* é aplicado com frequência. A união se manterá? Descobriremos novas maneiras de continuar livres e iguais e um?

Basta de perguntas. O passado pede mais de nós porque o futuro merece mais. A história agora é sua, para escrever e para viver. É com você.

Agradecimentos

Para mim, escrever história foi, muitas vezes, uma atividade colaborativa. A lista de colegas e coautores com quem trabalhei ao fazer histórias americanas é longa demais para ser incluída, sem falar nas centenas de acadêmicos em cujo trabalho me apoiei ao escrever esta narrativa. Mas tenho uma dívida particular de gratidão para com aqueles que leram o manuscrito desta *Pequena história*: Mark Lytle, Christine Heyrman, Michael McCann, John Rugge, Ken Ludwig, Mary Untalan e Antonia Woods. Chris Rogers, meu amigo e fiel editor na Yale Press, proporcionou mais de uma leitura atenta, ao passo que Margaret Otzel e Erica Hanson me auxiliaram no processo de produção. Meu agradecimento especial a Gordon Allen. Há quarenta anos, ele fez as ilustrações para meu primeiro livro, um guia para canoagem de aventura escrito com John Rugge. É especialmente gratificante tê-lo de volta, lápis em punho, uma vez mais.

ÍNDICE REMISSIVO

A cabana do pai Tomás (Stowe), 153
"a fé sozinha", 31-32
A selva (Sinclair), 220
abatedouros, 195, 204, 220, 231
abolicionismo 125, 135-138, 270, 283
abrigos antibombas, 262
abuso de álcool, 135
açúcar, 46, 53, 73, 90, 124, 176, 265
Adams, Abigail, 84-85
Adams, John, 89, 92, 107, 149
    afinidade com os britânicos, 80-81, 102, 103
    como presidente, 104
    como vice-presidente, 99
    morte de, 115
    mulheres na visão de, 85
Adams, John Quincy, 117-118
Adams, Samuel, 79, 81, 98
Addams, Jane, 216-217, 243
Afeganistão, 293, 295, 296, 308
AFL (Federação Americana do Trabalho), 189
África do Norte, 247, 249
África, 2, 16, 20, 224, 304
    comércio de escravos na, 53, 58-59, 73
    durante a Segunda Guerra Mundial, 247, 249, 250
    governo árabe na, 3
    afro-americanos, 112, 122, 155, 183
    direitos civis para os, 270-279
    direitos negados aos, 120, 170, 215, 274-275
    na cidade de Nova York, 59
    na força de trabalho, 159
    na Guerra de 1812, 110
    no Exército Continental, 90, 91
    no exército da União, 160
    visão dos nortistas sobre os, 130, 152-153
    votação dos, 173, 215, 274-275, 276, 284
    Ver também pessoas libertas; escravidão
Agência Central de Inteligência (CIA), 266
Agência de Proteção Ambiental, 301
Al Qaeda, 296
Alabama, 121, 124, 271, 272, 273, 275-276
Álamo, 142
Albany, NY, 89, 132
Aldrin, Buzz, 294
Alemanha Ocidental, 259
Alemanha Oriental, 259
Alemanha, 256
    ascensão de Hitler ao poder na, 245-246
    bombardeio da, 252
    expansão territorial da, 247-248, 249-250

França atacada pela, 247-248
  na Batalha da Grã-Bretanha, 248
  na Primeira Guerra Mundial, 227, 228, 246
  partição da, 259
alfabetização, 41, 127, 173, 284
Alger, Horatio, 206-207, 209, 292
algodão, 124
Allen, Ethan, 87
alojamentos, 196
Alpes, 6
Altgeld, John, 211
América do Norte, descoberta e colonizada pela, 1, 3, 17-29, 67
anglicanos, 39, 43
antifederalistas, 98
anulação, 121, 122
apaziguamento, 247
aquecimento global, 301
Arábia Saudita, 295, 296
Arizona, 13, 14, 67, 152, 202
Arkansas, 158, 274
armas nucleares, 252, 258-260
armas, 140, 224
Armstrong, Neil, 294
Arnold, Benedict, 87
ARPANET, 294-295
arroz, 53, 58, 138, 176
Arthur, Chester, 205
artigos da Confederação, 93-95, 98
Ásia, 53, 298
Associação Nacional para o Progresso de Pessoas de Cor (NAACP), 271, 272, 273
Associação Protetora Americana, 215
astecas (mexicas), 13, 14, 20-22, 25, 33-34, 308
ataques de 11 de setembro, 296-297
Atchison, David Rice, 153
Atlanta, 164
Austin, Stephen, 139, 140, 142
Austro-Húngaro, Império 227
Áustria, 108, 247
automóveis, 233-234, 265
autopistas, 234, 265

Autoridade do Vale do Tennessee (TVA), 242-243
Aventuras de Huckleberry Finn, As (Twain), 201
avivamento, 133, 135

baby boom, 265, 282
baía de Chesapeake, 46-47, 49, 51, 91
baía dos Porcos, 266
Balboa, Vasco Núñez de, 19-20, 22
Baltimore, 109, 168
bananas, 225
Banco dos Estados Unidos, 119-120
Banco Nacional de Kentucky, 238
bancos, 210, 214, 218, 227, 238, 241, 243
barcos a vapor, navios a vapor, 116, 124, 132, 138, 140, 224
Barré, Isaac, 76-77
Beisebol, 215
Batalha da Grã-Bretanha, 248, 250
Batalha de Little Bighorn, 202
batata, 24
Bell, Alexander Graham, 179
Berkeley, William, 49, 52
Berlim, 259
Beveridge, Albert, 226
Bin Laden, Osama, 295-296, 297, 299
bisão, 11, 29, 139, 140, 198-200, 201, 204
Black Hills, 202
Boêmia, 54
boicote à uva, 281
boicote em ônibus de Montgomery, 272-273, 303
Bolsa de Valores de Nova York, 181-182, 235, 239
bolsa de valores, 181-182, 235-236
bomba atômica, 252, 258-260
bombas incendiárias, 252
bondes elétricos, 194
Booth, John Wilkes, 169
Boston, 77, 79, 153
Bowery Boys, 191
Braddock, Edward, 72

ÍNDICE REMISSIVO

Bradford, William, 38, 39, 40-41, 43
Brasil, 54, 224
Brook Farm, 134, 281
Brooks, Preston, 154
Brown contra o Conselho de Educação, 272, 280
Brown, Henry, 150
Brown, John, 154, 155
Brown, Linda, 271-272
Brown, Oliver, 271-272
Bryan, William Jennings, 214
"Bucktails," 117
budistas, 298
Buffalo, NY, 132
Bulgária, 227
Bull Run, Batalha de, 158
Bunker Hill, 86
Burgoyne, John, 89
Burr, Aaron, 105, 108
Bush, George H. W., 296, 297
Bush, George W., 296, 297
Butler, Andrew, 154

Cabeza de Vaca, Álvar Núñez, 27-28
café, 46
Cahokia, 15
Califórnia:
    colonização da, 141, 142, 143, 147, 198, 239
    corrida do Ouro na, 200
    exploração da, 35
    independência da, 146
    índios na, 201
    oposição à escravidão na, 152, 153
    protestos de estudantes na, 281-282
    trabalhadores rurais na, 280-281
Calvino, João, 32, 33, 34, 41, 65, 134
Camboja, 290, 298
Canadá, 6, 8-9, 67, 109, 140, 256
Canal de Erie, 132, 140
Canal do Panamá, 226-227
Cape Cod, Massachusetts, 38-39, 43
Caribe:
    cultivo de açúcar no, 46, 90, 135, 176
    escravidão no, 58, 59, 90

exploração europeia do, 8, 18, 19, 35, 203
forças britânicas no, 72, 73
Carlos I, rei da Inglaterra, 54, 100
Carlos II, rei da Inglaterra, 54, 56
Carlos V, Sacro Imperador romano, 28, 33-34
Carmichael, Stokely, 279
Carnegie, Andrew, 182, 184, 187, 303
    como estrategista, 181, 223-224
    como filantropo, 307
    darwinismo social abraçado por, 208-209
Carolina do Norte, 35, 53, 158, 274
Carolina do Sul, 97, 175
    anulação proclamada pela, 121-22
    cultivo de algodão na, 124
    cultivo de arroz na, 53, 58, 124
    população negra na, 59
    secessão da, 156
Carson, Rachel, 299-300, 301, 303
Carter, Jimmy, 291, 293
caso Watergate, 290-291
Castillo (conquistador), 27
Castro, Fidel, 265, 266, 268, 298
Catolicismo, 34
católicos, 31-34, 192, 215
Catorze Pontos, 228-229
Cáucaso, 6
Caucus, 117
Cavaleiros do Trabalho, 188-189
cavalos, 10, 24, 140, 199
caxumba, 26
celofane, 231-232
Cemi (deus dos taínos), 18
Central Pacific Railroad, 178
chá, 46, 78-79, 224
Chamberlain, Neville, 247
Chanax, Juan, 297-298, 299
Charbonneau, Toussaint, 111
Charleston, Carolina do Sul, 53, 90, 158
Chávez, César, 280, 281
Chefe Joseph (líder da tribo nez--percés), 203

chegada à Lua, 294
Chicago, 177, 192-193, 195, 196, 204, 238, 279
Chicago, Burlington & Quincy Railroad, 184
China, 2, 3, 35, 224, 260, 298
  como potência naval, 16-17
  população da, 11
  projetos japoneses para a, 246, 247
  reaproximação com a, 289-290
  revolução comunista na, 256
Churchill, Winston, 248, 255, 256, 258
CIA (Agência Central de Inteligência), 266
cidade de Nova York, 11, 59, 78
  como capital federal, 99, 107
  conquista inglesa da, 54
  crescimento da, 190-191
  imigrantes na, 191-192, 196
  na Revolução Americana, 87, 89
"cidade no alto da colina", 43, 46, 65, 101, 213, 221, 292, 307
ciganos, 249
Cinco Nações, 70
Cinturão Negro, 124, 127
Civil Conservation Corps (CCC), 242
Civil Works Administration, 242
Clark, William, 110-111
classe média, 196-197, 216
Clay, Henry, 117-118
Clemens, Samuel, 200-201
Cleveland, Grover, 205, 213-214, 225
Clinton, Bill, 296
cobrança de impostos, 78, 223, 234, 239, 292
Colégio Eleitoral, 100, 104-105, 117, 149
colheitas de açúcar, 46
Colômbia, 227
Colombo, Cristóvão, 3-5, 15-16, 23, 30, 67, 101, 203, 295, 303, 304
  prisão de, 19
  índios na visão de, 17-18
  origens de, 1-2

colônia da Baía de Massachusetts, 41-42, 43, 54, 57
colônia de Plymouth, 40, 42
Colorado, 147, 152, 200
comércio de peles, 53, 67, 70, 139, 176, 187
Comitê de Atividades Antiamericanas (HUAC), 260
Comitê de Coordenação Estudantil da Não Violência (SNCC), 274, 275
Como sobreviver a uma bomba atômica, 261
Companhia das Índias Orientais, 79
Companhia de Jesus (jesuítas), 67
compra da Louisiana, 110, 114
Compromisso de 1850, 152, 306
Compromisso do Missouri, 150, 153, 306
Compromisso dos Três Quintos, 97, 149, 306
comunidade santa, 32, 33, 39, 41, 42, 65, 101, 134, 213
comunismo, 255-256, 258, 260-261, 264, 288
Concord, Massachusetts, 80
condado de Ohio, 66, 70, 71, 74
Conferência de Liderança Cristã do Sul (SCLC), 273, 275
Congresso Continental, 79, 80, 89, 92
  Segundo, 81, 82
Congresso da Confederação, 95
Congresso da Igualdade Racial (CORE), 273
Connecticut, 135
Connor, Eugene "Bull", 275-276, 277
Conquistadores, 19-29, 45, 67, 140, 176, 303
contenção, 258
Convenção Constitucional, 95-98, 148
Convenção de Seneca Falls, 137, 217
Convenção Mundial contra a Escravidão, 136
Convenção Nacional de Direitos da Mulher, 137, 217
Coolidge, Calvin, 233, 235

cordilheira das Cascatas, 6
cordilheira de Sierra Nevada, 6, 8, 178
cordilheira dos Andes, 24, 34
Coreia do Norte, 260
Coreia do Sul, 260
Coreia, 256, 260, 271, 298
Cornwallis, Charles, 90-91
Coronado, Francisco Vázquez de, 26
correntes migratórias, 298
corrida do ouro, 200
Cortés, Hernán, 20, 21, 22, 24, 25, 32-33
cortina de ferro, 256
Coureurs de bois, 67
Coxey, Jacob, 211, 213, 307
Crash de 1929, 236-237
crédito, 235, 237
Crockett, Davy, 116, 142
Crook, David, 250
Crook, George, 202
Cuba, 8, 225, 256, 298
    crise dos mísseis em, 265-269, 286
Custer, George Armstrong, 202

Desobediência civil, A (Thoreau), XII, 147
Dakota do Sul, 202
Darwin, Charles, 207
darwinismo social, 208
Davis, Jefferson, 158, 165
DDT, 300
De Lucena, Abraham, 54
De Soto, Hernando, 28, 29, 58, 198
Dead Rabbits (gangue de rua), 191
Debs, Eugene, 223
Décima Nona Emenda, 217, 231
Décima Terceira Emenda, 165
Décima Quarta Emenda, 171
Declaração da Independência, 52, 83, 84, 85-86, 92, 137, 226, 305
Declaração dos Direitos, 98, 104
"decretos negros", 170, 171, 172
deístas, 61, 65
Delaware, 93, 159

democratas-republicanos, 103-105, 117
democratas, 118, 120, 154, 164, 260, 288-289, 291
    durante a era progressista, 214, 223, 229
    durante a Reconstrução, 174-175
    durante o New Deal, 240-244
depressões, 119, 187, 214-215, 258, 307. *Ver também* Grande Depressão
desemprego, 238, 239
deserto de Sonora, 13
destino manifesto, 143
Dewey, George, 226
Dia D, 250, 260, 303
Dias, Bartolomeu, 3
Diem, Ngo Dinh, 286-287
diggers (escavadores), 56
Dinastia Ming, 17
direito divino dos reis, 62
disenteria, 49
Distrito de Columbia, 106, 107, 109, 151, 152, 159
divisão do trabalho, 185
Dix, Dorothea, 135
doença, 25-26, 28-29, 39, 49, 198
Dorantes (conquistador), 27
Douglas, Stephen A., 152, 153, 156
Douglass, Frederick, 127, 136, 137
Drake, Francis, 35
Du Sable, Jean-Baptiste-Point, 192, 196
Dunne, Finley Peter, 309
Dust Bowl, 238-239

E pluribus unum, XIII, 92, 105, 304
economias em crescimento, 176
    algodão, 124-125, 129, 270
    automóveis, 234, 265
    ciclos de crescimento e recessão, 187, 188, 307
    dos anos entre guerras, 234-235
    na Virgínia colonial, 45-51
    ouro, 200
    pós-Segunda Guerra Mundial, 255, 307

Edison, Thomas Alva, 179
Edwards, Jonathan, 63-64, 65, 101, 132, 302, 304
Egito, 108, 291, 301
Eguía, Francisco de, 25
Eisenhower, Dwight David, 261
    armas nucleares consideradas por, 264
    autoestradas interestaduais inauguradas por, 265
    como general, 250
    conflito coreano encerrado por, 260
    cruzada pelos direitos civis evitada por, 274
    emigrantes cubanos treinados por, 266
    intervenção no Vietnã conduzida por, 286-287, 288
Elizabeth I, rainha da Inglaterra, 35
embargo do petróleo árabe, 291
embargo, 109
Emerson, Ralph Waldo, 134, 147-148, 155
empresa DuPont, 300
empresas de capital aberto, 46
empresas de serviços públicos, 217-218
"engolidores de fogo", 152
epidemias, 25-26, 28-29, 39, 198
Equiano, Olaudah, 58-59
era dourada, 17, 22, 35, 101, 304, 305
Erie Railroad, 180
Erikson, Leif, 5
escoceses-irlandeses, 123
Escócia, 81, 112, 128
    protestantismo na, 34
escolas, 41-42, 173
escravidão, 50-51, 53, 73, 122, 138, 270
    abolição da, 125, 135-138, 165
    alcance da, 90
    clima e, 8
    decisões acarretadas pela, 126-127
    durante a Revolução Americana, 90
    economia da, 58, 125
    emancipação da, 125, 160
    expansão territorial e, 147-156
    Guerra Civil iniciada pela, 158-163, 306
    índios submetidos a, 18, 19, 28, 39
    migração e, 123-124
    na visão dos fundadores, 85
    na visão dos nortistas, 130
    representação e, 96-97
Espanha, 139, 226, 265
    como potência mundial, 35, 37
    Inglaterra *versus*, 37, 75
Espanhola, 8, 18, 19
especiarias, 2, 18, 45, 46, 53
esquimós (inuítes), 12
Estado de Nova York, 54, 72, 87
Estado de Washington, 146, 202
Estados Confederados da América, 156, 158-159, 164-165
estanho, 224
Estevanico (explorador), 27
Estreito de Bering, 9
Etiópia, 247
evangélicos, 292
evolução, 207-208
excepcionalidade, 308-309
exército Continental, 86, 91

fabricação de charuto, 186
fábricas têxteis, 128-129, 132, 208, 231
Farr, John, 238
Federação Americana do Trabalho (AFL), 189
Federal Deposit Insurance Corporation (FDIC), 243
Federal Emergency Relief Administration, 241
federalismo, 97
federalistas, 97-98, 103-105, 107, 108, 110, 115, 206, 305
"feriado bancário", 241
Fernando V, rei da Espanha, 3, 19
Ferrovia Transiberiana, 255
ferrovias, 143, 173, 224, 231
    competição entre, 179-180
    consolidação das, 182
    disputas trabalhistas nas, 188

expansão das, para oeste, 199, 204
fusos horários criados pelas, 178-179
indústria do aço e, 181
riscos aos trabalhadores nas, 183-184
sistemas requeridos pelas, 177
transcontinentais, 178, 206, 255
urbanização e, 194
Fifth Monarchists (Homens da Quinta Monarquia), 56
Filadélfia, 54, 60, 62, 64
　captura britânica da, 89
　como capital federal, 107, 151
　Convenção Constitucional na, 94
　primeiro Congresso Constitucional na, 79
　serviço ferroviário para a, 177
Filhas da Liberdade, 78
Filhos da Liberdade, 77, 78, 79
Filipinas, xii, 20, 35, 73, 226, 251, 298
filmes, 232-233
Finley, Elliott, 303
Finney, Charles Grandison, 132-133
Flórida, 67, 110, 121, 175
Folhas de relva (Whitman), 192-193
food stamps, 292
Ford, Gerald, 291, 293
Ford, Henry, 234
Forte Duquesne, Pensilvânia, 71, 72, 74
Forte Necessity, Pensilvânia, 71
Forte Sumter, Carolina do Sul, 158
Forte Ticonderoga, Nova York, 87
França, 8, 54, 255
　América do Norte colonizada pela, 28, 35, 67, 70-71
　ataque alemão à, 247-248
　Inglaterra *versus*, 70-71, 103, 104, 108-110
　na Guerra dos Sete Anos, 66-74
　na Primeira Guerra Mundial, 227, 228, 246
　na Revolução Americana, 89-90
　população da, 11
franciscanos, 67, 141

Franklin, Benjamin, 84, 89, 308
　como inventor, 61-62, 302-303
　curiosidade intelectual de, 62
　generosidade de, 62, 64-65
　na Convenção Constitucional, 95, 97, 98
　secularismo de, 62, 63, 65
Freedom Riders, 274, 278, 279, 281
Frémont, John, 146
Frick, Henry, 210
Friedan, Betty, 282-283
frigoríficos, 195, 204, 220, 231
fronteiras, 138-147
Fruitlands, 134
furacões, 301

Gandhi, Mahatma, 272
gangues, 191
Garcia, Gustavo, 279-280
Garfield, James, 205
Garrido, Juan, 24
Garrison, William Lloyd, 136
gelo, 125, 128, 197, 232
George III, rei da Grã-Bretanha, 73, 75, 81, 85, 89
Geórgia, 53, 121, 124, 164
Gerônimo, 203
Gettysburg, batalha de, 161, 169
GI Bill, 258
glasnost, 293
Glenn, John, 264-265
golfo do México, 9, 28, 70
Gompers, Samuel, 189
Gorbachev, Mikhail, 293
Göring, Hermann, 245
Gould, Jay, 180, 187, 210, 303
Grã-Bretanha:
　ataque alemão à, 248
　como potência colonial, 75-82, 255, 272
　na Guerra dos Sete Anos, 66-74
　na invasão da Normandia, 250
　na Primeira Guerra Mundial, 228, 246
　na Revolução Americana, 86-91

problemas econômicos na, 74, 76
Revolução Industrial na, 128
soviéticos aliados à, 256
vínculos da Nova Inglaterra com a, 103
Ver também Inglaterra
Grand Canyon, 26, 232
Grande Bacia, 6, 12, 13
Grande Depressão, 239-241, 246, 265, 307
Grande Despertar, O, 60, 63-65, 132, 304
Grande Khan, 2
Grande Lago Salgado, 6
Grande Migração, 123
Grande roubo do trem, O, (filme), 232-233
Grande Sociedade, 284-285, 289, 292, 298, 307
Grande Sol (rei indígena), 13
Grandes Antilhas, 8
Grandes Lagos, 194
Grandes Planícies, 178, 198
　clima e vegetação nas, 6, 8, 199, 202, 203, 204
　tempestades de vento nas, 238-239
　vida selvagem nas, 11, 139, 199, 203
Grant, Ulysses S., 161, 164, 167, 174
Grasse, François Joseph de, 91
Grauman's Chinese Theatre, 233
Great Northern Railway, 219
Green, Georgia, 252
Grenville, George, 76, 77
Grenville, Richard, 35-36
Greves, 189, 209-210, 215, 216, 281
Guatemala, 264, 297-298
guerra civil inglesa, 56, 100
Guerra Civil, 158-163, 270-271, 306
guerra contra a pobreza, 284
Guerra de 1812, 109-110, 118, 120, 271, 305
Guerra de Independência, 86-91, 270-271
Guerra dos Sete Anos, 66-74, 86, 111, 146
　consequências da, 75-76

Guerra Fria, 256, 261, 264, 293, 308
Guerra Hispano-Americana, 225, 226, 271, 309
Guerra Revolucionária, 86-91, 270-271
Guerras dos Castores, 70
Guilherme de Anhalt, 31

Haiti, 18
Hamilton, Alexander, 105, 107
　afinidade com os britânicos, 102, 103, 104
　banco nacional garantido por, 103, 119
　como secretário do Tesouro, 100, 101-102
　manufatura favorecida por, 206
　morte de, 108
Hamlin, Susan, 126
Hammond, James, 124
Hanna, Mark, 219
Harding, Warren Gamaliel, 230, 233, 246-247
Harrison, Benjamin, 205
Harrison, William Henry, 120
Hartford, Conn., 42
Havaí, 225, 226
Havana, 73
Hayes, Rutherford B., 175, 188, 205
Head Start, 284
Henry, Patrick, 77, 78, 92, 93-94
Hernandez contra o Texas, 280
hessianos, 87, 89
Himalaia, 6
hindus, 298
hippies, 281
Hiroshima, Japão, 252
Hispânicos, 279-280
Hitler, Adolf, 245-246, 247-250, 252, 256, 258
Ho Chi Minh, 264, 286, 287-288, 290
Hohokam, 13, 14
Holocausto, 249
Homestead Steel Works, 174, 184, 209-210
Hoover, Herbert, 235, 239

Hoovervilles, 240
Hopkins, Harry, 241-242
Houston, Sam, 141-142
Howe, William, 87, 89
Huerta, Dolores, 281, 282
Huitzilopochtli (deus mexica), 20-21
Hull House, 216-217, 243
Hungria, 264
Hutchinson, Anne, 54

Idaho, 200, 203, 210
igreja Batista da Beale Street, 173
igreja da Inglaterra, 39, 43
igualdade, 60, 206
    como conceito, 52-53
    jacksoniana, 119, 206
    jeffersoniana, 85, 102, 106, 137
    liberdade e, 303-304, 305, 309
    na teoria e na prática, 84-85, 122
    noções religiosas de, 56-58
ilha de Manhattan, 53
ilha de Roanoke, 35-37
Ilhas Canárias, 3
Iluminismo, 60, 61, 65, 84, 95
imigrantes:
    alemães, 191, 195, 298, 304
    asiáticos, 298
    chineses, 178, 195, 215, 298, 304
    irlandeses, 176, 178, 191-192, 195, 298, 304
    judeus, 195, 215, 216
    mexicanos, 215, 279
    na cidade de Nova York, 191-192, 196
    poloneses, 215, 216, 304
    restrições aos, 298
    sul-americanos, 297-298
impeachment, 171
imperialismo, 224-226
Império Otomano, 227
imposto de renda, 223
incas, 22
Índia, 20, 73, 224, 255, 272, 298
índios, 8, 10-14, 17-29, 47, 49, 111, 198, 199

    caça de, 140, 143
    conversão de, 67
    debilidade política dos, 120-121
    em guerra com os brancos, 202-203
    em minas de prata, 34-35
    em reservas, 121, 201, 203, 204, 224
    na Califórnia, 201
    nos Novos Países Baixos, 54
    peregrinos e, 38-39, 42, 43
    remoção dos, 121, 124, 192
índios apaches, 67, 202-203
índios arapahos, 304
índios cherokees, 121, 141
índios cheyennes, 199
índios choctaws, 110
índios chumashs, 304
índios comanches, 67, 199
índios dakotas, 199, 202
índios de Coloma, 200
índios huronianos, 70
índios iroqueses, 66, 70, 71, 304
índios mohawks, 54
índios montauks, 54
índios natchez, 13
índios nausets, 38-39
índios nez-percés, 203
índios potawatomis, 192
índios pueblos, 304
índios tushepaws, 111
índios yamasees, 304
Indochina, 255
Indonésia, 255
indústria da borracha, 224
indústria do aço, 177, 181, 184-185
Inglaterra:
    alfabetização na, 41
    colônias oprimidas pela, 76, 77
    comércio de tabaco e a, 48, 49
    emigração da, 40, 41, 50, 54, 58
    Espanha *versus*, 37, 75
    expectativa de vida na, 49
    França *versus*, 70-71, 103, 104, 108-110
    Iluminismo na, 62

índios e a, 47, 49
justiça criminal na, 42
mercadores na, 46
Novos Países Baixos atacados pela, 54, 70
protestantismo na, 34, 39
sistema político na, 78, 101
Ver também Grã-Bretanha
internet, 295
inuítes (esquimós), 12
invasão da Normandia, 250, 303
Irã, 264, 291
Iraque, 296
Irlanda, 2, 24, 81, 191-192
Isabel I, rainha da Espanha, 3, 19
isolacionismo, 247
Israel, 289, 291
istmo do Panamá, 6, 19, 20, 226
Itália, 34, 54, 108, 246, 247, 248, 250

Jackson, Andrew, 141, 143, 206, 306
  como dono de escravos, 125
  como general, 110, 120
  como presidente, 118-119
  e sua desconfiança dos bancos, 119-220
  e sua oposição à anulação, 121-122, 157
  índios despossuídos por, 121, 124, 192
Jackson, Thomas "Stonewall", 158
Jacobs, David, 14
Jaime I, rei da Inglaterra, 40, 48
Jaime, duque de York, 54
Jamaica, 8
Jamestown, Vancouver, 46-48, 90
Japão, 246, 24 ', 248-249, 250, 252, 253, 298
Jardins da Vitória, 251
jazz, 232
Jefferson, Thomas, 83, 92, 103, 109, 118, 206, 246, 309
  afinidade com os franceses, 102, 103
  cidades depreciadas por, 192-193
  como presidente, 105, 106-114
  como secretário de Estado, 100
  como vice-presidente, 104, 106
  Declaração da Independência redigida por, 52, 82, 84, 85, 137
  e sua desconfiança dos partidos políticos, 101
  escravidão na visão de, 85, 149-150
  morte de, 115
jesuítas (Companhia de Jesus), 67
João II, rei de Portugal, 3
Job Corps, 284
Johnson, Andrew, 170-171
Johnson, Anthony, 50-51
Johnson, Lyndon Baines, 283-285, 287, 301
Johnson, Mary, 50-51
Johnson, Octave, 126
Jordan, Daniel, 125, 127
judeus, 195, 215, 249
julgamento por júri, 98, 244
Jumonville, Joseph Coulon de Villiers, 71
Junto (clube), 62

Kansas, 26, 153-154
Kennedy, John F., 263
  assassinato de, 283, 291
  durante a crise dos mísseis de Cuba, 265-269
  política de, no Vietnã, 287
  políticas de direitos civis de, 270, 274, 276, 283
Kennedy, Robert, 274-275, 288, 291
Kentucky, 154, 159
Khrushchev, Nikita, 264-269
King, Martin Luther, Jr., 281, 303
  "Eu tenho um sonho", discurso de, 276-277
  assassinato de, 288, 291
  boicote em ônibus em Montgomery liderado por, 272-273
  influência de Thoreau em, XI-XII, XIII
  marcha de Birmingham liderada por, 275
  oposição a, 279

Kitihawa (índia potawatomi), 192
Ku Klux Klan, 174
Kuwait, 296
L'Enfant, Pierre, 107
La Follette, Robert, 218
La Salle, Jean-Baptiste de, 28, 29, 70, 198
Lafitte, Jean, 110
Lago Champlain, Nova York, 72
lago Erie, 132
lago George, Nova York, 72
lago Michigan, 194, 195
lago Texcoco, 13-14, 21, 22
laissez-faire, 206, 235, 306
Laos, 298
latinos, 279-280
Lavarro, Jesús, 203-204
Lee, Robert E., 158, 159, 161, 164, 167
Lei da Sedição, 104, 105
Lei de Pureza de Alimentos e Medicamentos, 220
Lei do Açúcar, 77
Lei do Escravo Fugitivo, 152, 157
Lei do Selo, 77, 78
Lei dos Direitos Civis, 276, 283, 284
Lei dos Direitos de Voto, 284
Lei Kansas-Nebraska, 153, 306
leis antitruste, 223
leis coercitivas, 79, 80
leis da mordaça, 151
leis de aquartelamento, 80
Lênin, Vladimir, 255-256
Levellers (niveladores), 56
Levy, Asser, 54
Lewis, Meriwether, 110-111
Lexington, Massachusetts, 80
Liberator (jornal), 136
liberdade de expressão, 98, 104, 244
liberdade religiosa, 98, 244
Liga das Nações, 229, 246, 247, 260
Liliuokalani, rainha do Havaí, 225
linchamento, 216, 271
Lincoln, Abraham, 84, 85, 172, 175, 210
    assassinato de, 168-169, 171
    como orador, 155-156, 166-167
    como presidente, 158-162

    e suas dúvidas sobre as ameaças de secessão, 157
    Lincoln, Mary, 168-169
língua gullah, 112
língua minataree, 111
língua shoshone, 111
linhas ferroviárias elevadas, 194
lista negra, 260-261
lixo tóxico, 300-301
Locke, John, 62-63, 84
Los Álamos, Novo México, 252
Los Angeles, 279
Louisiana, 70, 124, 175
Lowell, Francis, 128
Lowell, James Russell, 192
Luís XVI, rei da França, 102
Lusitania (transatlântico), 228
Lutero, Martinho, XII, 30-34, 40, 41, 56

Madagascar, 16
Madison, Dolley, 109
Madison, James, 96, 101, 102, 103, 114, 128
    a escravidão vista por, 148-149, 306
    como presidente, 108, 109, 110
    e seu temor de uma confederação fraca, 94-95
    facções na visão de, 304-305
Magalhães, Fernão de, 20
Maine (navio de guerra), 225
Maine, 150, 176
Malária, 49, 125, 242, 300
Malcolm X, 279
Manchúria, 247
Manila, 73
mantos de gelo e calotas polares, 7, 8, 9, 301
Mao Tsé-Tung, 256
Maomé, profeta, 296
máquina a vapor, 132, 231
máquinas de costura, 225, 232
Marcha para a Morte de Bataan, xii, 251

Marshall, George C., 258
Marshall, Thurgood, 271
Maryland, 49-50, 93-94, 159
Massachusetts, 94, 125, 150
Mayflower (navio), 40-41
McCarthy, Joseph, 261
McClellan, George, 158-159, 160, 164
McIntosh, William, 120
McKinley, William, 214-215, 219, 225, 226
McNamara, Robert, 268, 288
McNeil, Joseph, 273-274
Medicaid, 285, 292
Medicare, 284
Meio Rei (Tanaghrisson: chefe iroquês), 66, 71
melaço, 46, 77, 135
Memphis, 173
Merrymount, 43, 61
metralhadoras, 224
metrôs, 194
Mexicas (astecas), 13, 14, 20-22, 25, 33-34, 308
México, 140, 203, 297
    depósitos de prata no, 34
    escravidão proibida no, 141
    guerra dos Estados Unidos contra o, 146-148, 151, 198-199, 271
    imigração do, 215, 279
    independência do, 139
Miami, 301
Michaelis, Hans, 251
Michigan, 195
Middle Passage, 59
Midway Island, 249
milenarismo, 64, 101, 131, 133-134, 305
milho, 24, 39, 125, 204
Miller, William, 133
mineração de carvão, 185
mineração, 185, 210, 215-216, 224
minério de ferro, 181, 182, 224
Minnesota, 202
Minutemen, 80
Mississippi, 121, 124
Missouri, 142-143, 149, 153-154, 155, 159
Mística feminina (Friedan), 282-283
Montezuma, 21-22
mongóis, 17
monopólio, 181, 218
Monroe, James, 115, 305
Montana, 200, 203
Montanhas Rochosas, 6, 12, 111, 139
Montcalm, Louis-Joseph, marquês de, 73
Montes Apalaches, 6, 8, 10, 70, 74, 118, 123
Montreal, 67
Morgan, J. Pierpont, 182, 219-220
mórmons (Santos dos Últimos Dias), 133, 143, 281)
Morse, Samuel, 143
Morton, Thomas, 42-43, 61
Mott, Lucretia, 136-137, 283
movimento Black Power, 279
movimento pelos direitos civis, 270-279
movimento progressista, 216-221, 235, 241, 285, 307
movimentos reformistas, 134-138
muçulmanos, 295-296, 298
mudança climática, 301
Muggletonianos, 56
Mujahidin, 295
Mum Bett (escrava), 125
Mussolini, Benito, 246, 249
Mutual Assured Destruction (MAD), 263-64

nação do Islã, 279
Nagasaki, Japão, 253
Napoleão I, imperador dos franceses, 108, 109, 110
Narváez, Panfilo de, 26-27, 28
National Labor Union, 188
National Organization for Women (NOW), 283
Nauvoo, Illinois, 134, 281
nazistas, 245, 248, 249, 251. *Ver também* Hitler, Adolf; Segunda Guerra Mundial

Nebraska, 153
Nevada, 147, 200
New Deal, 241-244, 283, 292, 307
New Haven, Connecticut, 42, 153
New York Central Railroad, 177, 188
Newark, Nova Jersey, 279
Newport, Rhode Island, 77
Newton, Isaac, 61, 63
Nickelodeons, 232
Niña (navio), 1, 3
Nixon, Richard, 289-291, 293, 301
Noel State Bank, 238
Noroeste no Pacífico, 13
North Star (boletim de notícias), 136, 137
Northampton, Massachusetts, 63-64
Northern Pacific Railway, 219
Northern Securities, 219-220
Noruega, 54
Nova Amsterdã, 54
Nova Escócia, 70
Nova França, 67, 70-71
Nova Inglaterra, 49, 52
    e oposição às guerras de expansão, 147
    escolas na, 41-42
    escravidão e, 58, 59
    influência federalista na, 103, 110
    na Revolução Americana, 86, 89, 91
    no fogo cruzado entre a França e a Inglaterra, 108-109
    puritanos na, 39, 41
Nova Jersey, 54, 87, 93, 96
"Nova Mulher" 231
Nova Orleans, 70, 110, 160-161
Nova Suécia, 53
Novo México, 140-141, 147, 151-152
Novos Países Baixos, 53-54, 57, 70

Oak Ridge, Tennessee, 252
Obama, Barack, 299
ofensiva do Tet, 288
Oklahoma, 121, 203, 239, 271
Oppenheimer, Robert, 252
Oregon, 12, 142, 143, 146, 198, 203

órfãos, 49, 50
Organização das Nações Unidas, 93, 260
Oswald, Lee Harvey, 283
ouro, 17-18, 19, 20, 34, 45, 46, 176
Overland Trail, 142
Owen, Robert, 134

pacto do Mayflower, 40, 41
padronização do horário, 179
pagamento parcelado, 235, 237
Paine, Thomas, 81, 84, 93
País de Gales, 111
Países Baixos, 34, 53-54, 111
Palmer, Potter, 192-193, 196
pânicos. *Ver* depressões
Paquistão, 295, 297
Parks, Rosa, 272-274, 278, 282
parques nacionais, 220
Partido Progressista, 222-223
Partidos políticos, 101, 103, 115, 117
patentes, 179
Paul, Alice, 217
Pearl Harbor, 248-249, 267, 296
Penn, William, 54, 56
Pennsylvania Railroad, 176, 182, 187, 208
Pensilvânia, 11, 54, 87, 111-112, 118, 210
Pepperell Cotton Mills, 176
peregrinos, 38-41, 42-43, 45
Perkins, Frances, 243
pessoas libertas, 169-175
petróleo, 180-181, 291
Pickett, George, 161
Pierce, Charlotte Woodward, 217
Pinkerton, Allan, 168, 210
Pinta (navio), 1, 3
piratas, 35, 110
Pitt, William, 72, 73-73, 76
Pittsburgh, 74, 153, 188, 209-209
Pizarro, Francisco, 22
plano da Virgínia, 95-96, 97
Plano Marshall, 258
Platt, Thomas, 218-219

Plessy contra Ferguson, 215
Pliyev, Issa, 268
Plymouth Rock, 39
Pocahontas, 47
Polk, James K., 143, 146, 198-199
Polo, Marco, 2, 4
Polônia, 247
poluição, 300-301
Ponce de León, Juan, 26
Pontiac (chefe de Ottawa), 76
Popova, Nadia, 251
populistas, 214-215
Porto Rico, 8, 226
Portugal, 2-3, 34, 46
Potências do Eixo, 247
Potosí, 34, 45
Powhatan, 47
prata, 34-35, 45, 46, 176
presídios, 67
Primeira Guerra Mundial, 227-228, 246, 271, 307
Princeton, Nova Jersey, 87
prisões de devedores, 188
proclamação de 1763, 76
proclamação de Emancipação, 160, 276
proteção igual, 171
protestantes, 32-35, 39-40, 192, 292
protestos sentados de Greensboro, 274
protestos sentados, 274, 278, 281
Pullman, George, 183
puritanos, 39, 40, 46, 56, 58, 123, 213, 304
    divisões entre, 42-43
    educação enfatizada por, 41-42, 49
    na Inglaterra, 100
Putnam, Israel, 86
Quacres (Sociedade dos Amigos), 56-58, 62
Quase Uma Mulher-Coruja, 204
Quebec, 67, 73, 86
queimadas, 301
Radio Corporation of America (RCA), 235, 238
rádio, 232, 233
raiom, 231

Raleigh, Walter, 35
Ranters (faladores), 56
Reagan, Ronald, 291-293
reconstrução, 169-175
reforma penitenciária, 135
Reforma Protestante, 32-33
Reforma, 32-33
refrigeração, 232
Reichstag, 245
Represa Boulder, 239
representação proporcional, 96
República Dominicana, 18
republicanos, 103, 154-155, 157, 260-261
    atacam escravidão, 159, 165
    durante a era progressista, 214-215, 218-223
    durante a Reconstrução, 171-175
    durante os anos *1920*, 230, 235
    e Ronald Reagan, 291-293
Revere, Paul, 80
Revolução Americana, 86-91, 270-271
Revolução Francesa, 102
Revolução Industrial, 128-129, 132, 135
Rhode Island, 44, 98
Rhodes, Cecil, 224, 226
Rice, Sally, 129
Richmond, Vancouver, 159
rio Columbia, 111
rio Cuyahoga, 300-301
rio Delaware, 53, 54, 87, 89, 91
rio Grande, 141, 146, 297
rio Hudson, 53, 70, 89, 132
rio Merrimac, 128
rio Mississippi, 11, 15, 28, 70, 94, 160-161, 198
rio Missouri, 111
rio Ohio, 70, 209
rio Orinoco, 18
rio Platte, 199
rio São Lourenço, 67, 70
Roach Guards (gangue de rua), 191
Rochester, Nova York, 132-133, 135, 136

Rockefeller, John D., 180-181, 182, 187, 207-208
Roosevelt, Eleanor, 240, 243-244
Roosevelt, Franklin Delano, 258, 260, 284, 307
    abordagem experimental de, 241, 243
    agências criadas por, 241-243
    como presidente da guerra, 247-249, 252, 253
    instintos políticos de, 240
    reeleição de, 244
Roosevelt, Theodore, 240, 303
    canal do Panamá construído por, 226-227
    carreira militar de, 225, 228, 265
    como progressista, 219-223, 308
    como vice-presidente, 219
    origens de, 218
Root, Simon, 54
Rota da Seda, 2, 16, 45
Rough Riders, 25
Roxy (cinema), 233
rum, 46, 77, 135
Rush, Benjamin, 75-76, 81
Rusk, Dean, 267, 269
Rússia, 227, 255

Sacagawea, 111
sacrifício humano, 21-22, 34
Sacro Império Romano, 30
salas de cinema, 233
San Jacinto, batalha de, 142
Santa Anna, Antonio López de, 141, 142, 146
Santa Maria (navio), 1, 3
Santos dos Últimos Dias (mórmons), 133, 143, 281
São Francisco, 195, 200, 281
São Salvador, 5, 15
Saratoga, Nova York, 89
Savannah, Geórgia, 90
Saxônia, 30
Scott, Dred, 155
Scott, Thomas, 188

seca, 301
secessão, 121, 122, 152, 156
segregação, 152-153, 215, 271-275, 278, 279
Segunda Guerra Mundial, 246-255, 265, 271, 282, 288, 303, 307
Segundo Congresso Continental, 81, 82
Seguridade Social, 243
Senso comum (Paine), 81-82, 93
"separados, mas iguais", 215
separatistas, 40, 43
Sérvia, 227
Shays, Daniel, 94
Sherman, William Tecumseh, 164
Shirt Tails (gangue de rua), 191
Sinclair, Upton, 220
sindicatos de trabalhadores, 188, 190, 209-210
sindicatos, 188, 190, 209-210
Singer, máquinas de costura, 225
Síria, 291
sistema de autoestradas interestaduais, 265
sistemas industriais, 179, 188, 190, 195, 212, 306, 307
Sledge, Eugene, 250-251
Smith, John, 46-47
Smith, Joseph, 133, 134, 143
"soberania popular", 152, 153
soberania, 97
socialismo, 134
Sociedade dos Amigos (quacres), 56-58, 62
Sociedade Real, 63
Sócrates, 61
Sorte e coragem (Alger), 207
Spencer, Herbert, 208-209
Squanto (índio wampanoag), 39
St. Augustine, Flórida, 35
St. Louis, Missouri, 15
Stálin, Joseph, 250, 256, 258, 259, 261
Stalingrado, Batalha de, 250
Standard Oil Company, 180-181
Stanton, Edwin, 171

Stanton, Elizabeth Cady, 137, 187
Steel, Ferdinand, 125
Stephens, Alexander, 170
Stowe, Harriet Beecher, 153
Strauss, Levi, 14
Strive and Succeed (Alger), 206-207
submarinos, 228
substâncias químicas, 231-232, 300
subúrbios, 265
sudeste asiático, 248, 298
Suécia, 53, 112
sufrágio feminino, 217, 231
Summer, Charles, 154, 303
Sutter, John, 200
Swift, Gustavus, 194

tabaco, 48-50, 58, 123, 124, 138, 172, 176, 187
Taft, William Howard, 222
Tainos, 18, 19
Tallmadge, James, 149-150
Tanaghrisson (Meio Rei; chefe iroquês), 66
tarifas Townshend, 78
tarifas, 121, 122
Taylor, Zachary, 146, 151-152
Tchecoslováquia, 247
telégrafo, 143, 179, 224
televisão, 265
Tennessee, 121, 141, 158, 234
Tenochtitlán, 13-14, 20, 21, 22, 24, 25, 190
Terry, Peggy, 251
Texas, 203, 231
    anexação do, 146-147
    colonização do, 139, 140
    conquistadores no, 27
    independência do, 141, 142
    segregação no, 280
Thomas, Phoebe, 185, 303
Thoreau, Henry David, xii, xiii, 147, 272
Tilden, Samuel, 175
Tlaxcala, 20-21
tomate, 24

trabalhadores em regime de servidão temporária, 50, 52
trabalho infantil, 185, 189, 223
trabalho nas fábricas, 183-185, 270
transcendentalismo, 134
Tratado de Versalhes, 142
Travis, William, 142
Trenton, Nova Jersey, 89
trigo, 101, 124, 132, 194, 204
"Trilha de Lágrimas", 121
Trilha Natchez, 123, 132, 140
Tropical Fruit Company, 224-225
Troy, Nova York, 186
Truman, Harry S., 252, 256, 258-259, 260, 264
trustes, 219-20, 223
Tubman, Harriet, 150, 303
Turner, Nat, 126
Turquia, 264, 267-269
Twain, Mark, 200-201, 302

uísque, 135
Underground Railroad, 150
União Soviética:
    Afeganistão invadido pela, 293, 295, 308
    arsenal nuclear da, 260, 261, 269
    colapso da, 293
    como superpotência, 255, 256
    contenção da, 259
    détente com a, 289-290
    Estados Unidos provocados pela, 264-268
    Segunda Guerra Mundial, 249, 250, 256
Union Pacific Railroad, 178
United Farm Workers, 281
United States Steel Corporation, 182, 219
Universidade de Chicago, 252
Untalan, Valentine, xii-xiii
urbanização, 190-197
URSS. *Ver* União Soviética
Utah, 143, 147, 152

vale do México, 20
vale do Willamette, 12
valões, 54
Van Angola, Anna, 54
Van Buren, Martin, 117, 119, 120, 305
Van Salee, Anthony, 54, 58
Vanderbilt, Cornelius, 180, 303
vaqueros, 203
varíola, 25, 29, 70, 76, 110-111, 140
Vause, Agatha, 49
Vermont, 125, 234
veto, 95, 96
Vicksburg, Batalha de, 161
Vietnã, 256, 264, 286-290, 291, 298, 301, 308
vikings, 5
Vila Sésamo, 284

Virginia Company, 46-47
Virgínia:
 africanos na, 50-51
 boom econômico na, 45-46, 48, 50
 colonização da, 40
 pequenos Estados *versus*, 94-95, 97
 secessão da, 158
 tabaco na, 48-49, 50, 58, 123, 187
vida selvagem na, 11, 29
votação:
 após a Guerra Civil, 169, 170, 171
 de afro-americanos, 173, 215, 274-275, 276, 284
 de mulheres, 137, 217, 231, 305
 e campanhas de registro de eleitores, 281, 282
 limitações à, 120, 150
 posse de propriedades requerida para, 117
 supressão da, 174
Walcott Mills, 130, 132
Walker, David, 135-136, 150
Wampanoags, 39, 43

Washington, D.C., 106, 107, 109, 151, 152, 159
Washington, George, 57, 101, 190, 246, 303
 carreira militar de, 66, 71-72, 86-91, 92-93, 115, 142, 176
 como dono de escravos, 127, 151
 como presidente, 99-100, 103
 e seu temor quanto aos efeitos da escravidão sobre a União, 99-100, 130, 306
 na Convenção Constitucional, 95
Washington, Martha, 127
Wells, Ida, 271, 280
Westmoreland, William, 287-288
Whigs, 120, 154, 206
Whitefield, George, 64-65, 132
Whitman, Walt, 191, 192-193, 197, 309
Whitney, Eli, 124
Williams, Roger, 43-44, 309
Wilson, James, 94
Wilson, Woodrow, 223, 228-229, 246, 307
Winthrop, John, 41
 "cidade no alto da colina" imaginada por, 65, 101, 213, 221, 292, 307
 desigualdade justificada por, 52, 57, 85, 108
Winthrop, Margaret, 57
Wisconsin, 195
Wolfe, James, 73
World Trade Center, 296-297
World Wide Web, 295
Wyoming, 147, 203, 231

Yamamoto, Isoroku, 248, 249
Yorktown, Vancouver, 90-91

Zheng He, 16

lepmeditores
www.lpm.com.br
o site que conta tudo

IMPRESSÃO:

PALLOTTI
GRÁFICA

Santa Maria · RS | Fone: (55) 3220.4500
www.graficapallotti.com.br